AQUARELAS do BRASIL

FLÁVIO MOREIRA DA COSTA

AQUARELAS do BRASIL

Contos da nossa música popular

2ª EDIÇÃO REVISTA E AUMENTADA

Editora
Nova
Fronteira

Copyright de seleção, introdução e notas, © Flávio Moreira da Costa
Copyright dos textos "Chica-chica-bum" e "Sambista em mesa de botequim bebendo cerveja com choro", © Flávio Moreira da Costa.

Direitos de edição da obra em língua portuguesa no Brasil adquiridos pela EDITORA NOVA FRONTEIRA PARTICIPAÇÕES S.A. Todos os direitos reservados. Nenhuma parte desta obra pode ser apropriada e estocada em sistema de banco de dados ou processo similar, em qualquer forma ou meio, seja eletrônico, de fotocópia, gravação etc., sem a permissão do detentor do copirraite.

EDITORA NOVA FRONTEIRA PARTICIPAÇÕES S.A.
Rua Candelária, 60 — 7º andar — Centro — 20091-020
Rio de Janeiro — RJ — Brasil
Tel.: (21) 3882-8200 — Fax: (21) 3882-8212/8313

CIP-Brasil. Catalogação na publicação
Sindicato Nacional dos Editores de Livros, RJ

A666

AQUARELAS do Brasil : contos da nossa música popular/organização Flávio Moreira da Costa. – 2. ed, rev. ampl. – Rio de Janeiro : Nova Fronteira, 2018.

ISBN 9788520941966

1. Conto brasileiro. I. Costa, Flávio Moreira da.

18-47325
CDD 869.93
CDU 821.134.3(81)-3

Para o piano de Aldara,
tocando em surdina
no Sul da minha infância.

Para um carioca como poucos,
que nos meus vinte anos me introduziu nos
bares e em seus sambas.

— Nelson Antônio da Silva.
Ou melhor, Nelson Cavaquinho.

"Cuidei ouvir agora a flauta do deus Pan. Flauta? É violão!"
Machado de Assis, *Os deuses de casaca*

"Chegou a hora desta gente bronzeada
mostrar seu valor (...)"
Assis Valente, "Brasil Pandeiro"

"Ah! abre a cortina do passado!
Tira a mãe preta do cerrado (...)"
Ary Barroso, "Aquarela do Brasil"

"O samba é pai do prazer,
o samba é filho da dor,
o grande poder transformador."
Caetano Veloso, "Desde que o samba é samba"

SUMÁRIO

Introdução, Moacir Andrade   11
Prelúdio ao assobio, Flávio Moreira da Costa   13

ANTES DO BRASIL SAMBAR

Um homem célebre, Machado de Assis   21
Cantiga de esponsais, Machado de Assis   31
O machete, Machado de Assis   36
Cenas de festas de *Memórias de um sargento de milícias*, Manuel Antônio de Almeida   49
Teus olhos, Arthur Azevedo   55
Clara dos Anjos, Lima Barreto   59
Gente de *Music-Hall*, João do Rio   70
O piano, Raul Pompeia   77

FESTA DO INTERIOR

O tocador de bombo, Eduardo Campos   83
O baile do Judeu, Inglês de Sousa   89
Quem cai na dança não se "alembra" de mais nada, Anônimo (folclore popular)   94
Noite de são-joão, Bernardo Élis   97

CONFETE, PIERRÔS E COLOMBINAS

O último entrudo, Raul Pompeia   105
Cordões, João do Rio   111
Carnavalescos, Olavo Bilac   123
Como eu me diverti!, Arthur Azevedo   128
Cló, Lima Barreto   134

O bebê de tarlatana rosa, João do Rio   147
O mártir Jesus (senhor Crispiniano B. de Jesus), António de Alcântara Machado   154
Embaixada da Concórdia, Francisco Inácio Peixoto   160
O Bloco das Mimosas Borboletas, Ribeiro Couto   173
Composição de Carnaval, Marques Rebelo   185

O SAMBA NASCE, AGONIZA, MAS NÃO MORRE

O samba, Magalhães de Azeredo   193
A morte da porta-estandarte, Aníbal Machado   210
Olhos de azeviche, Nei Lopes   222
Chica-chica-bum, Flávio Moreira da Costa   229
Sambista em mesa de botequim bebendo cerveja com choro, Flávio Moreira da Costa   238

APANHEI-TE CAVAQUINHO E OUTRAS BOSSAS

Ioubert-Maringá, João Antônio   245
O piano toca Ernesto Nazareth, João Gilberto Noll   251
A noite do gafanhoto, Carlos Jurandir   255
Oh, Bernardine, Jaime Prado Gouvêa   266
O concerto de João Gilberto no Rio de Janeiro, Sérgio Sant'Anna   273

Referências bibliográficas,   311
Obras de Flávio Moreira da Costa,   315

INTRODUÇÃO
Moacir Andrade

As referências à música popular na literatura brasileira terão coincidido com o próprio desabrochar da ficção no país, tão forte é a marca musical na vida e nos costumes do nosso povo. Muitas vezes, um trecho de canção, ou sua simples menção, define o caráter ou o traço essencial do personagem, joga luz esclarecedora sobre a trama ou a época. Esta antologia, organizada pelo contista, romancista e ensaísta Flávio Moreira da Costa, mostra essa interação entre o canto e o conto em momentos fulgurantes de sua realização, em mais de duas dezenas de obras-primas da história curta. Pioneira e criativa como o próprio assunto que aborda, *Aquarelas do Brasil* é uma antologia que, desde já, vai ocupar lugar cativo nas melhores bibliografias sobre cultura brasileira e nos corações dos leitores, como um acorde de Pixinguinha ou o samba de Ary Barroso.

A seleção remonta a "antes de o Brasil sambar", quando o fado, no período colonial, era coisa nossa, como se constata em cenas do folhetim de Manuel Antônio de Almeida. Em outro andamento, a prosa refinada de Machado de Assis nos fala de polcas famosas na corte, dos clássicos e do machete, nome remoto do popular cavaquinho dos nossos dias. Em Lima Barreto, um tipo como Joaquim dos Anjos, carteiro e flautista, parece saltar das páginas de *O choro*, o livro-documentário com o qual Alexandre Gonçalves Pinto, anos depois, salvou do esquecimento algumas dezenas de chorões pioneiros.

Em Aníbal Machado, a música entranha-se no enredo: Bide e Marçal, expoentes entre os mestres que, no Estácio, na primeira metade do século passado, fixaram o samba na forma ainda vigente, ocupam, com "Agora é cinza", a alma do rapaz atormentado pela angústia amorosa. João do Rio, cada vez mais lido e relido, testemunha, no Carnaval, as ruas a "rebentar de luxúria e do barulho" dos cordões, blocos e ranchos, enquanto transcreve as letras de melodias carnavalescas não gravadas, infelizmente para sempre perdidas. A moda de viola, chorosa, "com sabor arrependido de banzo", a subir pelo céu como balão, é introduzida por Bernardo Élis, ao passo que João Antônio faz o inventário da canção que virou cidade, conduzida pelas levas de retirantes das terras secas da Paraíba às terras roxas e férteis do Paraná. Sérgio Sant'Anna põe João Gilberto a cantar baixinho, sílabas muito bem pronunciadas em todas as notas, a "Aquarela do Brasil".

Por trás da ação dramática do conto de João Gilberto Noll, ressoa com leveza a partitura suave, chopiniana, brejeira, de Ernesto Nazareth. As bandas interioranas estão presentes na contrafeita fidelidade do tocador de bombo ao instrumento ingrato, em página comovente do cearense Eduardo Campos. Os nomes líricos dos ranchos desfilam apresentados por Francisco Inácio Peixoto. E Marques Rebelo, fiel aos assuntos cariocas, trata do corso e das escolas de samba. A propósito do samba, o conto de Magalhães de Azeredo assegura que ele nasceu na senzala, como lamento dos negros escravizados, bem antes do que em geral sustentam especialistas. E, no conto de sua autoria que incluiu na antologia, Flávio Moreira da Costa, biógrafo de Nelson Cavaquinho, ambienta a história no botequim, palco preferido do biografado, de quem foi amigo.

PRELÚDIO AO ASSOBIO
Flávio Moreira da Costa

1

Esta não é bem uma introdução: é um prelúdio.

Não em dó maior, talvez em si menor ou em sol menor. "Si" do pronome reflexivo, como se escreve em cair em si ou em si mesmo; e sol, bem aquele sol que alimenta a vida e a curiosidade humana, ou que pelo menos tem alimentado a minha curiosidade em relação ao homem e às suas circunstâncias, ao homem e à sua cultura, literatura, música, som e silêncio.

2

Meu pai era um gaúcho de Vila Isabel. Vila Isabel, Rio de Janeiro.

Quando criança, os pais dele (meus avós que não conheci) trabalhavam naquela fábrica do samba de Noel. Por insalubridade, perdeu ele o pai e, um mês depois, a mãe — de pneumonia. Órfão, foi encaminhado e criado no Rio Grande.

Na minha infância (gaúcha), foi assim que ouvi falar pela primeira vez do samba e do autor de "Três apitos":

"Quando o apito da fábrica de tecidos
Vem ferir os meus ouvidos..."

Meu pai falava também de Lupicínio Rodrigues, que fora empregado — bedel, como se dizia — da Faculdade de Direito de Porto Alegre (e, comentava-se em segredo, filho bastardo do diretor da faculdade, um desembargador conceituado), que meu pai cursou.

Na pré-adolescência e adolescência, foi uma sucessão de descobertas: Zé Kéti, pela voz e a imagem de Grande Otelo cantando o orgulho de ser "A voz do morro" ("sou eu mesmo, sim senhor..."), num filme de Nelson Pereira dos Santos; o primeiro LP de Elza Soares; o começo da era do rock (vide conto "Oh, Bernardine") e o LP *O amor, o sorriso e a flor*, de um tal João Gilberto, apresentado a mim por uma namoradinha de Porto Alegre.

Mais tarde, já no Rio, acompanhei todos os festivais e movimentos musicais. (Ainda estudante, mesmo desafinado, fui um dos primeiros a ouvir "Garota de Ipanema", ensaiando com um grupo vocal que não foi em frente.) Como jornalista, escrevi na chamada grande imprensa sobre jazz e a MPB, sobre os ainda pouco conhecidos Gil, Milton Nascimento e outros. Jovem, fiz um documentário sobre o jovem Chico Buarque. E sinto orgulho até hoje de ter sido amigo mais novo do Nelson Cavaquinho — e sobre ele escrevi um livro.

Tudo isso para dizer que, como pessoa e como escritor, nunca deixei de acompanhar a música.

E chegamos assim a *Aquarelas do Brasil*, cuja primeira edição saiu em 2006, vendendo, para surpresa minha (e, acredito, da editora), cerca de 37 mil exemplares.

A nova edição, ora apresentada, foi revista e aumentada, com a intenção/pretensão de ser definitiva, até prova em contrário, posto que com nova roupagem (e Noel me criticando: "Com que roupa?/Com que roupa? Que eu vou/ao samba que você me convidou...").

3

Resgatar, literalmente, o conto "O samba" do hoje esquecido Magalhães de Azeredo, 106 anos depois de publicado — e nunca reeditado, desde 1900 —, já presente na primeira edição, é uma espécie de resposta do próprio registro literário, resgatado ou não, ao real (e falso) debate sobre a "origem" do samba ou sobre o "primeiro samba" numa concepção moderna. Creio que Ismael Silva tinha razão: "Pelo telefone" não foi o primeiro, nem mesmo era samba (era maxixe) — o que não impediu que nossa imprensa, em 2017, comemorasse os cem anos do samba — música que nasceu "lá na Bahia"? ou com as "tias" do Estácio, Rio de Janeiro? O conto de 1900 responde: o samba (como batuque) nasceu nas senzalas, onde quer que elas existissem, e nossa história registra que elas existiam por todo o país. O resto é discussão sobre indústria cultural — e não sobre cultura em si.

O ritmo que vinha das senzalas dos séculos passados chegaria até o nosso século.

Sim, já em 1890, o samba era mencionado em *O cortiço*, de Aluízio Azevedo:

"Jerônimo já nunca pegava na guitarra senão para procurar acertar com as modinhas que a Rita cantava. Em noites de samba era o primeiro a chegar-se e o último a ir embora; e durante o pagode ficava de queixo bambo, a ver dançar a mulata, abstrato, pateta, esquecido de tudo; babão. E ela, consciente do feitiço que lhe punha, ainda mais se requebrava e remexia, dando-lhe embigadas ou fingindo que lhe limpava a baba no queixo com a barra da saia."

Mais de um século depois, em 2006 o narrador do conto "Obrigado, bateria!", de Nei Lopes dizia assim:

"O ritmo nascera com eles. Como nasce com todo mundo. Só que uns desenvolvem a intimidade da convivência. E aí percebem melhor a batucada das rodas do trem, da máquina de costura, da goteira caindo do teto e repenicando na lata... Porque tudo no universo tem seu ritmo. A vida, ela própria, é ritmo. E a música não é só uma arte do espírito e da alma, mas de todo o corpo." (*in 20 contos e uns trocados*).

4

"O estudioso da cultura brasileira não pode nunca deixar de notar que a música ocupa um lugar de grande relevância na literatura do século XIX. Nos romances da vida da cidade não faltam episódios cujo palco é o Teatro Lírico, o Teatro Provisório, ou algum outro teatro que durante o século se utilizava para apresentação de óperas, e incluem quase sempre solos ou duetos de canto e piano. Uma característica do romance regional de Alencar, Franklin Távora, Bernardo Guimarães e Inglês de Sousa é a presença de personagens que cantam as cantigas tradicionais da região descrita. Entre as prendas das heroínas dos romances urbanos, uma das mais apreciadas é o talento musical, que é quase tão importante como a beleza física e a juventude. É indubitável que essa preocupação indica a profunda significação da música no caráter e na vida nacional, e a sua maior integração nessa vida do que das outras artes (...) Até a poesia e o teatro dramático ocupam um lugar secundário com respeito à música." (Raymond S. Sayers, "A música na obra de Machado de Assis", *O Estado de S. Paulo*, 26 de setembro de 1970.)

5

Ainda no Rio de Janeiro, numa crônica do final do século XIX, nosso Machado de Assis comentava:

"...Sabe toda a gente que, abaixo do doce de coco, o que o fluminense mais adora é a boa música. Haverá, e não raros, os que jamais possam suportar uma cena do Cid ou um diálogo de Hamlet, que os achem supinamente amoladores, tanto como os antigos dramalhões do Teatro de S. Pedro; mas nenhum há que não se babe ao ouvir um dueto. E isto vem desde a infância; nas escolas aprende-se a ler a carta de nomes cantando; e ninguém ignora que a primeira manifestação do menino carioca é o assobio."

6

Estas *Aquarelas do Brasil* (título, nem precisava dizer, que homenageia uma das nossas músicas mais famosas — de Ary Barroso) tratam do conto e do canto. Os contos dos cantos. Os cantos dos contos. O som e a fúria. A dor da senzala e o amor, o sorriso e a flor da casa grande. O desamor, a dor. Ouço Maysa cantando "meu mundo caiu" e dialogando com o poeta Cartola, que, mais tarde, nos adverte, a nós desatentos:

"Preste atenção: o mundo é um moinho."

Nelson Cavaquinho/Guilherme de Brito quase clamando:

"Tira o teu sorriso do caminho."

Mas também Ernesto Nazareth com seu piano "brejeiro", a malemolência de Caymmi e a voz de Mário Reis com Noel sussurrando coisas nossas e outras bossas. Tudo isso nos cantos do Brasil, mas também, sabendo ler, nos contos do Brasil. Conforme o veredito de Zé Kéti nos batendo de frente:

A dor da gente
não sai no jornal.

7

Um trabalho, enfim, que busca, na sua própria execução e "montagem" final, uma harmonia, embora composta de ritmos diversos; uma antologia que visa registrar o que não havia antes, como um todo, digo, pois contos assim só se liam dispersos, quando se liam, e aqui reunidos nos ajudam a refletir um pouco sobre a relação sutil entre, de um lado, a nossa vida e a música, de outro, entre a música e a literatura. Sobretudo para que possamos usufruir de uma e de outra, umas e outras. Tudo com certa (certa? Muita.) cadência de vida e balanço histórico, tendo como resultante contrapontos ou polifonias, pois a multiplicidade de sons e de vozes só nos enriquece. E não abro mão do refrão: a qualidade das "músicas" escolhidas, dos contos. Para tudo terminar não numa Quarta-Feira de Cinzas, mas num "remate de males", como diria Mário de Andrade, que tão bem entendia dos assuntos ficção e música. E que Candeias, sem saber, muitos anos depois, traduziria assim:

Mas se houver tristeza
que seja tristeza bonita.

8

Isto posto, e sem pretender dar a palavra final, pois estas linhas são um mero prelúdio, convido o leitor para, lendo, ouvir um pouco da música nossa de cada dia.

Ah, sim, a verdadeira introdução se inscreve nas notas que antecedem cada relato, como os primeiros acordes ou arranjos antecedem a música propriamente dita...

Lembrando os versos músico-filosóficos de Noel Rosa:

*Quem acha,
vive se perdendo...*

Ou a "reclamação" cantada de Nelson Sargento:

O samba agoniza, mas não morre.

Nem ele nem a música brasileira, esperamos..
Como uma criança que descobre seu próprio assobio.

Rio, 2006/2018

ANTES DO BRASIL SAMBAR

UM HOMEM CÉLEBRE
Machado de Assis

Três vezes Machado de Assis (1839-1908). São três andamentos, três contos (apenas um "a" e um "o" separam as palavras conto e canto) que jamais perdem o ritmo e a harmonia e que consolidam, de maneira indiscutível, a presença da música na ficção nacional. Três registros literomusicais: ouçam estes três cantos, digo, leiam estes três contos e, em cada um deles, dance conforme a música. É tudo arte. Em grande estilo.

Na obra-prima que é "Um homem célebre", a metáfora do artista que, mesmo sem querer, ao orientar sua criação pelo e para o mercado, que lhe exigia polcas populares, se afasta cada vez mais de sua inspiração maior de ser um grande músico. Como numa sutil recriação do mito de Fausto: "A moça dormia ao som da polca, ouvida de cor, enquanto o autor desta não cuidava nem da polca nem da moça, mas das velhas obras clássicas, interrogando o céu e a noite, rogando aos anjos, em último caso ao diabo. Por que não faria ele uma só que fosse daquelas páginas imortais?" Com as polcas famosas na corte, Pestana sonhava em ser compositor "sério", com os ouvidos e "os olhos em Mozart, a imitá-lo ao piano". E pensamos logo no Mozart de 1781, o compositor à beira da morte nos legando seu "Réquiem".

— Ah! O senhor é que é o Pestana? — perguntou sinhazinha Mota, fazendo um largo gesto admirativo. E logo depois, corrigindo a familiaridade: — Desculpe meu modo, mas... é mesmo o senhor?

Vexado, aborrecido, Pestana respondeu que sim, que era ele. Vinha do piano, enxugando a testa com o lenço, e ia a chegar à janela, quando a moça o fez parar. Não era baile; apenas um sarau íntimo, pouca gente, vinte pessoas ao todo, que tinham ido jantar com a viúva Camargo, rua do Areal, naquele dia dos anos dela, 5 de novembro de 1875... Boa e patusca viúva! Amava o riso e a folga, apesar dos sessenta anos em que entrava, e foi a última vez que folgou e riu, pois faleceu nos primeiros dias de 1876. Boa e patusca viúva! Com que alma e diligência arranjou ali umas danças, logo depois do jantar, pedindo ao

Pestana que tocasse uma quadrilha! Nem foi preciso acabar o pedido; Pestana curvou-se gentilmente, e correu ao piano. Finda a quadrilha, mal teriam descansado uns dez minutos, a viúva correu novamente ao Pestana para um obséquio mui particular.

— Diga, minha senhora.

— É que nos toque agora aquela sua polca "Não bula comigo, Nhonhô".

Pestana fez uma careta, mas dissimulou depressa, inclinou-se calado, sem gentileza, e foi para o piano, sem entusiasmo. Ouvidos os primeiros compassos, derramou-se pela sala uma alegria nova, os cavalheiros correram às damas, e os pares entraram a saracotear a polca da moda. Da moda; tinha sido publicada vinte dias antes, e já não havia recanto da cidade, em que não fosse conhecida. Ia chegando à consagração do assobio e da cantarola noturna.

Sinhazinha Mota estava longe de supor que aquele Pestana que ela vira à mesa de jantar e depois ao piano, metido numa sobrecasaca cor de rapé, cabelo negro, longo e cacheado, olhos cuidosos, queixo rapado, era o mesmo Pestana compositor; foi uma amiga que lho disse quando o viu vir do piano, acabada a polca. Daí a pergunta admirativa. Vimos que ele respondeu aborrecido e vexado. Nem assim as duas moças lhe pouparam finezas, tais e tantas, que a mais modesta vaidade se contentaria de as ouvir; ele recebeu-as cada vez mais enfadado, até que, alegando dor de cabeça, pediu licença para sair. Nem elas, nem a dona da casa, ninguém logrou retê-lo. Ofereceram-lhe remédios caseiros, algum repouso, não aceitou nada, teimou em sair e saiu.

Rua fora, caminhou depressa, com medo de que ainda o chamassem; só afrouxou depois que dobrou a esquina da rua Formosa. Mas aí mesmo esperava-o a sua grande polca festiva. De uma casa modesta, à direita, a poucos metros de distância, saíam as notas da composição do dia, sopradas em clarineta. Dançava-se. Pestana parou alguns instantes, pensou em arrepiar caminho, mas dispôs-se a andar, estugou o passo, atravessou a rua, e seguiu pelo lado oposto ao da casa do baile. As notas foram-se perdendo, ao longe, e o nosso homem entrou na rua do Aterrado, onde morava. Já perto de casa, viu vir dois homens;

um deles, passando rentezinho com o Pestana, começou a assobiar a mesma polca, rijamente, com brio, e o outro pegou a tempo na música, e aí foram os dois abaixo, ruidosos e alegres, enquanto o autor da peça, desesperado, corria a meter-se em casa.

Em casa, respirou. Casa velha, escada velha, um preto velho que o servia, e que veio saber se ele queria cear.

— Não quero nada — bradou o Pestana —; faça-me café e vá dormir.

Despiu-se, enfiou uma camisola, e foi para a sala dos fundos. Quando o preto acendeu o gás da sala, Pestana sorriu e, dentro d'alma, cumprimentou uns dez retratos que pendiam da parede. Um só era a óleo, o de um padre, que o educara, que lhe ensinara latim e música, e que, segundo os ociosos, era o próprio pai do Pestana. Certo é que lhe deixou em herança aquela casa velha, e os velhos trastes, ainda do tempo de Pedro I. Compusera alguns motetes o padre, era doido por música, sacra ou profana, cujo gosto incutiu no moço, ou também lhe transmitiu no sangue, se é que tinham razão as bocas vadias, cousa de que se não ocupa a minha história, como ides ver.

Os demais retratos eram de compositores clássicos, Cimarosa, Mozart, Beethoven, Gluck, Bach, Schumann, e ainda uns três, alguns gravados, outros litografados, todos mal encaixilhados e de diferente tamanho, mas postos ali como santos de uma igreja. O piano era o altar; o evangelho da noite lá estava aberto: era uma sonata de Beethoven.

Veio o café; Pestana engoliu a primeira xícara, e sentou-se ao piano. Olhou para o retrato de Beethoven, e começou a executar a sonata, sem saber de si, desvairado ou absorto, mas com grande perfeição. Repetiu a peça; depois parou alguns instantes, levantou-se e foi a uma das janelas. Tornou ao piano; era a vez de Mozart, pegou de um trecho, e executou-o do mesmo modo, com a alma alhures. Haydn levou-o à meia-noite e à segunda xícara de café.

Entre meia-noite e uma hora, Pestana pouco mais fez que estar à janela e olhar para as estrelas, entrar e olhar para os retratos. De quando em quando ia ao piano, e, de pé, dava uns golpes soltos no teclado, como se procurasse algum pensamento; mas o pensamento não aparecia e ele voltava a encostar-se à janela. As estrelas pareciam-lhe outras tantas notas musicais fixadas no céu à espera de alguém que as fosse descolar; tempo viria em que o céu tinha de ficar vazio, mas então a terra seria uma constelação de partituras. Nenhuma imagem, desvario ou reflexão trazia uma lembrança qualquer de sinhazinha Mota, que entretanto, a essa mesma hora, adormecia pensando nele, famoso autor de tantas polcas amadas. Talvez a ideia conjugal tirou à moça alguns momentos de sono. Que tinha? Ela ia em vinte anos, ele em trinta, boa conta. A moça dormia ao som da polca, ouvida de cor, enquanto o autor desta não cuidava nem da polca nem da moça, mas das velhas obras clássicas, interrogando o céu e a noite, rogando aos anjos, em último caso ao diabo. Por que não faria ele uma só que fosse daquelas páginas imortais?

Às vezes, como que ia surgir das profundezas do inconsciente uma aurora de ideia; ele corria ao piano, para aventá-la inteira, traduzi-la, em sons, mas era em vão; a ideia esvaía-se. Outras vezes, sentado, ao piano, deixava os dedos correrem, à ventura, a ver se as fantasias brotavam deles, como dos de Mozart; mas nada, nada, a inspiração não vinha, a imaginação deixava-se estar dormindo. Se acaso uma ideia aparecia, definida e bela, era eco apenas de alguma peça alheia, que a memória repetia, e que ele supunha inventar. Então, irritado, erguia-se, jurava abandonar a arte, ir plantar café ou puxar carroça; mas daí a dez minutos, ei-lo outra vez, com os olhos em Mozart, a imitá-lo ao piano.

Duas, três, quatro horas. Depois das quatro foi dormir; estava cansado, desanimado, morto; tinha que dar lições no dia seguinte. Pouco dormiu; acordou às sete horas. Vestiu-se e almoçou.

— Meu senhor quer a bengala ou o chapéu de sol? — perguntou o preto, segundo as ordens que tinha, porque as distrações do senhor eram frequentes.

— A bengala.

— Mas parece que hoje chove.

— Chove — repetiu Pestana maquinalmente.

— Parece que sim, senhor, o céu está meio escuro.

Pestana olhava para o preto, vago, preocupado. De repente:

— Espera aí.

Correu à sala dos retratos, abriu o piano, sentou-se e espalmou as mãos no teclado. Começou a tocar alguma cousa própria, uma inspiração real e pronta, uma polca, uma polca buliçosa, como dizem os anúncios. Nenhuma repulsa da parte do compositor; os dedos iam arrancando as notas, ligando-as, meneando-as; dir-se-ia que a musa compunha e bailava a um tempo. Pestana esquecera as discípulas, esquecera o preto, que o esperava com a bengala e o guarda-chuva, esquecera até os retratos que pendiam gravemente da parede. Compunha só, teclando ou escrevendo, sem os vãos esforços da véspera, sem exasperação, sem nada pedir ao céu, sem interrogar os olhos de Mozart. Nenhum tédio. Vida, graça, novidade escorriam-lhe da alma como de uma fonte perene.

Em pouco tempo estava a polca feita. Corrigiu ainda alguns pontos, quando voltou para jantar: mas já a cantarolava, andando, na rua. Gostou dela; na composição recente e inédita circulava o sangue da paternidade e da vocação. Dois dias depois, foi levá-la ao editor das outras polcas suas, que andariam já por umas trinta. O editor achou-a linda.

— Vai fazer grande efeito.

Veio a questão do título. Pestana, quando compôs a primeira polca, em 1871, quis dar-lhe um título poético, escolheu este: "Pingos de sol". O editor abanou a cabeça, e disse-lhe que os títulos deviam ser, já de si, destinados à popularidade, ou por alusão a algum sucesso do dia, ou pela graça das palavras; indicou-lhe dois: "A lei de 28 de setembro", ou "Candongas não fazem festa".

— Mas que quer dizer "Candongas não fazem festa"? — perguntou o autor.

— Não quer dizer nada, mas populariza-se logo.

Pestana, ainda donzel inédito, recusou qualquer das denominações e guardou a polca; mas não tardou que compusesse outra, e a comichão da publicidade levou-o a imprimir as duas, com os títulos que ao editor parecessem mais atraentes ou apropriados. Assim se regulou pelo tempo adiante.

Agora, quando Pestana entregou a nova polca, e passaram ao título, o editor acudiu que trazia um, desde muitos dias, para a primeira obra que ele lhe apresentasse, título de espavento, longo e meneado. Era este: "Senhora dona, guarde o seu balaio".

— E para a vez seguinte — acrescentou —, já trago outro de cor. Exposta à venda, esgotou-se logo a primeira edição. A fama do compositor bastava à procura; mas a obra em si mesma era adequada ao gênero, original, convidava a dançá-la e decorava-se depressa. Em oito dias, estava célebre. Pestana, durante os primeiros, andou deveras namorado da composição, gostava de a cantarolar baixinho, detinha-se na rua, para ouvi-la tocar em alguma casa, e zangava-se quando não a tocavam bem. Desde logo, as orquestras de teatro a executaram, e ele lá foi a um deles. Não desgostou também de a ouvir assobiada, uma noite, por um vulto que descia a rua do Aterrado.

Essa lua de mel durou apenas um quarto de lua. Como das outras vezes, e mais depressa ainda, os velhos mestres retratados o fizeram sangrar de remorsos. Vexado e enfastiado, Pestana arremeteu contra aquela que o viera consolar tantas vezes, musa de olhos marotos e gestos arredondados, fácil e graciosa. E aí voltaram as náuseas de si mesmo, o ódio a quem lhe pedia a nova polca da moda, e juntamente o esforço de compor alguma coisa ao sabor clássico, uma página que fosse, uma só, mas tal que pudesse ser encadernada entre Bach e Schumann. Vão estudo, inútil esforço. Mergulhava naquele Jordão sem sair batizado. Noites e noites, gastou-as assim, confiado e teimoso, certo de que a vontade era tudo, e que, uma vez que abrisse mão da música fácil...

— As polcas que vão para o inferno fazer dançar o diabo — disse ele um dia, de madrugada, ao deitar-se.

Mas as polcas não quiseram ir tão fundo. Vinham à casa de Pestana, à própria sala dos retratos, irrompiam tão prontas, que ele não tinha mais que o tempo de as compor, imprimi-las depois, gostá-las alguns dias, aborrecê-las, e tornar às velhas fontes, donde lhe não manava nada. Nessa alternativa viveu até casar, e depois de casar.

— Casar com quem? — perguntou sinhazinha Mota ao tio escrivão que lhe deu aquela notícia.

— Vai casar com uma viúva.

— Velha?

— Vinte e sete anos.

— Bonita?

— Não, nem feia, assim, assim. Ouvi dizer que ele se enamorou dela, porque a ouviu cantar na última festa de S. Francisco de Paula. Mas ouvi também que ela possui outra prenda, que não é rara, mas vale menos: está tísica.

Os escrivães não deviam ter espírito, mau espírito, quero dizer. A sobrinha deste sentiu no fim um pingo de bálsamo, que lhe curou a dentadinha da inveja. Era tudo verdade. Pestana casou daí a dias com uma viúva de 27 anos, boa cantora e tísica. Recebeu-a como a esposa espiritual do seu gênio. O celibato era, sem dúvida, a causa da esterilidade e do transvio, dizia ele consigo; artisticamente considerava-se um arruador de horas mortas; tinha as polcas por aventuras de petimetres. Agora, sim, é que ia engendrar uma família de obras sérias, profundas, inspiradas e trabalhadas.

Essa esperança abotoou desde as primeiras horas do amor, e desabrochou à primeira aurora do casamento. Maria, balbuciou a alma dele, dá-me o que não achei na solidão das noites, nem no tumulto dos dias.

Desde logo, para comemorar o consórcio, teve ideia de compor um noturno. Chamar-lhe-ia "Ave, Maria". A felicidade como que lhe trouxe um princípio de inspiração; não querendo dizer nada à mulher, antes de pronto, trabalhava às escondidas; coisa difícil, porque Maria, que amava igualmente a arte, vinha tocar com ele, ou ouvi-lo somente, horas e horas, na sala dos retratos. Chegaram a fazer alguns concertos semanais, com três artistas, amigos do Pestana. Um domingo, porém, não se pôde ter o marido, e chamou a mulher para tocar um trecho do noturno; não lhe disse o que era nem de quem era. De repente, parando, interrogou-a com os olhos.

— Acaba — disse Maria —, não é Chopin?

Pestana empalideceu, fitou os olhos no ar, repetiu um ou dois trechos e ergueu-se. Maria assentou-se ao piano, e, depois de algum esforço de memória, executou a peça de Chopin. A ideia, o motivo eram os mesmos; Pestana achara-os em algum daqueles becos escuros da memória, velha cidade de traições. Triste, desesperado, saiu de casa, e dirigiu-se para o lado da ponte, caminho de S. Cristóvão.

— Para que lutar? — dizia ele. — Vou com as polcas... Viva a polca!

Homens que passavam por ele, e ouviam isto, ficavam olhando, como para um doido. E ele ia andando, alucinado, mortificado, eterna peteca entre a ambição e a vocação... Passou o velho matadouro; ao chegar à porteira da estrada de ferro, teve ideia de ir pelo trilho acima e esperar o primeiro trem que viesse e o esmagasse. O guarda fê-lo recuar. Voltou a si e tornou a casa.

Poucos dias depois, uma clara e fresca manhã de maio de 1876, eram seis horas, Pestana sentiu nos dedos um frêmito particular e conhecido. Ergueu-se devagarinho, para não acordar Maria, que tossira toda noite, e agora dormia profundamente. Foi para a sala dos retratos, abriu o piano, e, o mais surdamente que pôde, extraiu uma polca. Fê-la publicar com um pseudônimo; nos dois meses seguintes compôs e publicou mais duas. Maria não soube nada; ia tossindo e morrendo, até que expirou, uma noite, nos braços do marido, apavorado e desesperado.

Era noite de Natal. A dor do Pestana teve um acréscimo, porque na vizinhança havia um baile, em que se tocaram várias de suas melhores polcas. Já o baile era duro de sofrer; as suas composições davam-lhe um ar de ironia e perversidade. Ele sentia a cadência dos passos, adivinhava os movimentos, porventura lúbricos, a que obrigava alguma daquelas composições; tudo isso ao pé do cadáver pálido, um molho de ossos, estendido na cama... Todas as horas da noite passaram assim, vagarosas ou rápidas, úmidas de lágrimas e de suor, de águas-da-colônia e de Labarraque, saltando sem parar, como ao som da polca de um grande Pestana invisível.

Enterrada a mulher, o viúvo teve uma única preocupação: deixar a música, depois de compor um "Réquiem", que faria executar no primeiro aniversário da morte de Maria. Escolheria outro emprego, escrevente, carteiro, mascate, qualquer coisa que lhe fizesse esquecer a arte assassina e surda.

Começou a obra; empregou tudo, arrojo, paciência, meditação, e até os caprichos do acaso, como fizera outrora, imitando Mozart. Releu e estudou o "Réquiem" deste autor. Passaram-se semanas e meses. A obra, célere a princípio, afrouxou o andar. Pestana tinha altos e baixos. Ora achava-a incompleta, não lhe sentia a alma sacra, nem ideia, nem inspiração, nem método; ora elevava-se-lhe o coração e trabalhava com vigor. Oito meses, nove, dez, onze, e o "Réquiem" não estava concluído. Redobrou de esforços; esqueceu lições e amizades. Tinha refeito muitas vezes a obra; mas agora queria concluí-la, fosse como fosse. Quinze dias, oito, cinco... A aurora do aniversário veio achá-lo trabalhando.

Contentou-se da missa rezada e simples, para ele só. Não se pode dizer se todas as lágrimas que lhe vieram sorrateiramente aos olhos foram do marido ou se algumas eram do compositor. Certo é que nunca mais tornou ao "Réquiem".

— Para quê? — dizia ele a si mesmo.

Correu ainda um ano. No princípio de 1878, apareceu-lhe o editor.

— Lá vão dois anos — disse este — que nos não dá um ar da sua graça. Toda a gente pergunta se o senhor perdeu o talento. Que tem feito?

— Nada.

— Bem sei o golpe que o feriu; mas lá vão dois anos. Venho propor-lhe um contrato: vinte polcas durante 12 meses; o preço antigo, e uma porcentagem maior na venda. Depois, acabado o ano, podemos renovar.

Pestana assentiu com um gesto. Poucas lições tinha, vendera a casa para saldar dívidas, e as necessidades iam comendo o resto, que era assaz escasso. Aceitou o contrato.

— Mas a primeira polca há de ser já — explicou o editor. — É urgente. Viu a carta do Imperador ao Caxias? Os liberais foram chamados ao poder; vão fazer a reforma eleitoral. A polca há de chamar-se: "Bravos à eleição direta!" Não é política; é um bom título de ocasião.

Pestana compôs a primeira obra do contrato. Apesar do longo tempo de silêncio, não perdera a originalidade nem a inspiração. Trazia a mesma nota genial. As outras polcas vieram vindo, regularmente. Conservara os retratos e os repertórios; mas fugia de gastar todas as noites ao piano, para não cair em novas tentativas. Já agora pedia uma entrada de graça, sempre que havia alguma boa ópera ou concerto de artista, ia, metia-se a um canto, gozando aquela porção de coisas que nunca lhe haviam de brotar do cérebro. Uma ou outra vez, ao tornar para casa, cheio de música, despertava nele o maestro inédito; então, sentava-se ao piano, e, sem ideia, tirava algumas notas, até que ia dormir, vinte ou trinta minutos depois.

Assim foram passando os anos, até 1885. A fama do Pestana dera-lhe definitivamente o primeiro lugar entre os compositores de polcas; mas o primeiro lugar da aldeia não contentava a este César, que continuava a preferir-lhe, não o segundo, mas o centésimo em Roma. Tinha ainda as alternativas de outro tempo, acerca de suas composições; a diferença é que eram menos violentas. Nem entusiasmo nas primeiras horas, nem horror depois da primeira semana; algum prazer e certo fastio.

Naquele ano, apanhou uma febre de nada, que em poucos dias cresceu, até virar perniciosa. Já estava em perigo, quando lhe apareceu o editor, que não sabia da doença, e ia dar-lhe notícia da subida dos conservadores, e pedir-lhe uma polca de ocasião. O enfermeiro, pobre clarineta de teatro, referiu-lhe o estado do Pestana, de modo que o editor entendeu calar-se. O doente é que instou para que lhe dissesse o que era; o editor obedeceu.

— Mas há de ser quando estiver bom de todo — concluiu.

— Logo que a febre decline um pouco — disse o Pestana.

Seguiu-se uma pausa de alguns segundos. O clarineta foi pé ante pé preparar o remédio; o editor levantou-se e despediu-se.

— Adeus.

— Olhe — disse o Pestana —, como é provável que eu morra por estes dias, faço-lhe logo duas polcas; a outra servirá para quando subirem os liberais.

Foi a única pilhéria que disse em toda a vida, e era tempo, porque expirou na madrugada seguinte, às quatro horas e cinco minutos, bem com os homens e mal consigo mesmo.

CANTIGA DE ESPONSAIS
Machado de Assis

Passamos à "Cantiga de esponsais", outra obra-prima machadiana. Começa assim: "Imagine a leitora que está em 1813, na igreja do Carmo, ouvindo uma daquelas boas festas antigas, que eram todo o recreio público e toda a arte musical." A partir daí, a trajetória de mestre Romão, que nos remete musicalmente à presença ímpar do padre José Maurício (1767-1830), compositor, organista e regente que marcou a passagem cultural do Brasil do século XVIII para o XIX.

Imagine a leitora que está em 1813, na igreja do Carmo, ouvindo uma daquelas boas festas antigas, que eram todo o recreio público e toda a arte musical. Sabem o que é uma missa cantada; podem imaginar o que seria uma missa cantada daqueles anos remotos. Não lhe chamo a atenção para os padres e os sacristães, nem para o sermão, nem para os olhos das moças cariocas, que já eram bonitos nesse tempo, nem para as mantilhas das senhoras graves, os calções, as cabeleiras, as sanefas, as luzes, os incensos, nada. Não falo sequer da orquestra, que é excelente; limito-me a mostrar-lhes uma cabeça branca, a cabeça desse velho que rege a orquestra, com alma e devoção.

Chama-se Romão Pires; terá sessenta anos, não menos, nasceu no Valongo, ou por esses lados. É bom músico e bom homem; todos os músicos gostam dele. Mestre Romão é o nome familiar; e dizer familiar e público era a mesma coisa em tal matéria e naquele tempo. "Quem rege a missa é mestre Romão" — equivalia a esta outra forma de anúncio, anos depois: "Entra em cena o ator João Caetano" — ou então: "O ator Martinho cantará uma de suas melhores árias." Era o tempero certo, o chamariz delicado e popular. Mestre Romão rege a festa! Quem não conhecia mestre Romão, com o seu ar circunspecto, olhos no chão, riso triste, e passo demorado? Tudo isso desaparecia à frente da orquestra; então a vida derramava-se por todo o corpo e todos os gestos do mestre; o olhar acendia-se, o riso iluminava-se: era outro. Não que a missa fosse dele; esta, por exemplo, que ele rege agora no Carmo é de José Maurício; mas ele rege-a com o mesmo amor que empregaria, se a missa fosse sua.

Acabou a festa; é como se acabasse um clarão intenso, e deixasse o rosto apenas alumiado da luz ordinária. Ei-lo que desce do coro, apoiado na bengala; vai à sacristia beijar a mão aos padres e aceita um lugar à mesa do jantar. Tudo isso indiferente e calado. Jantou, saiu, caminhou para a rua da Mãe dos Homens, onde reside, com um preto velho, pai José, que é a sua verdadeira mãe, e que neste momento conversa com uma vizinha.

— Mestre Romão lá vem, pai José — disse a vizinha.
— Eh! eh! adeus, sinhá, até logo.

Pai José deu um salto, entrou em casa, e esperou o senhor, que daí a pouco entrava com o mesmo ar do costume. A casa não era rica naturalmente; nem alegre. Não tinha o menor vestígio de mulher, velha ou moça, nem passarinhos que cantassem, nem flores, nem cores vivas ou jucundas. Casa sombria e nua. O mais alegre era um cravo, onde o mestre Romão tocava algumas vezes, estudando. Sobre uma cadeira, ao pé, alguns papéis de música; nenhuma dele...

Ah! se mestre Romão pudesse seria um grande compositor. Parece que há duas sortes de vocação, as que têm língua e as que a não têm. As primeiras realizam-se; as últimas representam uma luta constante e estéril entre o impulso interior e a ausência de um modo de comunicação com os homens. Romão era destas. Tinha a vocação íntima da música; trazia dentro de si muitas óperas e missas, um mundo de harmonias novas e originais, que não alcançava exprimir e pôr no papel. Esta era a causa única da tristeza de mestre Romão. Naturalmente o vulgo não atinava com ela; uns diziam isto, outros aquilo: doença, falta de dinheiro, algum desgosto antigo; mas a verdade é esta: a causa da melancolia de mestre Romão era não poder compor, não possuir o meio de traduzir o que sentia. Não é que não rabiscasse muito papel e não interrogasse o cravo, durante horas; mas tudo lhe saía informe, sem ideia nem harmonia. Nos últimos tempos tinha até vergonha da vizinhança, e não tentava mais nada.

E, entretanto, se pudesse, acabaria ao menos uma certa peça, um canto esponsalício, começado três dias depois de casado, em 1779. A mulher, que tinha então 21 anos, e morreu com 23, não era muito bonita, nem pouco, mas extremamente simpática, e amava-o tanto como ele a ela. Três dias depois de casado, mestre Romão sentiu em si alguma coisa parecida com inspiração. Ideou então o canto esponsalício, e quis compô-lo; mas a inspiração não pôde sair. Como um pássaro que acaba de ser preso, e forceja por transpor as paredes da gaiola, abaixo, acima, impaciente, aterrado, assim batia a inspiração do nosso músico, encerrada nele sem poder sair, sem achar uma porta, nada. Algumas notas chegaram a ligar-se; ele escreveu-as; obra de uma folha de papel, não mais. Teimou no dia seguinte, dez dias depois, vinte vezes durante o tempo de casado. Quando a mulher morreu, ele releu essas primeiras notas conjugais, e ficou ainda mais triste, por não ter podido fixar no papel a sensação da felicidade extinta.

— Pai José — disse ele ao entrar —, sinto-me hoje adoentado.

— Sinhô comeu alguma coisa que fez mal...

— Não; já de manhã não estava bom. Vai à botica...

O boticário mandou alguma coisa, que ele tomou à noite; no dia seguinte mestre Romão não se sentia melhor. É preciso dizer que ele padecia do coração: moléstia grave e crônica. Pai José ficou aterrado, quando viu que o incômodo não cedera ao remédio, nem ao repouso, e quis chamar o médico.

— Para quê? — disse o mestre. — Isto passa.

O dia não acabou pior; e a noite suportou-a ele bem, não assim o preto, que mal pôde dormir duas horas. A vizinhança, apenas soube do incômodo, não quis outro motivo de palestra; os que entretinham relações com o mestre foram visitá-lo. E diziam-lhe que não era nada, que eram macacoas do tempo; um acrescentava graciosamente que era manha, para fugir aos capotes que o boticário lhe dava no gamão, outro que eram amores. Mestre Romão sorria, mas consigo mesmo dizia que era o final.

— Está acabado — pensava ele.

Um dia de manhã, cinco depois da festa, o médico achou-o realmente mal; e foi isso o que ele lhe viu na fisionomia por trás das palavras enganadoras:

— Isto não é nada; é preciso não pensar em músicas...

Em músicas! Justamente esta palavra do médico deu ao mestre um pensamento. Logo que ficou só, com o escravo, abriu a gaveta onde guardava desde 1779 o canto esponsalício começado. Releu essas notas arrancadas a custo, e não concluídas. E então teve uma ideia singular: rematar a obra agora, fosse como fosse; qualquer coisa servia, uma vez que deixasse um pouco de alma na terra.

— Quem sabe? Em 1880, talvez se toque isto, e se conte que um mestre Romão...

O princípio do canto rematava em um certo lá; este lá, que lhe caía bem no lugar, era a nota derradeiramente escrita. Mestre Romão ordenou que lhe levassem o cravo para a sala do fundo, que dava para o quintal: era-lhe preciso ar. Pela janela viu na janela dos fundos de outra casa dois casadinhos de oito dias, debruçados, com os braços por cima dos ombros e duas mãos presas. Mestre Romão sorriu com tristeza.

— Aqueles chegam — disse ele —, eu saio. Comporei ao menos este canto que eles poderão tocar...

Sentou-se ao cravo; reproduziu as notas e chegou ao lá...

— Lá, lá, lá...

Nada, não passava adiante. E contudo, ele sabia música como gente.

— Lá, dó... lá, mi... lá, si, dó, ré... ré... ré...

Impossível! nenhuma inspiração. Não exigia uma peça profundamente original, mas enfim alguma coisa, que não fosse de outro e se ligasse ao pensamento começado. Voltava ao princípio, repetia as notas, buscava reaver um retalho da sensação extinta, lembrava-se da mulher; dos primeiros tempos. Para completar a ilusão, deitava os olhos pela janela para o lado dos casadinhos. Estes continuavam ali, com as mãos presas e os braços passados nos ombros um do outro; a diferença é que se miravam agora, em vez de olhar para baixo. Mestre Romão, ofegante da moléstia e de impaciência, tornava ao cravo; mas a vista do casal não lhe suprira a inspiração, e as notas seguintes não soavam.

— Lá... lá... lá...

Desesperado, deixou o cravo, pegou do papel escrito e rasgou-o. Nesse momento, a moça embebida no olhar do marido, começou a cantarolar à toa, inconscientemente, uma coisa nunca antes cantada nem sabida, na qual coisa um certo lá trazia após si uma linda frase musical, justamente a que mestre Romão procurara durante anos sem achar nunca. O mestre ouviu-a com tristeza, abanou a cabeça, e à noite expirou.

O MACHETE
Machado de Assis

> *E finalmente o menos conhecido dos três contos, "O machete" (que é como se denominava o nosso hoje popular cavaquinho). Conta a história do filho de um "músico da imperial capela", "um pobre artista" que sabia "melhor a música do que a língua", que aprendeu ainda criança a tocar rabeca, depois violoncelo. E a chegada em sua casa (detalhe bem machadiano: ele vivia com a sua jovem esposa e daí...) de um tocador de cavaquinho, instrumento menos "nobre" e que antecede aqui os violões da malandragem que a história carioca tanto registra e que Lima Barreto retrataria um pouco mais tarde.*

Inácio Ramos contava apenas dez anos quando manifestou decidida vocação musical. Seu pai, músico da imperial capela, ensinou-lhe os primeiros rudimentos da sua arte, de envolta com os da gramática, de que pouco sabia. Era um pobre artista cujo único mérito estava na voz de tenor e na arte com que executava a música sacra. Inácio, conseguintemente, aprendeu melhor a música do que a língua, e aos 15 anos sabia mais dos bemóis que dos verbos. Ainda assim sabia quanto bastava para ler a história da música e dos grandes mestres. A leitura seduziu-o ainda mais; atirou-se o rapaz com todas as forças da alma à arte do seu coração, e ficou dentro de pouco tempo um rabequista de primeira categoria.

A rabeca foi o primeiro instrumento escolhido por ele, como o que melhor podia corresponder às sensações de sua alma. Não o satisfazia, entretanto, e ele sonhava alguma coisa melhor. Um dia veio ao Rio de Janeiro um velho alemão, que arrebatou o público tocando violoncelo. Inácio foi ouvi-lo. Seu entusiasmo foi imenso; não somente a alma do artista comunicava com a sua como lhe dera a chave do segredo que ele procurara.

Inácio nascera para o violoncelo.

Daquele dia em diante, o violoncelo foi o sonho do artista fluminense. Aproveitando a passagem do artista germânico, Inácio recebeu dele algumas lições, que mais tarde aproveitou quando, mediante economias de longo tempo, conseguiu possuir o sonhado instrumento.

Já a esse tempo seu pai era morto. Restava-lhe sua mãe, boa e santa senhora, cuja alma parecia superior à condição em que nascera, tão elevada tinha a concepção do belo. Inácio contava vinte anos, uma figura artística, uns olhos cheios de vida e de futuro. Vivia de algumas lições que dava e de alguns meios que lhe advinham das circunstâncias, tocando ora num teatro, ora num salão, ora numa igreja. Restavam-lhe algumas horas, que ele empregava ao estudo do violoncelo.

Havia no violoncelo uma poesia austera e pura, uma feição melancólica e severa que casavam com a alma de Inácio Ramos. A rabeca, que ele ainda amava como o primeiro veículo de seus sentimentos de artista, não lhe inspirava mais o entusiasmo antigo. Passara a ser um simples meio de vida; não a tocava com a alma, mas com as mãos; não era a sua arte, mas o seu ofício. O violoncelo sim; para esse guardava Inácio as melhores das suas aspirações íntimas, os sentimentos mais puros, a imaginação, o fervor, o entusiasmo. Tocava a rabeca para os outros, o violoncelo para si, quando muito para sua velha mãe.

Moravam ambos em lugar afastado, em um dos recantos da cidade, alheios à sociedade que os cercava e que os não entendia. Nas horas de lazer, tratava Inácio do querido instrumento e fazia vibrar todas as cordas do coração, derramando as suas harmonias interiores, e fazendo chorar a boa velha de melancolia e gosto, que ambos estes sentimentos lhe inspirava a música do filho. Os serões caseiros, quando Inácio não tinha de cumprir nenhuma obrigação fora de casa, eram assim passados; sós os dois, com o instrumento e o céu de permeio.

A boa velha adoeceu e morreu. Inácio sentiu o vácuo que lhe ficava na vida. Quando o caixão, levado por meia dúzia de artistas seus colegas, saiu da casa, Inácio viu ir ali dentro todo o passado, e presente, e não sabia se também todo o futuro. Acreditou que o fosse. A noite do enterro foi pouca para o repouso que o corpo lhe pedia depois do profundo abalo; a seguinte porém foi a data da sua primeira composição musical. Escreveu para o violoncelo uma elegia que não seria sublime como perfeição de arte, mas que o era sem dúvida como inspiração pessoal. Compô-la para si; durante dois anos ninguém a ouviu nem sequer soube dela.

A primeira vez que ele troou aquele suspiro fúnebre foi oito dias depois de casado, um dia em que se achava a sós com a mulher, na mesma casa em que morrera sua mãe, na mesma sala em que ambos costumavam passar algumas horas da noite. Era a primeira vez que a mulher o ouvia tocar violoncelo. Ele quis que a lembrança da mãe se casasse àquela revelação que ele fazia à esposa do seu coração: vinculava de algum modo o passado ao presente.

— Toca um pouco de violoncelo — tinha-lhe dito a mulher duas vezes depois do consórcio —; tua mãe me dizia que tocavas tão bem!

— Bem, não sei — respondia Inácio —, mas tenho satisfação em tocá-lo.

— Pois sim, desejo ouvir-te!

— Por ora, não, deixa-me contemplar-te primeiro.

Ao cabo de oito dias, Inácio satisfez o desejo de Carlotinha. Era de tarde — uma tarde fria e deliciosa. O artista travou do instrumento, empunhou o arco e as cordas gemeram ao impulso da mão inspirada. Não via a mulher, nem o lugar, nem o instrumento sequer: via a imagem da mãe e embebia-se todo em um mundo de harmonias celestiais. A execução durou vinte minutos. Quando a última nota expirou nas cordas do violoncelo, o braço do artista tombou, não de fadiga, mas porque todo o corpo cedia ao abalo moral que a recordação e a obra lhe produziam.

— Oh!, lindo, lindo! — exclamou Carlotinha levantando-se e indo ter com o marido.

Inácio estremeceu e olhou pasmado para a mulher. Aquela exclamação de entusiasmo destoara-lhe, em primeiro lugar porque o trecho que acabava de executar não era lindo, como ela dizia, mas severo e melancólico, e depois porque, em vez de um aplauso ruidoso, ele preferia ver outro mais consentâneo com a natureza da obra — duas lágrimas que fossem, duas, mas exprimidas do coração, como as que naquele momento lhe sulcavam o rosto.

Seu primeiro movimento foi de despeito, despeito de artista, que nele dominava tudo. Pegou silencioso no instrumento e foi pô-lo a um canto. A moça viu-lhe então as lágrimas; comoveu-se e estendeu-lhe os braços.

Inácio apertou-a ao coração.

Carlotinha sentou-se então, com ele, ao pé da janela, donde viam surdir, no céu azul, as primeiras estrelas. Era uma mocinha de 17 anos, parecendo 19, mais baixa que alta, rosto amorenado, olhos negros e travessos. Aqueles olhos, expressão fiel da alma de Carlota, contrastavam com o olhar brando e velado do marido. Os movimentos da moça eram vivos e rápidos, a voz argentina, a palavra fácil e correntia, toda ela uma índole, mundana e jovial. Inácio gostava de ouvi-la e vê-la; amava-a muito, e, além disso, como que precisava às vezes daquela expressão de vida exterior para entregar-se todo às especulações do seu espírito.

Carlota era filha de um negociante de pequena escala, homem que trabalhou a vida toda como um mouro para morrer pobre, porque a pouca fazenda que deixou mal pôde chegar para satisfazer alguns empenhos. Toda a riqueza da filha era a beleza, que a tinha, ainda que sem poesia nem ideal. Inácio conhecera-a ainda em vida do pai, quando ela ia com este visitar sua velha mãe; mas só a amou, deveras, depois que ela ficou órfã e quando a alma lhe pediu um afeto para suprir o que a morte lhe levara.

A moça aceitou com prazer a mão que Inácio lhe oferecia. Casaram-se a aprazimento dos parentes da moça e das pessoas que os conheciam a ambos. O vácuo fora preenchido.

Apesar do episódio acima narrado, os dias, as semanas e os meses correram tecidos de ouro para o esposo artista. Carlotinha era naturalmente faceira e amiga de brilhar; mas contentava-se com pouco, e não se mostrava exigente nem extravagante. As posses de Inácio Ramos eram poucas; ainda assim ele sabia dirigir a vida de modo que nem o necessário lhe faltava nem deixava de satisfazer algum dos desejos mais modestos da moça. A sociedade deles não era certamente dispendiosa nem vivia de ostentação; mas qualquer que seja o centro social há nele exigências a que não podem chegar todas as bolsas. Carlotinha vivera de festas e passatempos; a vida conjugal exigia dela hábitos menos frívolos, e ela soube curvar-se à lei que de coração aceitara.

Demais, que há aí que verdadeiramente resista ao amor? Os dois amavam-se; por maior que fosse o contraste entre a índole de um e outro, ligava-os e irmanava-os o afeto verdadeiro que os aproximara. O primeiro milagre do amor fora a aceitação por parte da moça do famoso violoncelo. Carlotinha não experimentava decerto as sensações que o violoncelo produzia no marido, e estava longe daquela paixão silenciosa e profunda que vinculava Inácio Ramos ao instrumento; mas acostumara-se a ouvi-lo, apreciava-o, e chegara a entendê-lo alguma vez.

A esposa concebeu. No dia em que o marido ouviu esta notícia sentiu um abalo profundo; seu amor cresceu de intensidade.

— Quando o nosso filho nascer — disse ele —, eu comporei o meu segundo canto.

— O terceiro será quando eu morrer, não? — perguntou a moça com um leve tom de despeito.

— Oh!, não digas isso!

Inácio Ramos compreendeu a censura da mulher; recolheu-se durante algumas horas e trouxe uma composição nova, a segunda que lhe saía da alma, dedicada à esposa. A música entusiasmou Carlotinha, antes por vaidade satisfeita do que porque verdadeiramente a penetrasse. Carlotinha abraçou o marido com todas as forças de que podia dispor, e um beijo foi o prêmio da inspiração. A felicidade de Inácio não podia ser maior; ele tinha tido o que ambicionava: vida de arte, paz e ventura doméstica, e enfim esperanças de paternidade.

— Se for menino — dizia ele à mulher —, aprenderá violoncelo; se for menina, aprenderá harpa. São os únicos instrumentos capazes de traduzir as impressões mais sublimes do espírito.

Nasceu um menino. Esta nova criatura deu uma feição nova ao lar doméstico. A felicidade do artista era imensa; sentiu-se com mais força para o trabalho, e ao mesmo tempo como que se lhe apurou a inspiração.

A prometida composição ao nascimento do filho foi realizada e executada, não já entre ele e a mulher, mas em presença de algumas pessoas de amizade. Inácio Ramos recusou a princípio fazê-lo; mas a mulher alcançou dele que repartisse com estranhos aquela nova produção de um talento. Inácio sabia que a sociedade não chegaria talvez a compreendê-lo como ele desejava ser compreendido; todavia cedeu. Se acertara aos seus receios não o soube ele, porque dessa vez, como das outras, não viu ninguém: viu-se e ouviu-se a si próprio, sendo cada nota um eco das harmonias santas e elevadas que a paternidade acordara nele.

A vida correria assim monotonamente bela, e não valeria a pena escrevê-la, a não ser um incidente, ocorrido naquela mesma ocasião.

A casa em que eles moravam era baixa, ainda que assaz larga e airosa. Dois transeuntes, atraídos pelos sons do violoncelo, aproximaram-se das janelas entrefechadas, e ouviram do lado de fora cerca de metade da composição. Um deles, entusiasmado com a composição e a execução, rompeu em aplausos ruidosos quando Inácio acabou, abriu violentamente as portas da janela e curvou-se para dentro gritando:

— Bravo, artista divino!

A exclamação inesperada chamou a atenção dos que estavam na sala; voltaram-se todos os olhos e viram duas figuras de homem, um tranquilo, outro alvoroçado de prazer. A porta foi aberta aos dois estranhos. O mais entusiasmado deles correu a abraçar o artista.

— Oh!, alma de anjo! — exclamava ele. — Como é que um artista destes está aqui escondido dos olhos do mundo?

O outro personagem fez igualmente cumprimentos de louvor ao mestre do violoncelo; mas, como ficou dito, seus aplausos eram menos entusiásticos; e não era difícil achar a explicação da frieza na vulgaridade de expressão do rosto.

Estes dois personagens assim entrados na sala eram dois amigos que o acaso ali conduzira. Eram ambos estudantes de direito, em férias; o entusiasta, todo arte e literatura, tinha a alma cheia de música alemã e poesia romântica, e era nada menos que um exemplar daquela falange acadêmica fervorosa e moça animada de todas as paixões, sonhos, delírios e efusões da geração moderna; o companheiro era apenas um espírito medíocre, avesso a todas essas coisas, não menos que ao direito, que aliás forcejava por meter na cabeça.

Aquele chamava-se Amaral, este Barbosa.

Amaral pediu a Inácio Ramos para lá voltar mais vezes. Voltou; o artista de coração gastava o tempo a ouvir o de profissão fazer falar as cordas do instrumento. Eram cinco pessoas; eles, Barbosa, Carlotinha e a criança, o futuro violoncelista. Um dia, menos de uma semana depois, Amaral descobriu a Inácio que o seu companheiro era músico.

— Também! — exclamou o artista.

— É verdade; mas um pouco menos sublime do que o senhor — acrescentou ele sorrindo.

— Que instrumento toca?

— Adivinhe.

— Talvez piano...

— Não.

— Flauta?

— Qual!

— É instrumento de cordas?

— É.

— Não sendo rabeca... — disse Inácio olhando como a esperar uma confirmação.

— Não é rabeca; é machete.

Inácio sorriu; e estas últimas palavras chegaram aos ouvidos de Barbosa, que confirmou a notícia do amigo.

— Deixe estar — disse este baixo a Inácio —, que eu o hei de fazer tocar um dia. É outro gênero...

— Quando queira.

Era efetivamente outro gênero, como o leitor facilmente compreenderá. Ali postos os quatro, numa noite da seguinte semana, sentou-se Barbosa no centro da sala, afinou o machete e pôs em execução toda a sua perícia. A perícia era, na verdade, grande; o instrumento é que era pequeno. O que ele tocou não era Weber nem Mozart; era uma cantiga do tempo e da rua, obra de ocasião. Barbosa tocou-a, não dizer com alma, mas com nervos. Todo ele acompanhava a gradação e variações das notas; inclinava-se sobre o instrumento, retesava o corpo, pendia a cabeça ora a um lado, ora a outro, alçava a perna, sorria, derretia os olhos ou fechava-os nos lugares que lhe pareciam patéticos. Ouvi-lo tocar era o menos; vê-lo era o mais. Quem somente o ouvisse não poderia compreendê-lo.

Foi um sucesso, um sucesso de outro gênero, mas perigoso, porque, tão depressa Barbosa ouviu os cumprimentos de Carlotinha e Inácio, começou segunda execução, e iria a terceira, se Amaral não interviesse, dizendo:

— Agora o violoncelo.

O machete de Barbosa não ficou escondido entre as quatro paredes da sala de Inácio Ramos; dentro em pouco era conhecida a forma dele no bairro em que morava o artista, e toda a sociedade deste ansiava por ouvi-lo.

Carlotinha foi a denunciadora; ela achara infinita graça e vida naquela outra música, e não cessava de o elogiar em toda a parte. As famílias do lugar tinham ainda saudades de um célebre machete que ali tocara anos antes o atual subdelegado, cujas funções elevadas não lhe permitiram cultivar a arte. Ouvir o machete de Barbosa era reviver uma página do passado.

— Pois eu farei com que o ouçam — dizia a moça. Não foi difícil.

Houve dali a pouco reunião em casa de uma família da vizinhança. Barbosa acedeu ao convite que lhe foi feito e lá foi com o seu instrumento. Amaral acompanhou-o.

— Não te lastimes, meu divino artista — dizia ele a Inácio —; e ajuda-me no sucesso do machete.

Riam-se os dois, e mais do que eles se ria Barbosa, riso de triunfo e satisfação porque o sucesso não podia ser mais completo.

— Magnífico!
— Bravo!
— Soberbo!
— Bravíssimo!

O machete foi o herói da noite. Carlota repetia às pessoas que a cercavam:

— Não lhes dizia eu? É um portento.

— Realmente — dizia um crítico do lugar —, assim nem o Fagundes...

Fagundes era o subdelegado.

Pode-se dizer que Inácio e Amaral foram os únicos alheios ao entusiasmo do machete. Conversavam eles, ao pé de uma janela, dos grandes mestres e das grandes obras da arte.

— Você por que não dá um concerto? — perguntou Amaral ao artista.

— Oh!, não.

— Por quê?

— Tenho medo...

— Ora, medo!

— Medo de não agradar...

— Há de agradar por força!

— Além disso, o violoncelo está tão ligado aos sucessos mais íntimos da minha vida, que eu o considero antes como a minha arte doméstica...

Amaral combatia estas objeções de Inácio Ramos; e este fazia-se cada vez mais forte nelas. A conversa foi prolongada; repetiu-se daí a dois dias, até que no fim de uma semana, Inácio deixou-se vencer.

— Você verá — dizia-lhe o estudante —, e verá como todo o público vai ficar delirante.

Assentou-se que o concerto seria dali a dois meses. Inácio tocaria uma das peças já compostas por ele, e duas de dois mestres que escolheu dentre as muitas.

Barbosa não foi dos menos entusiastas da ideia do concerto. Ele parecia tomar agora mais interesse nos sucessos do artista, ouvia com prazer, ao menos aparente, os serões de violoncelo, que eram duas vezes por semana. Carlotinha propôs que os serões fossem três; mas Inácio nada concedeu além dos dois. Aquelas noites eram passadas somente em família; e o machete acabava, muitas vezes, o que o violoncelo começava. Era uma condescendência para com a dona da casa e o artista! — o artista do machete.

Um dia Amaral olhou Inácio preocupado e triste. Não quis perguntar-lhe nada; mas como a preocupação continuasse nos dias subsequentes, não se pôde ter e interrogou-o. Inácio respondeu-lhe com evasivas.

— Não — dizia o estudante —; você tem alguma coisa que o incomoda certamente.

— Coisa nenhuma!

E depois de um instante de silêncio:

— O que tenho é que estou arrependido do violoncelo; se eu tivesse estudado o machete!

Amaral ouviu admirado estas palavras; depois sorriu e abanou a cabeça. Seu entusiasmo recebera um grande abalo. A que vinha aquele ciúme por causa do efeito diferente que os dois instrumentos tinham produzido? Que rivalidade era aquela entre a arte e o passatempo?

— Não podias ser perfeito — dizia Amaral consigo —; tinhas por força um ponto fraco; infelizmente para ti o ponto é ridículo.

Daí em diante os serões foram menos amiudados. A preocupação de Inácio Ramos continuava; Amaral sentia que o seu entusiasmo ia cada vez a menos, o entusiasmo em relação ao homem, porque bastava ouvi-lo tocar para acordarem-se-lhe as primeiras impressões.

A melancolia de Inácio era cada vez maior. Sua mulher só reparou nela quando absolutamente se lhe meteu pelos olhos.

— Que tens? — perguntou-lhe Carlotinha.

— Nada — respondia Inácio.

— Aposto que está pensando em alguma composição nova — disse Barbosa, que dessas ocasiões estava presente.

— Talvez — respondeu Inácio —; penso em fazer uma coisa inteiramente nova; um concerto para violoncelo e machete.

— Por que não? — disse Barbosa com simplicidade. — Faça isso, e veremos o efeito que há de ser delicioso.

— Eu creio que sim — murmurou Inácio.

Não houve concerto no teatro, como se havia assentado; porque Inácio Ramos de todo se recusou. Acabaram-se as férias e os dois estudantes voltaram para S. Paulo.

— Virei vê-lo daqui a pouco — disse Amaral. — Virei até cá somente para ouvi-lo.

Efetivamente vieram os dois, sendo a viagem anunciada por carta de ambos.

Inácio deu a notícia à mulher, que a recebeu com alegria.

— Vêm ficar muitos dias? — disse ela.

— Parece que somente três.

— Três!

— É pouco — disse Inácio —; mas nas férias que vêm, desejo aprender o machete.

Carlotinha sorriu, mas de um sorriso acanhado, que o marido viu e guardou consigo.

Os dois estudantes foram recebidos como se fossem de casa. Inácio e Carlotinha desfaziam-se em obséquios. Na noite do mesmo dia, houve serão musical; só violoncelo, a instâncias de Amaral, que dizia:

— Não profanemos a arte!

Três dias vinham eles demorar-se, mas não se retiraram no fim deles.

— Vamos daqui a dois dias.

— O melhor é completar a semana — observou Carlotinha.

— Pode ser.

No fim de uma semana, Amaral despediu-se e voltou a S. Paulo; Barbosa não voltou; ficara doente. A doença durou somente dois dias, no fim dos quais ele foi visitar o violoncelista.

— Vai agora? — perguntou este.

— Não — disse o acadêmico —; recebi uma carta que me obriga a ficar algum tempo.

Carlotinha ouvira alegre a notícia; o rosto de Inácio não tinha nenhuma expressão.

Inácio não quis prosseguir nos serões musicais, apesar de lho pedir algumas vezes Barbosa, e não quis porque, dizia ele, não queria ficar mal com Amaral, do mesmo modo que não quereria ficar mal com Barbosa, se fosse este o ausente.

— Nada impede, porém — concluiu o artista —, que ouçamos o seu machete.

Que tempo duraram aqueles serões de machete? Não chegou tal notícia ao conhecimento do escritor destas linhas. O que ele sabe apenas é que o machete deve ser instrumento triste, porque a melancolia de Inácio tornou-se cada vez mais profunda. Seus companheiros nunca o tinham visto imensamente alegre; contudo a diferença entre o que tinha sido e era agora entrava pelos olhos dentro. A mudança manifestava-se até no trajar, que era desleixado, ao contrário do que sempre fora antes. Inácio tinha grandes silêncios, durante os quais era inútil falar-lhe, porque ele a nada respondia, ou respondia sem compreender.

— O violoncelo há de levá-lo ao hospício — dizia um vizinho compadecido e filósofo.

Nas férias seguintes, Amaral foi visitar o seu amigo Inácio, logo no dia seguinte àquele em que desembarcou. Chegou alvoroçado à casa dele; uma preta veio abri-la.

— Onde está ele? Onde está ele? — perguntou alegre e em altas vozes o estudante.

A preta desatou a chorar.

Amaral interrogou-a, mas não obtendo resposta, ou obtendo-a intercortada de soluços, correu para o interior da casa com a familiaridade do amigo e a liberdade que lhe dava a ocasião.

Na sala do concerto, que era nos fundos, olhou ele Inácio Ramos, de pé, com o violoncelo nas mãos preparando-se para tocar. Ao pé dele brincava um menino de alguns meses.

Amaral parou sem compreender nada. Inácio não o viu entrar; empunhara o arco e tocou — tocou como nunca —, uma elegia plangente, que o estudante ouviu com lágrimas nos olhos. A criança, dominada ao que parece pela música, olhava quieta para o instrumento. Durou a cena cerca de vinte minutos.

Quando a música acabou, Amaral correu a Inácio.

— Oh!, meu divino artista! — exclamou ele.

Inácio apertou-o nos braços; mas logo o deixou e foi sentar-se numa cadeira com os olhos no chão. Amaral nada compreendia; sentia porém que algum abalo moral se dera nele.

— Que tens? — disse.

— Nada — respondeu Inácio.

E ergueu-se e tocou de novo o violoncelo. Não acabou porém; no meio de uma arcada, interrompeu a música, e disse a Amaral:

— É bonito, não?

— Sublime! — respondeu o outro.

— Não; machete é melhor.

E deixou o violoncelo, e correu a abraçar o filho.

— Sim, meu filho — exclamava ele —, hás de aprender machete; machete é muito melhor.

— Mas que há? — articulou o estudante.

— Oh!, nada — disse Inácio. — *Ela* foi-se embora, foi-se com o machete. Não quis o violoncelo, que é grave demais. Tem razão; machete é melhor.

A alma do marido chorava, mas os olhos estavam secos. Uma hora depois enlouqueceu.

CENAS DE FESTAS DE *MEMÓRIAS DE UM SARGENTO DE MILÍCIAS*
Manuel Antônio de Almeida

"Era no tempo do rei." Assim começa o folhetim semanal que Manuel Antônio da Almeida (1831-1861) publicou no Correio Mercantil do Rio de Janeiro: Memórias de um sargento de milícias. Era o ano de 1853, e nascia um clássico da nossa literatura. O autor tinha 22 anos. A ação do romance se passa bem antes, em pleno Brasil Colônia, com pelo menos um personagem histórico, o chefe e "dono" da polícia Vidigal, em atuação na vida real já em 1809. "O romance está cheio de referências musicais de grande interesse documental", escreveu Mário de Andrade num prefácio importantíssimo de 1941, que não se repete em outras edições do romance, infelizmente. "Enumera", prossegue ele, "instrumentos, descreve danças. Conta o que era a 'música dos barbeiros', nomeia as modinhas mais populares do tempo. Entre estas, aliás, cita 'Quando as glórias que gozei', de Cândido Inácio da Silva, realmente muito linda, que fiz renascer na antologia das Modinhas imperiais". Mesmo sendo partes do romance, a inclusão de cenas de Memórias... numa antologia como esta se justifica, quanto mais não seja pelo tema da pesquisa e por seu caráter histórico. E também por suas revelações. Por exemplo: o fado era brasileiro e o desafio (nordestino e sulino de hoje) era português, como destaca Mário de Andrade, baseado no próprio texto de Manuel Antônio: "Os convidados do dono da casa, que eram todos d'além-mar, cantavam o desafio, segundo os seus costumes; os convidados da comadre, que eram todos da terra, dançavam o fado." Assim, a música entrou na literatura brasileira pela janela da polêmica musical e pela porta da frente da importância cultural, através deste clássico de (re)leitura agradabilíssima. E já chega contaminada pela irreverência popular, como podemos deduzir ao saber que "os gaiatos e os ilegais da cidade" (Mário de Andrade) cantavam e dançavam o fado "Papai Lelé Seculorum" quando da morte do tal Vidigal, o repressor. (Nada mais carioca, mesmo que na época a palavra "carioca" praticamente não existisse.)

1

Festa de batizado

Chegou o dia de batizar-se o rapaz; foi madrinha a parteira; sobre o padrinho houve suas dúvidas: o Leonardo queria que fosse o senhor juiz; porém teve de ceder a instâncias da Maria e da comadre, que queriam que fosse o barbeiro de defronte, que afinal foi adotado. Já se sabe que houve nesse dia função: os convidados do dono da casa, que eram todos d'além-mar, cantavam o desafio, segundo seus costumes; os convidados da comadre, que eram todos da terra, dançavam o fado. O compadre trouxe a rabeca, que é, como se sabe, o instrumento favorito da gente do ofício. A princípio o Leonardo quis que a festa tivesse ares aristocráticos, e propôs que se dançasse o minuete da Corte. Foi aceita a ideia, ainda que houvesse dificuldades em encontrarem-se pares. Afinal levantaram-se uma gorda e baixa matrona, mulher de um convidado; uma companheira desta, cuja figura era a mais completa antítese da sua; um colega de Leonardo, miudinho, pequenino, e com fumaças de gaiato, e o sacristão da Sé, sujeito alto, magro e com pretensões de elegante. O compadre foi quem tocou minuete na rabeca; e o afilhadinho, deitado no colo da Maria, acompanhava cada arcada com um guincho e um esperneio. Isto fez que o compadre perdesse muitas vezes o compasso e fosse obrigado a recomeçar outras tantas.

Depois do minuete foi desaparecendo a cerimônia, e a brincadeira "aferventou", como se dizia naquele tempo. Chegaram uns rapazes de viola e machete: o Leonardo, instado pelas senhoras, decidiu-se a romper a parte lírica do divertimento. Sentou-se num tamborete, em um lugar isolado da sala, e tomou uma viola. Fazia um belo efeito cômico vê-lo. Em trajes de ofício, de casaca, calção e espadim, acompanhando com um monótono zum-zum nas cordas do instrumento, o garganteado de uma modinha pátria. Foi nas saudades da terra natal que ele achou inspiração para o seu canto, e isto era natural a um bom português, que o era ele. A modinha era assim:

Quando estava em minha terra,
Acompanhado ou sozinho,
Cantava de noite e de dia
Ao pé de um copo de vinho!

Foi executada com atenção e aplaudida com entusiasmo; somente quem não pareceu dar-lhe todo o apreço foi o pequeno, que obsequiou o pai como obsequiaria ao padrinho, marcando-lhe o compasso a guinchos e esperneios. À Maria avermelharam-se-lhe os olhos, e suspirou.

O canto de Leonardo foi o derradeiro toque de rebate para esquentar-se a brincadeira, foi o adeus às cerimônias. Tudo daí em diante foi burburinho, que depressa passou à gritaria, e ainda mais depressa à algazarra, e que não foi ainda mais adiante porque de vez em quando viam-se passar através das rótulas da porta e janelas umas certas figuras que denunciavam que o Vidigal andava perto.

A festa acabou tarde; a madrinha foi a última que saiu, deitando a bênção ao afilhado e pondo-lhe no cinteiro um raminho de arruda.

2

Festa dos ciganos

Ao lado esquerdo da sala estava o oratório iluminado por algumas pequenas velas de cera, sobre uma mesa coberta com uma toalha branca; servia-lhe de espaldar uma colcha de chita com folhos. Em roda da sala estavam colocados assentos de toda a natureza, bancos, cadeiras etc., onde se assentavam os convidados. Não eram estes em pequeno número, eram ciganos e gente do país; traziam *toilettes* de toda a casta, do sofrível para baixo; mostravam-se alegres e dispostos a aproveitarem bem a noite.

Os meninos entraram sem que alguém reparasse neles, e foram colocar-se junto do oratório.

Daí a pouco começou o fado.

Todos sabem o que é o fado, essa dança tão voluptuosa, tão variada, que parece filha do mais apurado estudo da arte. Uma simples viola serve melhor do que instrumento algum para o efeito.

O fado tem diversas formas, cada qual mais original. Ora, uma só pessoa, homem ou mulher, dança no meio da casa por algum tempo, fazendo passos os mais dificultosos, tomando as mais airosas posições, acompanhando tudo isso com estalos que dá com os dedos, e vai depois pouco a pouco aproximando-se de qualquer que lhe agrada; faz-lhe diante algumas negaças e viravoltas, e finalmente bate palmas, o que quer dizer que a escolheu para substituir o seu lugar.

Assim corre a roda toda até que todos tenham dançado. Outras vezes um homem e uma mulher dançam juntos; seguindo com a maior certeza o compasso da música, ora acompanham-se a passos lentos, ora apressados, depois repelem-se, depois juntam-se; o homem às vezes busca a mulher com passos ligeiros, enquanto ela, fazendo um pequeno movimento com o corpo e com os braços, recua vagarosamente, outras vezes é ela quem procura o homem, que recua por seu turno, até que enfim acompanham-se de novo.

Há também a roda em que dançam muitas pessoas, interrompendo certos compassos com palmas e com um sapateado às vezes estrondoso e prolongado, às vezes mais brando e mais breve, porém sempre igual e a um só tempo.

Além destas há ainda outras formas de que não falamos. A música é diferente para cada uma, porém sempre tocada em viola. Muitas vezes o tocador canta em certos compassos uma cantiga às vezes de pensamento verdadeiramente poético.

Quando o fado começa custa a acabar; termina sempre pela madrugada, quando não leva de enfiada dias e noites seguidas e inteiras.

O menino, esquecido de tudo pelo prazer, assistiu à festa enquanto pôde; depois chegou-lhe o sono, e reunindo-se com os companheiros em um canto, adormeceram todos embalados pela viola e pelo sapateado.

3

Festa das Baianas

Um dia de procissão foi sempre nesta cidade um dia de grande festa, de lufa-lufa, de movimento e de agitação; e se ainda é hoje o que os nossos leitores bem sabem, na época em que viveram as personagens desta história a coisa subia de ponto; enchiam-se as ruas de povo, especialmente de mulheres de mantilha; armavam-se as casas, penduravam-se às janelas magníficas colchas de seda, de damasco de todas as cores, e armavam-se coretos em quase todos os cantos. É quase tudo o que ainda hoje se pratica, porém em muito maior escala e grandeza, porque era feito por fé, como dizem as velhas desse bom tempo, porém nós diremos, porque era feito por moda: era tanto do tom enfeitar as janelas e portas em dias de procissão, ou concorrer de qualquer outro modo para o brilhantismo das festividades religiosas, como ter um vestido de mangas de presunto, ou trazer à cabeça um formidável trepa-moleque de dois palmos de altura.

Nesse tempo as procissões eram multiplicadas, e cada qual buscava ser mais rica e ostentar maior luxo: as da Quaresma eram de uma pompa extraordinária, especialmente quando el-rei se dignava acompanhá-las, obrigando toda a corte a fazer outro tanto: a que primava porém entre todas era a chamada procissão dos ourives. Ninguém ficava em casa, no dia em que ela saía, ou na rua ou nas casas dos conhecidos e amigos que tinham a ventura de morar em lugar por onde ela passasse, achavam todos meio de vê-la. Alguns havia tão devotos, que não se contentavam vendo-a uma só vez; andavam de casa deste para a casa daquele, desta rua para aquela, até conseguir vê-la desfilar de princípio a fim duas, quatro e seis vezes, sem o que não se davam por satisfeitos. A causa principal de tudo isto era, supomos nós, além talvez de outras, o levar esta procissão uma coisa que não tinha nenhuma das outras: o leitor há de achá-la sem dúvida extravagante e ridícula; outro tanto nos acontece, mas temos obrigação de referi-la. Queremos falar de um grande rancho chamado das "Baianas", que caminhava adiante da procissão, atraindo mais ou tanto como os santos, os andores, os emblemas sagrados, os olhares dos devotos; era formado esse rancho por um grande número de negras vestidas à moda da província da Bahia, donde lhe vinha o nome, e que dançavam nos intervalos dos *Deo gratias* uma dança lá a seu capricho. Para falarmos a verdade, a coisa era curiosa: e se não a empregassem como primeira parte de uma procissão religiosa, certamente seria mais desculpável. Todos conhecem o modo por que se vestem as negras na Bahia; é um dos modos de trajar mais bonitos que temos visto, não aconselhamos porém que ninguém o adote; um país em que todas as mulheres usassem desse traje, especialmente se fossem desses abençoados em que elas são alvas e formosas, seria uma terra de perdição e de pecados. Procuremos descrevê-lo.

As chamadas Baianas não usavam de vestido; traziam somente umas poucas de saias presas à cintura, e que chegavam pouco abaixo do meio da perna, todas elas ornadas de magníficas rendas; da cintura para cima apenas traziam uma finíssima camisa, cuja gola e mangas eram também ornadas de renda; ao pescoço punham um cordão de ouro ou um colar de corais, os mais pobres eram de miçangas; ornavam a cabeça com uma espécie de turbante a que davam o nome de "trunfas", formado por um grande lenço branco muito teso e engomado; calçavam umas chinelinhas de salto alto, e tão pequenas, que apenas continham os dedos dos pés, ficando de fora todo o calcanhar; e além de tudo isto envolviam-se graciosamente em uma capa de pano preto, deixando de fora os braços ornados de argolas de metal simulando pulseiras.

Poucos dias depois dos últimos acontecimentos narrados nos capítulos antecedentes, chegou o dia da procissão dos ourives. Os nossos costumes nesse tempo a respeito de franqueza e hospitalidade não eram lá muito louváveis; nesse dia porém sofriam uma exceção, e, como dissemos, as portas daqueles que moravam nas ruas por onde passava a procissão se abriam a todos os amigos e conhecidos. Em virtude disso aconteceu que se achassem reunidos em casa de uma certa dona Maria o compadre acompanhado do afilhado (ricamente vestido nesse dia com o seu robissão de duraque preto e o seu boné de pelo de lontra), a comadre e a vizinha dos maus agouros.

TEUS OLHOS
Arthur Azevedo

E dá-lhe polca! — pois não era a polca que encantava os salões cariocas, isto é, fluminenses, de fim do século XIX? A velha polca que permitia o sustento e o sucesso do maestro Pestana (vide conto de Machado "Um homem célebre") é agora o pano de fundo deste conto singelo (por que não?) e revelador do comportamento dos cariocas, isto é, dos fluminenses de então. Imaginem (pois hoje teríamos de imaginar) um sobrado na rua Senador Dantas, no centro do Rio. E nele um casal recém-casado, ou "casadinhos de fresco", um piano, a polca e o ciúme. (Sobre o autor, ver introdução de "Como eu me diverti!", mais adiante.)

I

Rodolfo e Tudica estavam casadinhos de fresco. Ele tinha 28 anos, ela 18. Ele era um rapagão, ela uma bonita moça, com dois olhos negros capazes de inflamar um frade de pedra.

Eram felizes: amavam-se, e viviam como dois pombinhos num elegante sobrado, recentemente construído pelo Januzzi na rua Senador Dantas.

Tudica era muito boa pianista: tinha sido discípula do Arnaud. Os dois noivos estavam constantemente ao piano, ela sentada, fazendo saltar os dedos sobre o teclado, ele de pé, ao seu lado, para voltar as folhas de música, e dar-lhe de vez em quando um beijo no pescoço.

Uma tarde, passando pela rua dos Ourives, Rodolfo e Tudica entraram em casa do Buschmann para comprar, como de costume, as últimas novidades musicais.

Um dos empregados da loja impingiu-lhes uma polca intitulada *Teus olhos,* que acabava de ser impressa naquele dia.

— Podem ficar certos de que esta polca lhes há de agradar, conquanto o autor não seja ainda conhecido.

Efetivamente, nem Tudica nem Rodolfo se lembravam de ter ouvido o nome de Isaías Barbalho, o compositor de *Teus olhos.*

A polca foi, no entanto, empacotada com as outras novidades, e nesse mesmo dia Tudica executou-a ao piano. Gostou tanto, que *Teus olhos* tornaram-se a sua música predileta.

II

Alguns dias depois, Tudica estava ao piano e Rodolfo encostara-se à janela, gozando a fresca da manhã, e vendo quem passava na rua iluminada por um sol radiante.

Depois de algum momento de silêncio:

— Ó Tudica, toca-me os *Teus olhos.*

Apenas a moça dedilhara os primeiros compassos da polca, Rodolfo viu, do outro lado da rua, um sujeito aparecer à janela de um mirante e olhar fixamente para ele.

Mas não lhe deu atenção, dizendo consigo que naturalmente o vizinho gostava de música e fora atraído pelos sons do piano.

Depois recordou-se que mais de uma vez, estando à janela com Tudica, já tinha visto o mesmo indivíduo...

"Dar-se-á caso" pensou ele, "que o atraía não o piano mas a pianista?"

E Rodolfo lembrou-se de certa ocasião em que surpreendeu Tudica a olhar com muito interesse para o mirante.

— Oh! por distração... (monologava ele) por acaso... sem má intenção, decerto... É verdade que as mulheres são em geral curiosas... e caprichosas... Mas, meu Deus! aonde me levam estas suposições? Que loucura! Não posso, não devo crer que Tudica...

Entretanto, a moça começou a executar outra música muito mais bonita, muito mais notável que *Teus olhos,* e o vizinho desapareceu.

"Quê!" pensou Rodolfo, "pois ele vai-se embora justamente quando ela toca *Ricordati* de Gottschalk!"

E concluiu:

"Decididamente não é um melômano."

E as suposições engrossaram.

III

Passados alguns dias, Rodolfo entrou de improviso na sala, justamente na ocasião em que Tudica se levantava do piano depois da execução de *Teus olhos*. Maquinalmente ela deixou o instrumento e encaminhou-se para uma janela que estava entreaberta. Imaginem o que sentiu Rodolfo vendo o vizinho à janela do seu mirante, e, pelos modos, satisfeito, cofiando os bigodes com uns ares de conquistador.

E o ciumento marido desde logo se convenceu de que a polca era um sinal convencionado entre Tudica e o homem do mirante.

"Provavelmente eles ainda não chegaram à fala", pensou Rodolfo, "mas não há dúvida que as coisas se encaminham para isso. Está a entrar pelos olhos que Tudica dá corda ao vizinho."

Rodolfo encostou-se à sacada, mas já o outro havia desaparecido, contrariado naturalmente — julgava ele — por ter vindo para a janela o marido e não a mulher.

Tudica pôs-se a executar outras músicas, e — quem sabe? — cada uma delas talvez tivesse a sua significação convencionada. Esta diria: "Meu marido está perto de mim", aquela: "Tenha cuidado." Em todo o caso, nenhuma delas tinha o mesmo encanto para os ouvidos do vizinho, porque este só aparecia à janela quando Tudica tocava *Teus olhos*.

IV

Desde então a existência de Rodolfo tornou-se um verdadeiro inferno. O pobre-diabo estava convencido de que sua esposa era uma hipócrita, que o não amava, e procurava ocasião para traí-lo à vontade.

Como não tinha até então provas positivas contra a pobre Tudica, não articulou uma queixa, mas tornou-se taciturno e irascível.

Um dia saiu do quarto de dormir, e foi para a sala: os seus ciúmes tinham lhe sugerido a ideia de uma experiência concludente.

Através das cortinas de renda que coavam a luz de fora, viu Rodolfo que a janela do vizinho estava aberta; foi para o piano, abriu sobre a estante a polca de Isaías Barbalho, e — como era também pianista — pôs-se a executá-la febrilmente, com os olhos postos no mirante fronteiro.

Logo nos primeiros compassos apareceu o vizinho, procurando com o olhar quem dera o sinal convencionado.

Já não havia dúvida possível: ele esperava-a!...

Rodolfo saiu bruscamente da sala e foi para o interior da casa ao encontro de Tudica.

Mas em caminho mudou de resolução; sua mulher estava em casa, não lhe escaparia; mas o vizinho... oh, o vizinho!... o seu dever era procurá-lo e castigá-lo imediatamente.

V

Um minuto depois, o marido ultrajado batia à porta do seu rival. Veio abri-la um preto velho, que recuou espantado com a presença daquele homem de olhos esbugalhados e pálido de cólera.

Rodolfo entrou como um raio e logo se achou defronte do vizinho; e apostrofou-o:

— Miserável! Canalha! Venho quebrar-te os ossos com esta bengala!...

O dono da casa não perdeu o sangue-frio, e respondeu com muita tranquilidade:

— Eu creio que o senhor está enganado... A quem procura?... Talvez não me conheça: eu chamo-me Isaías Barbalho e sou um pobre músico...

— Isaías Barbalho!... — exclamou Rodolfo. — O autor da polca...

— *Teus olhos* — concluiu o outro, empertigando-se com um movimento de orgulho.

— E o senhor gosta de ouvir tocar a sua polca, não gosta?

— Se gosto! se gosto!... Olhe, ali defronte há uma senhora que todos os dias a executa ao piano, e primorosamente... Pois há de crer que eu chego à janela mal ouço os primeiros acordes?...

— Peço-lhe que me desculpe — disse Rodolfo. — Enganei-me efetivamente... não era o senhor que eu procurava...

E nunca mais teve ciúmes de Tudica.

CLARA DOS ANJOS
Lima Barreto

"O carteiro Joaquim dos Anjos não era homem de serestas e serenatas, mas gostava de violão e de modinhas. Ele mesmo tocava a flauta (...) Acreditava-se até músico, pois compunha valsas, tangos e acompanhamentos para modinhas." Já no começo, Lima Barreto (1881-1922) introduz o personagem, revela suas tendências e ainda apresenta os tipos de música e os instrumentos da época. Época em que as boas famílias reagiam mal às pessoas que se ocupavam de violões, modinhas e polcas. Lima Barreto, no início — quase igual — do romance homônimo (o que às vezes confunde o leitor distraído) acrescenta o seguinte texto: *"Os velhos do Rio de Janeiro, ainda hoje, se lembram do famoso Calado e de suas polcas, uma das quais — 'Cruzes, minha prima!' — é uma lembrança emocionante..."* A referência é a Joaquim Antônio da Silva Calado (1848-1880), compositor e o maior flautista da sua época. E refere-se ainda a Patápio Silva (1881-1907), um virtuose e um dos primeiros a gravar composições próprias em discos da Casa Edison: *"Uma polca sua — 'Siri sem unha' — e uma valsa — 'Mágoas do coração' — tiveram algum sucesso, a ponto de vender ele a propriedade de cada uma, por cinquenta mil-réis, a uma casa de música e pianos da rua do Ouvidor."* Refere-se ainda ao autor da música do Hino Nacional (1831), Francisco Manuel da Silva (1795-1865). As referências ao músico (inclusive como personagem) e à música brasileira são uma constante na obra de Lima Barreto, em contos e romances. Vamos acompanhar agora este *"carteiro Joaquim dos Anjos"* e suas peripécias amorosas.

A Andrade Muricy

O carteiro Joaquim dos Anjos não era homem de serestas e serenatas, mas gostava de violão e de modinhas. Ele mesmo tocava flauta, instrumento que já foi muito estimado, não o sendo atualmente como outrora. Acreditava-se até músico, pois compunha valsas, tangos e acompanhamentos para modinhas.

Aprendera a "artinha" musical na terra de seu nascimento, nos arredores de Diamantina, e a sabia de cor e salteado; mas não saíra daí.

Pouco ambicioso em música, ele o era também nas demais manifestações da vida. Empregado de um advogado famoso, sempre quisera obter um modesto emprego público que lhe desse direito à aposentadoria e ao montepio, para a mulher e a filha. Conseguira aquele de carteiro, havia 15 para vinte anos, com o qual estava muito contente, apesar de ser trabalhoso e o ordenado ser exíguo.

Logo que foi nomeado, tratou de vender as terras que tinha no local de seu nascimento e adquirir aquela casita de subúrbio, por preço módico, mas, mesmo assim, o dinheiro não chegara e o resto pagou ele em prestações. Agora, e mesmo há vários anos, estava de plena posse dela. Era simples a casa. Tinha dois quartos, um que dava para a sala de visitas e outro, para a de jantar. Correspondendo a um terço da largura total da casa, havia, nos fundos, um puxadito que era a cozinha. Fora do corpo da casa, um barracão para banheiro, tanque etc.; e o quintal era de superfície razoável, onde cresciam goiabeiras maltratadas e um grande tamarineiro copado.

A rua desenvolvia-se no plano e, quando chovia, encharcava que nem um pântano; entretanto, era povoada e dela se descortinava um lindo panorama de montanhas que pareciam cercá-la de todos os lados, embora a grande distância. Tinha boas casas a rua. Havia até uma grande chácara de outros tempos com aquela casa característica de velhas chácaras de longa fachada, de teto acaçapado, forrada de azulejos até a metade do pé-direito, um tanto feia, é fato, sem garridice, mas casando-se perfeitamente com as anosas mangueiras, com as robustas jaqueiras e com todas aquelas grandes e velhas árvores que, talvez, os que as plantaram não tivessem visto frutificar.

Por aqueles tempos, nessa chácara, se haviam estabelecido os "bíblias". Os seus cânticos, aos sábados, quase de hora em hora, enchiam a redondeza. O povo não os via com hostilidade, mesmo alguns humildes homens e pobres raparigas simpatizavam com eles, porque, justificavam, não eram como os padres que para tudo querem dinheiro.

Chefiava os protestantes um americano, *Mr.* Sharp, homem tenaz e cheio de uma eloquência bíblica que devia ser magnífica em inglês; mas que no seu duvidoso português se fazia simplesmente pitoresca. Era Sharp daquela raça curiosa de *yankees* que, de quando em quando, à luz da interpretação de um ou mais versículos da Bíblia, fundam seitas cristãs, propagam-nas, encontram adeptos logo, os quais não sabem bem por que foram para a nova e qual a diferença que há entre esta e a de que vieram.

Faziam prosélitos e, quando se tratava de iniciar uma turma, os noviços dormiam em barracas de campanha, erguidas no eirado da chácara ou entre as suas velhas árvores maltratadas e desprezadas. As cerimônias preparatórias duravam uma semana, cheia de cânticos divinos; e a velha propriedade, com as suas barracas e salmodias, adquiria um aspecto esquisito de convento ao ar livre e mistura com um certo ar de acampamento militar.

Da redondeza, poucos eram os adeptos ortodoxos; entretanto, muitos lá iam por mera curiosidade ou para deliciar-se com a oratória de *Mr.* Sharp.

Iam sem nenhuma repugnância, pois é próprio do nosso pequeno povo fazer uma extravagante amálgama de religiões e crenças de toda a sorte, e socorrer-se desta ou daquela, conforme os transes de sua existência. Se se trata de afastar atrasos de vida, apela para a feitiçaria; se se trata de curar uma moléstia tenaz e resistente, procura o espírita; mas não falem à nossa gente humilde em deixar de batizar o filho pelo sacerdote católico, porque não há quem não se zangue: "Meu filho ficar pagão! Deus me defenda!"

Joaquim não fazia exceção desta regra e sua mulher, a Engrácia, ainda menos.

Eram casados há quase vinte anos, mas só tinham uma filha, a Clara. O carteiro era pardo-claro, mas com cabelo ruim, como se diz; a mulher, porém, apesar de mais escura, tinha o cabelo liso.

Na tez, a filha puxava o pai; e no cabelo, a mãe. Na estatura, ficara entre os dois. Joaquim era alto, bem alto, acima da média, ombros quadrados; a mãe, não sendo muito baixa, não alcançava a média, possuindo uma fisionomia miúda mas regular, o que não acontecia com o marido, que tinha o nariz grosso, quase chato. A filha, a Clara, tinha ficado em tudo entre os dois; média deles, era bem a filha de ambos. Habituada às musicatas do pai, crescera cheia de vapores das modinhas e enfumaçara a sua pequena alma de rapariga pobre com os dengues e a melancolia dos descantes e cantarolas.

Com 17 anos, tanto o pai como a mãe tinham por ela grandes desvelos e cuidados. Mais depressa ia Engrácia à venda de seu Nascimento, buscar isto ou aquilo, do que ela. Não que a venda de seu Nascimento fosse lugar de badernas; ao contrário: as pessoas que lá faziam "ponto" eram de todo o respeito. O Alípio, uma delas, era um tipo curioso de rapaz, que, conquanto pobre, não deixava de ser respeitador e bem-comportado. Tinha um aspecto de galo de briga, entretanto estava longe de possuir a ferocidade repugnante desses galos malaios de apostas, não possuindo — é preciso saber — nenhuma.

Um outro que aparecia sempre lá era um inglês, *Mr.* Persons, desenhista de uma grande oficina mecânica das imediações. Quando saía do trabalho, passava na venda, lá se sentava naqueles característicos tamboretes de abrir e fechar, e deixava-se ficar até o anoitecer, bebericando ou lendo os jornais do sr. Nascimento. Silencioso, quase taciturno, pouco conversava e implicava muito com quem o tratava por *seu Mister*.

Havia lá também o filósofo Menezes, um velho hidrópico, que se tinha na conta de sábio, mas que não passava de um simples dentista clandestino e dizia tolices sobre todas as coisas. Era um velho branco, simpático, com um todo de imperador romano, barbas alvas e abundantes.

Aparecia às vezes o J. Amarante, verdadeiramente poeta, que tivera o seu momento de celebridade em todo o Brasil, se ainda não tem; mas que, naquela época, devido ao álcool e a desgostos íntimos, era uma triste ruína de homem, apesar dos seus dez volumes de versos, dez sucessos, com os quais todos ganharam dinheiro menos ele. Amnésico, semi-imbecilizado, não seguia uma conversa com tino e falava desconexamente. O subúrbio não sabia bem quem ele era; chamava-o muito simplesmente — o poeta.

Um outro frequentador da venda era o velho Valentim, um português dos seus sessenta anos e pouco, que tinha o corpo curvado para diante, devido ao hábito contraído no seu ofício de chacareiro que já devia exercer há mais de quarenta. Contava "casos" e anedotas de sua terra, pontilhando tudo de rifões portugueses do mais saboroso pitoresco.

Apesar de ser assim decente, Clara não ia à venda; mas o pai, em alguns domingos, permitia que fosse com as amigas ao cinema do Méier ou Engenho de Dentro, enquanto ele e alguns amigos ficavam em casa tocando violão, cantando modinhas e bebericando parati.

Pela manhã, logo nas primeiras horas, os companheiros apareciam, tomavam café, iam em seguida para o quintal, para debaixo do tamarineiro, jogar a bisca, com o litro de cachaça ao lado; e aí, sem dar uma vista d'olhos sobre as montanhas circundantes, nuas e empedrouçadas, deixavam-se ficar até a hora do "ajantarado" que a mulher e a filha preparavam.

Só depois deste é que as cantorias começavam.

Certo dia, um dos companheiros dominicais do Joaquim pediu-lhe licença para trazer, no dia do aniversário dele, que estava próximo, um rapaz de sua amizade, o Júlio Costa, que era um exímio cantor de modinhas. Acedeu. Veio o dia da festa e o famoso trovador apareceu. Branco, sardento, insignificante de rosto e de corpo, não tinha as tais melenas denunciadoras, nem outro qualquer traço de capadócio. Vestia-se seriamente com um apuro muito suburbano, sob a tesoura de alfaiate de quarta ordem. A única pelintragem adequada ao seu mister que apresentava consistia em trazer o cabelo repartido no alto da cabeça, dividido muito exatamente pelo meio. Acompanhava-o o violão. A sua entrada foi um sucesso.

Todas as moças das mais distintas cores que, aí, a pobreza harmonizava e esbatia, logo o admiraram. Nem César Bórgia, entrando mascarado num baile à fantasia dado por seu pai no Vaticano, causaria tanta emoção.

Afirmavam umas para as outras:

— É ele! É ele, sim!

Os rapazes, porém, não ficaram muito contentes com isto; e, entre eles, puseram-se a contar histórias escabrosas da vida galante do cantor de modinhas.

Apresentado aos donos da casa e à filha, ninguém notou o olhar guloso que deitou para os seios empinados de Clara.

O baile começou com a música de um "terno" de flauta, cavaquinho e violão. A polca era a dança preferida e quase todos a dançavam com requebros próprios de samba.

Num intervalo, Joaquim convidou:

— Por que não canta, seu Júlio?

— Estou sem voz — respondeu ele.

Até ali, ele tinha tomado parte no "terno", e, repinicando as cordas, não deixava de devorar com os olhos os bamboleios de quadris de Clarinha, quando dançava. Vendo que seu pai convidara o rapaz, animou-se a fazê-lo também:

— Por que não canta, seu Júlio? Dizem que o senhor canta *tão bem*...

Esse *tão bem* foi alongado maciamente. O cantador acudiu logo:

— Qual, minha senhora! São bondades dos camaradas... — concertou a "pastinha" com as duas mãos, enquanto Clara dizia:

— Cante! Vá!

— Já que a senhora manda — disse ele —, vou cantar.

Com todo o dengue, agarrou o violão, fez estalar as cordas e anunciou:

— "Amor e sonho".

E começou com uma voz muito alta, quase berrando, a modinha, para depois arrastá-la num tom mais baixo, cheio de mágoa e langor silabando os *ss*, carregando os *rr* das metáforas horrendas de que estava cheia a cantoria. A coisa era, porém, sincera; e mesmo as comparações estrambóticas levantavam nos singelos cérebros das ouvintes largas perspectivas de sonhos, erguiam desejos, despertavam anseios e visões douradas. Acabou. Os aplausos foram entusiásticos e só Clarinha não aplaudiu, porque, tendo sonhado durante toda a modinha, ficara ainda embevecida quando ela acabou...

Dias depois, vindo à janela por acaso — era de tarde —, sem grande surpresa, como se já o esperasse, Clara recebeu o cumprimento do cantor magoado. Não pôs malícia na coisa, tanto assim que disse candidamente à mãe:

— Mamãe, sabe quem passou aí?
— Quem?
— Seu Júlio.
— Que Júlio?
— Aquele que cantou nos "anos" de papai.

A vida da casa, após a festança de aniversário do Joaquim, continuou a ser a mesma. Nos domingos, aquelas partidas de bisca com o Eleutério, servente da biblioteca, e com o Augusto, guarda municipal, acompanhadas de copitos de cachaça, e o violão, à tarde. Não tardou que se viesse agregar um novo comensal: era o Júlio Costa, o famoso modinheiro suburbano, amigo íntimo do Augusto e seu professor de trovas.

Júlio quase nunca jantava, pois tinha sempre convites em todos os quatro pontos cardeais daquelas paragens. Tomava parte nas partidas de bisca, de parceirada, e pouco bebia. Apesar de não demorar-se pela tarde adentro, pôde ir cercando a rapariga, a Clara, cujos seios empinados, volumosos e redondos, fascinavam-lhe extraordinariamente e excitavam a sua gula carnal insaciável. Em começo foram só olhares que a moça, com os seus úmidos olhos negros, grandes, quase cobrindo toda a esclerótica, correspondia a furto, e com medo; depois, foram pequenas frases, galanteios, trocados às escondidas para, afinal, vir a fatídica carta.

Ela a recebeu, meteu-a no seio e, ao deitar-se, leu-a sob a luz da vela, medrosa e palpitante. A carta era a coisa mais fantástica, no que diz respeito à ortografia e à sintaxe, que se pode imaginar; tinha porém uma virtude: não era copiada do *Secretário dos amantes*, era original. Contudo, a missiva fez estremecer toda a natureza virgem de Clara, que, com a sua leitura, sentiu haver nela surgido alguma coisa de novo, de estranho, até ali nunca sentida. Dormiu mal. Não sabia bem o que fazer: se responder, se devolver. Viu o olhar severo do pai; as recriminações da mãe. Ela, porém, precisava casar-se. Não havia de ser toda a vida assim como um cão sem dono... Os pais viriam a morrer e ela não podia ficar pelo mundo desamparada... Uma dúvida lhe veio: ele era branco; ela, mulata... Mas que tinha isso? Tinham-se visto tantos casos... Lembrou-se de alguns... Por que não havia de ser? Ele falava com tanta paixão... Ofegava, suspirava, chorava; e os seus seios duros estouravam de virgindade e de ansiedade de amar... Responderia; e assim fez no dia seguinte. As visitas de Costa tornaram-se mais demoradas e as cartas mais constantes. A mãe desconfiou e perguntou à filha:

— Você está namorando seu Júlio, Clarinha?

— Eu, mamãe! Nem penso nisso...

— Está, sim! Então não vejo?

A menina pôs-se a chorar; a mãe não falou mais nisso; e Clara, logo que pôde, mandou pelo Aristides, um molecote da vizinhança, uma carta ao modinheiro relatando o fato.

Júlio morava na estação próxima e a situação de sua família era bem superior à da sua namorada. O seu pai tinha um emprego regular na prefeitura e era, em tudo, diferente do filho. Sisudo, grave, sério, ia até a impotência grotesca do bom funcionário; e não seria capaz de admitir que a namorada do filho dançasse na sua sala. Sua mulher não tinha o ar solene do marido; era, porém, relaxada de modos e hábitos. Comia com a mão, andava descalça, catava intrigas e "novidades" da vizinhança; mas tinha, apesar disso, uma pretensão íntima de ser grande coisa, de uma grande família.

Além de Júlio, tinha três filhas, uma das quais já era adjunta municipal; e, das outras duas, uma estava na Escola Normal e a mais moça cursava o Instituto de Música.

Tiravam muito ao pai, no gênio sobranceiro, no orgulho fofo da família; e tinham ambição de casamentos doutorais. Mercedes, Adelaide e Maria Eugênia, eram esses os seus nomes, não suportariam de nenhuma forma Clara como cunhada, embora desprezassem soberanamente o irmão pelos seus maus costumes, pelo seu violão, pelos seus plebeus galos de briga e pela sua ignorância crassa.

Pequenas burguesas sem nenhuma fortuna, mas, devido à situação do pai, e o de terem frequentado escolas de certa importância, elas não admitiriam para Clara senão um destino: o de criada de servir.

Entretanto, Clara era doce e meiga; inocente e boa, podia-se dizer que era muito superior ao irmão delas pelo sentimento, ficando talvez acima dele pela instrução, conquanto fosse rudimentar, como não poderia deixar de ser, dada a sua condição de rapariga pobríssima. Júlio era quase analfabeto e não tinha poder de atenção suficiente para ler o entrecho de uma fita de cinematógrafo. Muito estúpido, a sua vida mental se cifrava na composição de modinhas deslambidas, recheadas das mais estranhas imagens que a sua imaginação erótica, sufocada pelas conveniências, criava, tendo sempre perante seus olhos o ato sexual.

Mais de uma vez ele se vira a braços com a polícia, por causa de defloramento e seduções de menores.

O pai, desde a segunda, recusara intervir; mas a mãe, dona Inês, a custo de rogos, de choro, de apelo — para a pureza de sangue da família —, conseguira que o marido, o capitão Bandeira, procurasse influenciar a fim de evitar que o filho casasse com uma negrinha de 16 anos, a quem o Júlio *tinha feito mal*.

Apesar de não ser totalmente má, os seus preconceitos, junto à estreiteza da sua inteligência, não permitiram ao seu coração que agasalhasse ou protegesse o seu infeliz neto. Sem nenhum remorso, deixou-o por aí, à toa, pelo mundo...

O pai, desgostoso com o filho, largara-o de mão; e quase não se viam. Júlio vivia no porão da casa, ou nos fundos da chácara onde tinha gaiolas de galos de briga, o bicho mais hediondo, mais repugnantemente feroz que é dado a olhos humanos ver. Era a sua indústria e o seu comércio, esse negócio de galos e suas brigas em rinhadeiros. Barganhava-os, vendia-os, chocava as galinhas, apostava nas rinhas; e com o resultado disso e com alguns cobres que a mãe lhe dava, vivia e obtinha dinheiro para vestir-se. Era o tipo completo do vagabundo doméstico, como há milhares nos subúrbios e em outros bairros do Rio de Janeiro.

A mãe, sempre temendo que se repetissem os seus ajustes de contas com a polícia, esforçava-se sempre por estar ao corrente dos seus amores. Veio a saber do seu último com Clara, e repreendeu-o nos termos mais desabridos. Ouviu-a o filho respeitosamente, sem dizer uma palavra; mas julgou de boa política relatar, a seu modo, por carta, tudo à namorada. Assim escreveu:

> *Queridinha confeço-te que ontem quando recebi a tua carta minha mãe viu e fiquei tão louco que confessei tudo a mamãe que lhe amava muito e fazia por você as maiores violências, ficaram todos contra mim é a razão porque previno-te que não ligues ao que lhe disserem, por isso pesso-te que preze bem o meu sofrimento.*
>
> *Pense bem e veja se estás resolvida a fazer o que lhe pedi na última cartinha.*
>
> *Saudades e mais saudades deste infeliz que tanto lhe adora e não é correspondido. O teu Júlio.*

Clara já estava habituada com a redação e ortografia do seu namorado, mas apesar de escrever muito melhor, a sua instrução era insuficiente para desprezar um galanteador tão analfabeto. Ainda por cima, a sua fascinação pelo modinheiro e a sua obsessão pelo casamento lhe tiravam toda a capacidade crítica que pudesse ter. A carta produziu o efeito esperado por Júlio. Choro, palpitações, anseios vagos, esperanças nevoentas, vislumbres de céus desconhecidos e encantados — tudo isso aquela carta lhe trouxe, além do halo de dedicação e amor por ela com que Clara fez resplandecer, na imaginação, as pastinhas do violeiro. Daí a dias, fez o prometido, isto é, deixou a janela do quarto aberta para que ele entrasse no aposento. Repetiu a façanha quase todas as noites seguintes, sem que ele se demorasse muito no quarto.

Nos domingos, aparecia, cantava e semelhava que entre ambos não havia nada. Um belo dia, Clara sentiu alguma coisa de estranho no ventre. Comunicou ao namorado. Qual! Não era nada, disse ele. Era, sim; era o filho. Ela chorou, ele acalmou-a, prometendo casamento. O ventre crescia, crescia...

O cantador de modinhas foi fugindo, deixou de aparecer a miúdo; e Clara chorava. Ainda não lhe tinham percebido a gravidez. A mãe, porém, com auxílio de certas intimidades próprias de mãe para filha, desconfiou e pô-la em confissão. Clara não pôde esconder, disse tudo; e aquelas duas humildes mulheres choraram abraçadas diante do irremediável... A filha teve uma ideia:

— Mamãe, antes da senhora dizer ao papai, deixa-me ir até a casa dele para falar com a sua mãe?

A velha meditou e aceitou o alvitre:

— Vai!

Clara vestiu-se rapidamente e foi. Recebida com altaneria por uma das filhas, disse que queria falar à mãe de Júlio. Recebeu-a esta rispidamente; mas a rapariga, com toda a coragem e com sangue-frio difícil de crer, confessou-lhe tudo, o seu erro e a sua desdita.

— Mas o que é que você quer que eu faça?

— Que ele se case comigo — fez Clara num só hausto.

— Ora esta! você não se enxerga! Você não vê mesmo que meu filho não é para se casar com gente da laia de você! Ele não amarrou você, ele não amordaçou você... Vá-se embora, rapariga! Ora já se viu! Vá!

Clara saiu sem dizer nada, reprimindo as lágrimas, para que na rua não lhe descobrissem a vergonha. Então, ela? Então ela não se podia casar com aquele calaceiro, sem nenhum título, sem nenhuma qualidade superior? Por quê?

Viu bem a sua condição na sociedade, o seu estado de inferioridade permanente, sem poder aspirar a coisa mais simples que todas as moças aspiram. Para que seriam aqueles cuidados todos de seus pais? Foram inúteis e contraproducentes, pois evitaram que ela conhecesse bem justamente a sua condição e os limites das suas aspirações sentimentais... Voltou para casa depressa. Chegou; o pai ainda não viera.

Foi ao encontro da mãe. Não lhe disse nada; abraçou-a, chorando. A mãe também chorou e, quando Clara parou de falar entre soluços, disse:

— Mãe, eu não sou nada nesta vida.

GENTE DE *MUSIC-HALL*
João do Rio

Music-hall: *até a expressão parece uma página virada do mundo musical e do mundo da diversão do que hoje se chama show business. Fora de moda? Digamos que ele se transformou, virou o que se chamaria mais tarde (e mesmo antes com as comédias musicais de Arthur Azevedo e outros) teatro de revista, aquele que brilhava nos palcos da praça Tiradentes e arredores, ou teatro de variedades. Mas que, de alguma forma, com certeza deixou suas marcas no Rio de Janeiro: partindo da Belle Époque, para entrar no ar, triunfante e eletronicamente, via era do rádio, em pleno coração do século XX, com certos programas de televisão (hoje menos frequentes). Mas estamos no comecinho do século XX. Época, coreografias, danças e músicas "brejeiras" e saltitantes, quando não havia ibope dos espetáculos, a não ser o boca a boca e o resultado das bilheterias. Para sentir o clima desse tempo, nada melhor do que ler João Paulo Emílio Cristóvão dos Santos Coelho Barreto (1881-1921) — conhecido como João do Rio — e Benjamim Costallat e Theo Filho, entre outros. Detalhe musical: em 1909, sucesso na cidade era a polca "No bico da chaleira", do maestro João José da Costa Júnior: "Iaiá, me deixa subir nesta ladeira / eu sou do bloco que pega na chaleira..." Todos uns pândegos, como se diria.*

O cassino palpitava. Tantan Balty, no seu último número, dissera, com quebros de olhos e perversidades na voz, uma cançoneta extraordinariamente velhaca. A sala, sob a clara luz das lâmpadas elétricas, acendia-se, gania luxúrias. Senhores torciam o bigode com o olhar vítreo, as damas envolviam os braços nas plumas dos boás com um ar mais acariciador. Nós estávamos todos. Na orla dos camarotes, pintados de vermelho, pousavam em atitudes de academia, expondo vestidos de tonalidades vagas e anéis em todos os dedos, as mais encantadoras criaturas da estação. Por trás dos camarotes surgiam panamás, monóculos, faces escanhoadas, bigodes à *kaiser*, e os garçons passavam de corrida levando garrafas e bandejas. Embaixo, na plateia, velhos frequentadores tomando *bocks*, repórteres, caixeiros, moços do comércio batendo as bengalas nas folhas das mesas, uma ou outra mulher entristecida e a claque, uma claque absurda, berrando chamadas diante dos copos vazios, quase no fim da sala.

Tantan Balty voltara, resfolegara, e com as duas grossas mãos no lábio rubro, parecia querer beijar toda multidão. Afinal, a campainha retiniu e o velário correu, cerrou-se sobre uma última graça de Tantan. Tinha acabado a segunda parte. Havia um rumor de cadeiras, de estampidos de rolha, de copos entrechocados, por todo o *hall*. As lâmpadas elétricas tinham uma medonha trepidação, como se fossem grandes borboletas de luz presas de agonia a bater as asas brancas.

No camarote de boca, solitários e de *smoking*, fui encontrar o barão Belfort e o conde Sabiani. O conde era um homem alto, de torso largo, bigode espesso. Tinha a fisionomia fatigada e flácida. Olhando o seu turvo olhar, logo me vieram à mente as coisas tenebrosas que a respeito correm. O barão, porém, contava com um ar desprendido a história de Tantan Balty, que ele conhecera numa bodega de Toulouse, em 1890, já velha e já gorda. Parou, sorriu:

— Seja bem-vinda a virtude entre o crime e o vício...

O conde Sabiani estendeu a sua mão cheia de anéis, consultou o programa preguiçosamente.

— Temos agora a princesa Verônica. *Per dio! Quelle femme, mon petit!*

Disse isso como um obséquio, endireitou o punho, recostou-se. Usava uma pulseira de pequenas opalas com fecho d'oiro. O barão sorrira novamente, endireitando os cravos da botoeira.

— Conhece a princesa Verônica?

— A princesa? Há de concordar, barão, que de certo tempo para cá o Rio tem uma epidemia de titulares exóticas...

— Que quer? É a civilização. E quase todas mais ou menos autênticas! São as titulares de Bizâncio, meu caro. Consulte os programas dos cassinos e as notas dos jornalecos livres. Há princesas valacas, príncipes magiares, condessas italianas, marquesas húngaras, duquesas descendentes de Coligny, fidalgas do Papa — a marquesa de Castellane, a princesa russa, a condessa de Bragança, a princesa Tolomei, Gladys Wright, mulher de um lorde, a princesa Thrasny, todas com um título que lhes doura a arte e a renda. O Rio não seria cosmopolita se não as tivesse. A grande preocupação dessas admiráveis criaturas é convencer os amigos com documentos fartos de que são mesmo descendentes de famílias ilustres, e a sociedade fica convencida porque isso satisfaz a sua imensa vaidade. Nós estamos exatamente como na corte de Justiniano, em que Teodora, dançarina de circo, era imperatriz. E isso é prodigiosamente agradável ao burguês que paga, à turba que olha, e ao princípio imanente da beleza e da democracia. Não há comerciante triste depois de ter pagado joias a princesas. Estas formosas deusas, que o povo admira e inveja, puseram os brasões ao alcance de todos os lábios. São as princesas de Bizâncio, caro. Sagrou-as o bispo de Hermápolis.

O conde Sabiani sorriu com perversidade e literatura.

— O barão faz a iniciação dos puros?

Belfort não respondeu. Já começara a terceira parte. O bumbo dera uma pancada grossa, e os violinos da orquestra faziam uma escala de *pizzicati*, sustentados pelas longas e sensuais arcadas dos violoncelos e do contrabaixo. O velário de púrpura descerrou-se por sobre uma paisagem lunar. Os cenários estavam tão apagados à luz de leite das lâmpadas, que todo o palco parecia alongar-se numa infinita brancura. Na plateia apareciam faces de homens, mulheres ajustavam-se, e a claque ao fundo, diante dos mesmos copos vazios, berrava:

— Verônica! Verônica!

— Faça a iniciação, meu amigo, como diz o Sabiani, faça...

Sim tutelar, oh Lua
Margem da Alegria
Onde abordam os barcos das almas puras...

Houve um trilo de flauta como um trinado de pássaro, o bumbo reboou, caiu num choque de pratos, e de um pulo surgiu no meio do palco a princesa Verônica. Era magra, desossada, com a face afiada das divindades egípcias. Sorrindo, mostrava os dentes irregulares, e tinha a cor das múmias, como se a sua pele fosse queimada por lentos óleos bárbaros. Vestia meias de seda cor de carne; os pés, enluvados de branco, de tão finos e minúsculos recordavam a graça dos lírios a desabrochar, e o seu corpo de serpente ondulava dentro de um estojo de lantejoulas de prata.

— É uma crioula!
— Da Jamaica, filha de um velho rei índio...

> *Bizarre déité, brune comme les nuits,*
> *Au parfum mélangé de musc et de havane*
> *Oeuvre de qualque obi...*

O barão citava Baudelaire, o barão amava!

Verônica bateu as pálpebras, abriu os olhos luxuriosos, e numa reviravolta adejou. A multidão inteira ofegava, com a alma presa àquela visão de sílfide perversa. Não era o bailado clássico das dançarinas do Scala e da Ópera, com violências de artelhos e sorrisos pregados nos lábios, não era o quebro idiota das danças húngaras ou a coreia álacre dos bailes ingleses — era uma dança inédita. Havia no seu meneio a graça das aves, no sorriso a volúpia de um outro mundo, no langor com que abria os braços, o delíquio da paixão. Os grossos diamantes que lhe escorriam dos lóbulos pareciam aquecer-se na sua pele ardente: as flores, presas à carapinha de negra, aureolavam-na de desmaios de púrpura. Ela flutuava, pássaro, serpente lendária, adejando num esplendor de prata.

— Oh! O barão deu agora para o exotismo. Essa Verônica é uma preta como outra qualquer, que se intitula princesa.

Calei-me porém. O barão falava, sussurrava as frases da sua admiração.

— Como ela dança! A dança é tudo, é o desejo, a súplica, a raiva, a loucura... Ela dança como uma sacerdotisa, como uma estrela perdida nas nuvens. Tem desde o salto poderoso das feras até o voo medroso das pombas. Há nos seus gestos a orgia sanguinária de uma leoa e a maravilha constelada de uma ave-do-paraíso. Ao vê-la recorda a gente Salomé diante de Herodes, dançando a dança dos sete véus para obter a cabeça de são João; diante deste ondear de vida que no ar se desfaz em sensualidades, sonha-se o tetrarca de Wilde, ébrio de amor: "Salomé! Salomé! Os teus pés, a dançar, são como as rosas brancas que dançam sobre as árvores!"

Verônica terminara o bailado, toda ela rodopiante, desaparecida do halo argênteo do saiote, e assim girando vertiginosamente, com os seus dois pés finos e estranhos, parecia uma flor de prata, uma estranha parasita caída dos espaços naquele ambiente de névoas. As palmas rebentaram num chuveiro. Ela parou, abriu os braços, deixou escorregar vagarosamente os pés, tão devagar que parecia ir-se afundando, até que caiu no grande *écart*, a mão na testa, sorrindo. O público, porém, enervado, queria mais, batia com as mãos, com os pés; as mulheres nos camarotes erguiam-se e Verônica tornou a aparecer, fazendo gestos de agradecimento que eram como súplicas de amor.

— *Dances américaines!* — disse.

E imediatamente, no miúdo compasso da orquestra, o seu corpo, da cinta para baixo, começou a desarticular-se, a mexer. Os pés estavam no chão, rápidos, havia sapateados e corridas; as ancas magras cresciam, aumentavam rebolando; o ventre ondulava; aquele corpo que fugia e avançava com meneios negaceados, confundiu-se na harmonia dos compassos em adejos. A mulher desaparecia numa exasperante combinação de sons gesticulados, de vibrações de cantárida, de crises danadas de espasmo. Era perturbadora, infernal, incomparável!

Quando ela acabou, o barão ergueu-se rápido.

— Vamos vê-la...

O conde Sabiani, que olhava para baixo, acompanhando o movimento febril da multidão, fez um vago gesto, ficou cheirando o seu cravo.

Nós descemos a escada pequena que dá no botequim. Já a orquestra tocava um fandango e a bela Carmem, uma antiquíssima espanhola de meias rubras, soltava *olés* roufenhos. O público desinteressava-se. O barão parou um instante como à espera de um homem gordo, que caminhava amparado à bengala. O homem vinha conversando com dois rapazes de fraque e chapéu de palha, que recuavam estendendo as mãos como a abotoar invisíveis inimigos e caíam para a frente, mimando cabeçadas cruéis. O homem gordo acabou por acostar-se no balaústre e disse sem rir:

— *C'est drôle ça!*

Um dos moços, com o colarinho inverossimilmente alto, afastou o outro na ânsia de acumular as atenções e, segurando a gola do gorducho, murmurou:

— Então eu segurei o cabra...

O barão seguiu.

— São os elegantes valentes! Não acabam mais com as histórias. Vamos ver a Verônica... Sabes que ela se perfuma de sândalo?

Seguimos para o fundo do jardim onde só havia, na iluminação de névoa, entre as árvores, duas mulheres de grande manto a conversar: subimos a entrada de sarrafos da caixa. O *régisseur*, um italiano louro de face inteligente, cumprimentou-nos com um sorriso camarada e fomos andando, entre criados de blusa azul e varredores. A um canto, um duo americano preparava-se para entrar em cena. As portas dos camarins abertas, as *chanteuses* esperavam todas pintadas, as mãos nervosas. O barão bateu à porta do camarim da princesa:

— *Go in...*

E nós entramos. O pequeno espaço recendia todo a um inebriante perfume de sândalo, e havia por toda a parte uma orgia floral! — rosas vermelhas, rosas brancas, *Catleias crispi* estendendo os tentáculos de neve, lírios vermelhos com os pistilos amarelos, angélicas, anêmonas, cravos, tuberosas — e enramando a olência desse deboche de flores, o fino desenho, a renda anêmica das avencas verdes. Na redolente atmosfera, afundada no divã, envolta numa toalha de felpo, surgia a figurinha de bronze da princesa indiana, e a princesa chorava. Grossas lágrimas corriam dos seus olhos de deusa Ísis e adejando as mãos ela soluçava.

— Oh! *my dear, sweet heart, ce chien...* ele não veio.

— Quem?

— O de ontem, aquele de ontem. E não pagam. Dizem que é pela minha cor. Há muitos aqui. *It is very, Belfort? Mon petit, c'est vrai?*

Abriu os braços como uma boneca, emborcou num choro convulso:
— *Malhereuse. I'm malhereuse.*
Ela falava todas as línguas da Europa numa ingênua e horrível confusão. O barão limpou o monóculo, pegou-lhe no braço, paternal e filosófico.
— Estranha criatura, continuas a te perfumar de sândalo? Ainda és o sonho enervante do Oriente, o fluido das florestas bizarras?... Deixa lá... Acalma-te. Não te compreendem, pequeno ídolo amado. É como se esses homens pudessem diferenciar o sabor de um licor quando bebido num maravilhoso vaso trabalhado pelos bárbaros do mesmo licor tragado em qualquer copo. Eles são homens. E tu, tu és a princesa dos sândalos.
E ficamos ali vendo a criaturinha a chorar, enquanto lá fora nos ruídos da música, no bruhaha da multidão, subia mais forte a onda da luxúria.

O PIANO
Raul Pompeia

Tocar piano, nas melhores famílias, era um bom instrumento para a moça da casa... arrumar casamento? Ou não?
Publicado na Gazeta de Notícias, *Rio de Janeiro, 17 de fevereiro de 1886. Como se tratava de uma espécie de coluna, com o título geral de "Caricaturas reais", o título do conto, que nos pareceu apropriado, foi dado por quem o pesquisou e o recolheu: Afrânio Coutinho. Para mais dados sobre Raul Pompéia, ler junto ao conto "O último entrudo", mais adiante.*

Dó... ré... mi... fá... sol... mi... fá... ré... dó...
Grande cousa o piano!
Os dotes da educação, pensava Maria das Dores, suprem perfeitamente a falta de dotes físicos... Por que não? Cada um caça como pode.
Pois, uma insinuante escala cromática não valerá um requebro de olhar, uma semicolcheia não valerá um sorriso, o *pianíssimo* não poderá fazer vezes de um traço de meiguice diluído pela fisionomia?!
A arte poderosa inventa beleza. Uma donzela desprestigiada pela boa fada da formosura bem pode salvar o *deficit*, adquirindo um dote artístico. A música... a música, por exemplo, impressiona, cativa como os belos olhos!
Dó... ré... mi... fá... sol... mi... fá... ré... dó...
Maria das Dores era feia.
Cara comprida, o queixo a estender-se-lhe para baixo como se quisesse alojar-se entre as clavículas; o nariz, delgada lâmina em forma de leme, erguida no meio do rosto, com receio talvez de que se vissem um ao outro os implicantes olhinhos; os olhos negros, miúdos, brilhantes, encravados em fundas órbitas; testa larga, cabelos rareados... Feia incontestavelmente.
Os 17 anos sugeriram a arrojada hipótese do casamento. *Arrojada* é bem dito, porque Maria das Dores tinha a difícil franqueza de se achar feia. Feia de cara, pior de corpo... uma carcaça.

Aos 17 anos encontraram-se de frente a carcaça e a hipótese.

Maria das Dores, a princípio, recuou espavorida como se houvesse visto um espelho. Em nossos maiores desalentos, porém, encontramos sempre a saída falsa de uma esperança. A donzela lembrou-se oportunamente da arte. Sabia que algumas moças haviam inspirado até paixão sendo feias, graças aos sedutores recursos do talento musical, muito capaz de acordar sentimentos simpáticos que só um belo semblante, em geral, produz.

De combinação com o pai, a moça atirou-se ao método de Huntem. *Dó... ré... mi... fá... sol... mi... fá... ré... dó...*
Alguns anos rodaram.

Maria das Dores ficou mais velha.

O pai dava festinhas em casa. Os rapazes apareciam.

A menina tocava piano.

Não fizera muito progresso, é certo; mas a arte é longa, já o disse Goethe, e o piano custa.

Maria das Dores, animada por um dito amável de qualquer rapaz, fantasiava logo ideais castelos... sonhos deleitosos de *ménage*... vida de família... filhinhos... ternuras... Quase esquecia o nariz e os olhinhos pretos muito unidos e o queixo.

Era já a influência da arte!
Dó... ré... mi... fá... sol... mi... fá... ré... dó...
Entretanto, bate a bota o velho.

Morreu *ab-intestato*, mas a partilha do espólio era fácil. Deixou viúva e filha por herdeiros; como herança, um piano usado de Bord e um nome sem mácula.

Ficou o nome imaculado para a viúva em meação e o piano de Bord para a filha.

Passados os meses de luto, Maria das Dores voltou ao querido instrumento. Voltou com gana.

Precisava agora, mais do que nunca. Quase na miséria, vivendo dos milagres de recursos da mãe, era preciso apressar os preparativos do casamento. Está entendido que o preparativo era o estudo do piano. Armava-se a rede, depois era só *precisar* o noivo.

Fazia gosto vê-la a estudar.
Dó... ré... mi... fá... sol...
Passa o tempo.

Maria das Dores envelhece. Aos desagradáveis traços fisionômicos, junta-se agora o incidente *pé de galinha*. Maria não desanima... Ataca pós de arroz... e corre ao piano.

Ainda hoje, que ela dobrou o cabo dos trinta, passem-lhe pela casinha, ali na rua... passem por lá bem tarde, na hora em que os arrabaldes ressonam, ao barulho das primeiras vassouradas da limpeza pública, à hora em que se fecham os teatros, passem que hão de ver, através das venezianas da rótula e da bandeira envidraçada, luz na sala e hão de ouvir o piano.

É Maria das Dores que até aquelas horas estuda. É Maria das Dores, a esperançosa, embevecida na sua fé.

Não há mais festas em casa; os rapazes não aparecem mais. Ela espera ainda, espera sempre, confiada na onipotência da arte e do merecimento da educação das donzelas...

Dó... ré... mi... fá... sol... mi... fá... ré... dó...

FESTA DO INTERIOR

O TOCADOR DE BOMBO
Eduardo Campos

Pequena homenagem ao músico do interior, "O tocador de bombo" (ou bumbo, como se diz mais ao sul) é a história de uma fidelidade a um ofício e a um instrumento — instrumento, aliás, digamos, menos "nobre" (comparado com a flauta, escolhido pelo irmão do personagem). É o músico anônimo do interior, longe dos holofotes e da mídia da época, ou seja, do rádio e da incipiente indústria fonográfica. Literariamente, o cearense Eduardo Campos (1923-2007) situa-se como um regionalista tardio. "O tocador de bombo" foi extraído do segundo livro de Campos, A viagem definitiva, de 1946. E dá-lhe bumbo!

Chamava-se Joaquim, mas era Quincas, e havia quem o tratasse por Quinô. Descendendo de família numerosa, mas aplicada, muito conhecida em Pacatuba, ele, infelizmente, tocava bombo. Era baixo, simplório, e vivia curvado devido à incômoda posição de tocar o instrumento. Jamais dissera aos outros, mas sentia-se imensamente infeliz, sem a menor consideração artística. Qualquer pessoa podia tocar bombo... E tocar bombo não era ocupação para um músico de sua linhagem, vindo de família pobre mas ilustre nas artes. O pai, o velho Esperidião, regera a banda de música de Guaiuba e Pacatuba; o irmão mais velho havia sido solista de fama, na flauta, convidado de honra das serenatas do lugar. Chegou, certa vez, a participar de uma seresta em Baturité, terra de mais progresso do que Maranguape e Pacatuba. E o que fazia ele? Tocava bombo! Por várias vezes tivera desejo de chamar seu Osório, que substituíra o velho Esperidião na regência da banda, e dizer toda a verdade que lhe doía: "Olhe, mestre, eu vou mudar de vida, deixar de tocar essa porqueira de instrumento..." Na hora de decidir, no entanto, morria-lhe a coragem, e o Joaquim, Quincas ou Quinô, não reunia forças para resolver o seu problema. E continuava firme, a reconhecer que aquilo era um destino amargo. De futuro, poderia ser que lhe acudisse a coragem; largaria então o instrumento aviltante para ser músico importante. O pai aprovara como maestro; o irmão brilhara na flauta, e ele... era demais continuar tangendo o bombo!

— Seu Quincas, o mestre está mandando tocar a primeira!
— Que primeira? Que primeira!
Totonho explicava:
— A primeira batida da chamada, homem! Vai haver ensaio hoje. Então, você não sabe que chega o novo delegado, e o prefeito vai oferecer a ele uma festança?

Enquanto o outro se distancia, Quinô martela o bombo, pausado, a princípio, depois furioso, como se desejasse arrebentar-lhe a pele. Adiante, Totonho vigia-o, sem nada compreender, vendo a loucura do músico. Descobria, então, que o colega odiava o bombo.

— Que é? Viu assombração?
Totonho despertou:
— Nada, estava só espiando o baticum...
Afasta-se mais. Quincas suspende o braço e desce-o impiedosamente sobre o bombo. Há um bum-bum-bum-bum alvoroçando a meninada da cidadezinha.

À hora do ensaio, a banda formou em frente da casa do vigário; depois, saiu em desfile. Atrás da orquestra, como sempre, os meninos. Não ligavam os outros músicos. Para eles, só existia o bombo executado por Quincas. E Quincas, diante daquela atenção em que nada o honrava, inchava como se fosse estourar, com vontade de explodir, de desaparecer da terra.

Mas os meninos, insensíveis, riam de sua fisionomia, da batida do bombo, do bum-bum-bum-bum que alvoroçava, trazendo-se curiosos às portas.

— Olha o Quincas do bombo! Bum-bum-bum!

Quinô, pálido, arreliava-se ora com um, ora com outro:

— Vá brincar com a mãe!

Mestre Otávio ergue os olhos por cima dos óculos de tartaruga e limpa a garganta. A vontade é ralhar com o tocador de bombo, que continua furioso, metido nos seus complexos, marginado por um sofrimento que lhe parece eterno, vibrando o bombo que estronda na rua, marcando a cadência da tropa.

A meninada, não se sabe se de alegria ou de birra, não larga a banda; acompanha todos os gestos do Quincas, satisfeita, feliz.

Para ele, no entanto, é enorme o padecer. Andar com o bombo no desfile, passando perto das mocinhas, da Zefa, da Maria, é tormento, é provação. Sente arrepios quando pensa na triste figura de seu corpo com o bombo plantado sobre o estômago, projetando-se à frente como se estivesse esperando criança! Aquilo é indecente, deprimente mesmo!

Tem vontade, às vezes, de dizer nomes feios, perder a disciplina, atormentado pelo bombo que lhe pressiona o estômago, calcando-lhe as vísceras numa postura ultrajante, ridícula. "Se ao menos ele pudesse solar no bombo!..." O pensamento é idiota! Em bombo ninguém pode solar valsas. E ele deseja, ardentemente, um instrumento em que possa dedilhar, sozinho, os acordes de bonitas valsas. Por isso, ao desfilar, é um pensar eterno. Procura, então, não olhar para os lados; esconder-se atrás do zabumba que lhe toma a metade do corpo.

— No bombo, o Quincas não enxerga ninguém! É muita pose!

E, ele, cheio da vontade de largá-lo no meio da rua, explicar que não o aprecia, que o odeia! Não gosta de tocar bombo! Queria tocar pistão, flauta, violão, fazer serenatas como o irmão!

— Quinô!, me dê duzentão pela pose!

O homem bate no bombo com força. Fustiga-o, sustenta firme a cadência da tropa.

O maestro, à frente, recua um pouco para o elogio merecido:

— Ótimo! Cada dia você melhora mais!

E o desventurado músico cerra os olhos. E cresce ainda mais a vontade de estourar, de explodir, de desaparecer da terra...

Quando chegou o novo delegado, houve festão. Quincas compareceu com o bombo, a encolher-se, envergonhado. Não queria mostrar-se. Mas o delegado apreciava uma banda afiada, conhecera o velho Esperidião; fez questão de falar com o tocador de bombo:

— Seu Quincas, fora de forma!

Foi o homem livrar-se das atacas de couro, jogar o maldito instrumento ao chão. Não conseguiu. Quis sair com ele do meio dos músicos, enganchou-se. Derrubou os pratos com estrondo. Já aí não tinha cor, estava pálido, vexado, a ponto de dar um ataque. O mestre apressava-o:

— Não demore, seu Quincas!

Num esforço maior, desvencilhou-se do instrumento. Aproximou-se do delegado, trêmulo. Não sabia o que fazer nem o que dizer. E ouviu o homenageado, solene, dizer-lhe então:

— Olhe, seu Quincas, não é qualquer pessoa que sabe tocar bombo como o senhor. Meus parabéns!

A fama daquele bombo, mau grado do tocador, aumentava sempre; crescera, espalhava-se por toda parte. Quando se falava em músico competente, vinha logo à baila a execução do Quinô. Na banda, era a linha mestra, o sustentáculo do ritmo. Por isso, tratava-o o maestro na palma da mão, dispensava-lhe toda consideração. Só não o compreendia sorumbático, arredio...

— Seu Quincas, que há na sua vida?

O tocador encabulava-se.

— Não há nada não.

— Se quer um bombo novo, mando buscar outro na capital.

— Não, senhor, não... Eu...

Teria feito algum gesto de desespero? Tudo, enfim, saía-lhe diferente. Depois de uma semana, chegava a Pacatuba um bombo novo. E só se falou nele durante dias, na quermesse da padroeira, no mercado público, na avenidinha do lugar...

Um dia, veio a notícia de que, em São Paulo, rebentara a revolução. A banda dissolveu-se; músicos, requisitados à pressa, embarcavam para a capital, de onde os contingentes partiam. Foi um dia de felicidade para Joaquim. Graças a Deus, livrava-se do deprimente instrumento! Viajou para Fortaleza. Agora, era matar ou morrer; sentava praça.

Na capital, alistou-se num Provisório. Aquilo era a fuga, a hora que soava, de libertação dos seus complexos. Até que enfim conseguia ser soldado igual aos outros, mas não a um músico de baixa categoria, tocador de zabumba.

A fama, entretanto, corria-lhe à frente. No quartel já lhe conheciam a arte, o milagre que ele podia obter do instrumento vibrado pelo seu braço rijo. Da praça para o cabo, do cabo para o sargento, do sargento para o tenente, e deste para o comandante, voou a notícia: "Toca bombo como ninguém!"

E dia veio, tal como ocorrera em Pacatuba, em que Quincas foi posto fora de forma.

— O senhor sabe tocar bombo?

— Sei, sim, senhor. Mas toco mal... Sou um pobre músico do interior... eu...

Desfilou o batalhão pelas ruas da capital; era a parada de despedida. Lá estava o Joaquim, Quincas, Quinô de Pacatuba, alçando o bombo com firmeza, martelando-o raivoso.

Garbosa, a tropa marchava entusiasmada na cadência do bombo. Quinô, entranhado de ódio, do terrível ódio que se avolumava em seu peito, mudava de cor, passava de vermelho a amarelo ao mesmo tempo, numa vontade de morrer, de finar-se naquele próprio instante. Morrendo, haveria de entrar no céu tocando bombo?

Martelava o instrumento, de cabeça baixa, olhando as pedras do calçamento... Reconhecia-se deprimido com aquele bombo descomunal, o maior que já tocara em toda a sua vida, pressionando-lhe o estômago, o coração, a vida inteira.

No campo da luta, meses depois, foi morto pelos estilhaços de uma granada. Numa das hastes da sua cruz, feita pelas mãos de bondoso soldado do batalhão, ficou escrita aquela derradeira frase:

"ORAI PELO NOSSO TOCADOR DE BOMBO."

O BAILE DO JUDEU
Inglês de Sousa

> *Brasil profundo em pleno século XIX, pelas mãos e criatividade de Inglês de Sousa (1853-1918), neste conto extraído de* Contos amazônicos, *editado pela primeira vez em 1893: "Começou o baile às oito horas, logo que chegou a orquestra, composta do Chico Carapanã, que tocava violão, do Pedro Rabequinha e do Raimundo Penaforte, um tocador de flauta de que o Amazonas se orgulha." Curiosa "orquestra", de três integrantes. A música, qual seria? Possivelmente polcas e valsinhas ecoando pelo verde da paisagem. Bem, o resto é ficção, envolvendo o fantástico, o regional e o folclore da região. A música serve de pretexto para a ação (mas também a encaminha do meio ao final surpreendente) e de pano de fundo. Apenas uma festa — uma festa do interior, como cantaria Moraes Moreira quase um século depois.*

Ora um dia lembrou-se o Judeu de dar um baile e atreveu-se a convidar a gente da terra, a modo de escárnio pela verdadeira religião de Deus Crucificado, não esquecendo no convite família alguma das mais importantes de toda a redondeza da vila. Só não convidou o vigário, o sacristão, nem o andador das almas, e menos ainda o juiz de direito; a este por medo de se meter com a Justiça, e aqueles pela certeza de que o mandariam pentear macacos.

Era de supor que ninguém acudisse ao convite do homem que havia pregado as bentas mãos e os pés de Nosso Senhor Jesus Cristo numa cruz, mas, às oito horas da noite daquele famoso dia, a casa do Judeu, que fica na rua da frente, a umas dez braças quando muito da barranca do rio, já não podia conter o povo que lhe entrava pela porta dentro; coisa digna de admirar-se hoje que se prendem bispos e por toda a parte se desmascaram lojas maçônicas, mas muito de assombrar naqueles tempos em que havia sempre algum temor de Deus e dos mandamentos de sua Santa Madre Igreja Católica Apostólica Romana.

Lá estavam em plena judiaria, pois assim se pode chamar a casa de um malvado Judeu, o tenente-coronel Bento de Arruda, comandante da Guarda Nacional, o capitão Coutinho, comissário das terras, o dr. Filgueiras, o delegado de polícia, o coletor, o agente da companhia do Amazonas; toda a gente grada, enfim, pretextando uma curiosidade desesperada de saber se de fato o Judeu adorava uma cabeça de cavalo, mas, na realidade, movida da notícia da excelente cerveja Bass e dos sequilhos que o Izaac arranjara para aquela noite, entrava alegremente no covil de um inimigo da Igreja, com a mesma frescura com que iria visitar um bom cristão.

Era em junho, num dos anos de maior enchente do Amazonas. As águas do rio, tendo crescido muito, haviam engolido a praia e iam pela ribanceira acima, parecendo querer inundar a rua da frente, e ameaçando com um abismo de vinte pés de profundidade os incautos transeuntes que se aproximavam do barranco.

O povo que não obtivera convite, isto é, a gente de pouco mais ou menos, apinhava-se em frente à casa do Judeu, brilhante de luzes, graças aos lampiões de querosene, tirados da sua loja, que é bem sortida. De torcidas e óleo é que ele devia ter gasto suas patacas nessa noite, pois quanto aos lampiões, bem lavadinhos e esfregados com cinza, hão de ter voltado para as prateleiras da bodega.

Começou o baile às oito horas, logo que chegou a orquestra, composta do Chico Carapaná, que tocava violão, do Pedro Rabequinha e do Raimundo Penaforte, um tocador de flauta de que o Amazonas se orgulha. Muito pode o amor ao dinheiro, pois que esses pobres homens não duvidaram tocar na festa do Judeu com os mesmos instrumentos com que acompanhavam a missa aos domingos na Matriz; por isso dois deles já foram severamente castigados, tendo o Chico Carapaná morrido afogado um ano depois do baile e o Pedro Rabequinha sofrido quatro meses de cadeia por uma descompostura que passou ao capitão Coutinho a propósito de uma questão de terras. O Penaforte que se acautele!

Muito se dançou naquela noite, e, a falar a verdade, muito se bebeu também, porque em todos os intervalos da dança lá corriam pela sala os copos da tal cerveja Bass que fizera muita gente boa esquecer os seus deveres. O contentamento era geral, e alguns tolos chegavam mesmo a dizer que na vila nunca se vira um baile igual!

A rainha do baile era incontestavelmente a d. Mariquinhas, mulher do tenente-coronel Bento de Arruda, casadinha de três semanas. Alta, gorda, tão rosada que parecia uma portuguesa, a d. Mariquinhas tinha uns olhos pretos que haviam transtornado a cabeça a muita gente; e o que mais nela encantava era a faceirice com que sorria a todos, parecendo não conhecer maior prazer do que ser agradável a quem lhe falava. O seu casamento fora por muitos lastimado, embora o tenente--coronel não fosse propriamente um velho, pois não passava ainda dos cinquenta; diziam todos que uma moça nas condições daquela tinha onde escolher melhor, e falava-se muito de um certo Lulu Valente, rapaz dado a caçoadas de bom gosto, que morrera pela moça, e ficara fora de si com o casamento do tenente-coronel; mas a mãe era pobre, uma simples professora régia! O tenente-coronel era rico, viúvo, sem filhos, e tantos foram os conselhos, os rogos e agrados, e, segundo outros, as ameaças da velha, que a d. Mariquinhas não teve outro remédio senão mandar o Lulu às favas e casar com o Bento de Arruda; mas nem por isso perdeu a alegria e a amabilidade, e na noite do baile do Judeu estava deslumbrante de formosura, com seu vestido de nobreza azul-celeste, as suas pulseiras de esmeraldas e rubis, os seus belos braços brancos e roliços, de uma carnadura rija; e alegre como um passarinho em manhã de verão. Se havia, porém, nesse baile alguém alegre e satisfeito de sua sorte era o tenente-coronel Bento de Arruda, que, sem dançar, encostado aos umbrais de uma porta, seguia com o olhar apaixonado todos os movimentos da mulher, cujo vestido, às vezes, no rodopiar da valsa, vinha roçar-lhe as calças brancas, causando-lhe calafrios de contentamento e de amor.

Às onze horas da noite, quando mais animado ia o baile, entrou de repente um sujeito baixo, feio, de casacão comprido e chapéu desabado, que não deixava ver o rosto, escondido também pela gola levantada do casaco. Foi direto a d. Mariquinhas, deu-lhe a mão, tirando-a para uma contradança que se ia começar.

Foi muito grande a surpresa de todos, vendo aquele sujeito de chapéu na cabeça, e mal-amanhado, atrever-se a tirar uma senhora para dançar, mas logo cuidaram que aquilo era uma troça e puseram-se a rir com vontade, acercando-se do recém-chegado para ver o que faria. A própria mulher do Bento de Arruda ria-se a bandeiras despregadas, e, ao começar a música, lá se pôs o sujeito a dançar, fazendo muitas macaquices, segurando a dama pela mão, pela cintura, pelas espáduas, nuns quase abraços lascivos, parecendo muito entusiasmado. Toda a gente ria, inclusive o tenente-coronel, que achava uma graça imensa naquele desconhecido a dar-se ao desfrute com sua mulher, cujos encantos, no pensar dele, mais se mostravam naquelas circunstâncias.

— Ora já viram que tipo? Já viram que gaiatice! É mesmo muito engraçado, pois não é? Mas quem será o diacho do homem? E esta de não tirar o chapéu? E parece ter medo de mostrar a cara... Isto é alguma troça do Manduca Alfaiate ou do Lulu Valente! Ora, não é, pois não se está vendo que é o imediato do vapor que chegou hoje! É um moço muito engraçado, apesar de português! Eu outro dia o vi fazer uma em Óbidos que foi de fazer rir as pedras! Aguente, d. Mariquinhas, o seu par é um decidido! Toque para diante, seu Rabequinha, não deixe parar a música no melhor da história!

No meio destas e outras exclamações semelhantes, o original cavalheiro saltava, fazia trejeitos sinistros, dava guinchos estúrdios, dançava desordenadamente, agarrado a d. Mariquinhas, que já começava a perder o fôlego e parara de rir. O Rabequinha friccionava com força o instrumento e sacudia nervosamente a cabeça; o Carapanã dobrava-se sobre o violão e calejava os dedos para tirar sons mais fortes, que dominassem a vozeria; o Penaforte, mal contendo o riso, perdera a embocadura e só conseguia tirar da flauta uns estrídulos sons desafinados, que aumentavam o burlesco do episódio; os três músicos, eletrizados pelos aplausos dos circunstantes e mais pela originalidade do caso, faziam um supremo esforço, enchendo o ar de uma confusão de notas agudas, roucas e estridentes, que dilaceravam os ouvidos, irritavam os nervos e aumentavam a excitação cerebral, de que eles mesmos e os convidados estavam possuídos.

As risadas e exclamações ruidosas dos convidados, o tropel dos novos espectadores que chegavam em chusma do interior da casa e da rua, acotovelando-se para ver por sobre a cabeça dos outros; e sonatas discordantes do violão, da rabeca e da flauta, e sobretudo os grunhidos sinistramente burlescos do sujeito de chapéu desabado, abafavam os gemidos surdos da esposa de Bento de Arruda, que começava a desfalecer de cansaço, e parecia já não experimentar prazer algum naquela dança desenfreada que alegrava a tanta gente. Farto de repetir pela sexta vez o motivo da quinta parte da quadrilha, o Rabequinha fez aos companheiros um sinal de convenção, e bruscamente a orquestra passou, sem transição, a tocar a dança da moda.

Um bravo geral aplaudiu a melodia cadenciada e monótona da varsoviana, a cujos primeiros compassos correspondeu um viva prolongado. Os pares que ainda dançavam retiraram-se para melhor poder apreciar o engraçado cavalheiro de chapéu desabado, que, estreitando então a dama contra o côncavo peito, rompeu numa valsa vertiginosa, num verdadeiro turbilhão, a ponto de se não distinguirem quase os dois vultos que rodopiavam entrelaçados, espalhando toda a gente e derrubando tudo quanto encontravam. A moça não sentia mais o soalho sob os pés, milhares de luzes ofuscavam-lhe a vista, tudo rodava em torno dela; o seu rosto exprimia uma angústia suprema, em que alguns maliciosos sonharam ver um êxtase de amor.

No meio dessa estupenda valsa, o homem deixa cair o chapéu, e o tenente-coronel, que o seguia assustado para pedir que parasse, viu com horror que o tal sujeito tinha a cabeça furada. E em vez de ser homem era um boto, sim, um grande boto, ou o demônio por ele, mas um senhor boto que afetava, como por maior escárnio, uma vaga semelhança com o Lulu Valente. O monstro arrastando a desgraçada dama pela porta fora, espavorido com o sinal da cruz feito pelo Bento de Arruda, atravessou a rua sempre valsando, ao som da varsoviana, e, chegando à ribanceira do rio, atirou-se lá de cima com a moça imprudente, e com ela se atufou nas águas.

Desde essa vez ninguém quis voltar aos bailes do Judeu.

QUEM CAI NA DANÇA NÃO SE "ALEMBRA" DE MAIS NADA
Anônimo (folclore popular)

Esta história de nossa tradição popular foi colhida em Coronel Pacheco, Minas Gerais, de um velho soldado — "um antigo praça" — da polícia mineira, por Lindolfo Gomes, em seu inestimável e esquecido Contos populares brasileiros, *editado pela Melhoramentos em 1931. O exemplar que possuo é de 1948, registrado como segunda edição. No entanto, Lindolfo Gomes já em 1918 publicara um livro com o mesmo título, possivelmente uma seleção menor e que serviu de base para a edição em questão. (Não precisamos lembrar que literatura oral, embora mais estudada pela etnografia/antropologia do que pelas escolas de letras, é também literatura, conforme tentei enfatizar em "A infância da ficção", introdução a* Grandes contos populares do mundo.*) O "causo" em questão apresenta a dança/música como uma atração irresistível, na melhor (pior?) tradição católica da Idade Média, que condenava expressões corporais de origem pagã como "coisas do Demo". Era tudo relacionado ao Mal. Observe-se em "Quem cai na dança..." como a noção de disciplina é totalmente subvertida, em todos os escalões do agrupamento militar. Era a presença do Mal, como podemos ver em relatos "eruditos" que curiosamente apresentam parentescos com este "causo" interiorano: "A lenda dos bailarins", do padre Manuel Bernardes (1644-1710) e "O dançarino", de Jerome K. Jerome (1859-1927), que utilizei em outras antologias. Nada disso é necessário saber para, em volta de uma fogueira, quem sabe, nos divertirmos com a simplicidade deste relato mineiro e universal.*

Assim se costuma dizer, e é bem certo. Ora, eu lhe conto: uma vez um capitão soube que muitos praças da sua companhia estavam num *cateretê* ferrado, longe do quartel, bebendo, dançando, brigando, pintando os sete demônios.

Chamou o ordenança e mandou buscar a soldadesca. Mas o camarada em lá chegando, vendo que o pagode estava mesmo bom, com cada cabocla *xodó*, de trazer água na boca, e com um violeiro que no botar versos e no *ponteá* não havia outro — esqueceu-se da ordem, e caiu também na dança.

O capitão, cansado de esperar e vendo que nem os praças nem o ordenança voltavam, chamou o cabo e o mandou atrás do pessoal. Mas o cabo foi, e aconteceu a mesma coisa: caiu na dança e também não voltou. O capitão já estava ardendo de raiva. E, vai daí, mandou o furriel. Mas o furriel fez o mesmo: caiu na dança, e era um dia...

O capitão queimava. Estava mesmo para arrancar as barbas de bode. E mandou o sargento, com ordem de trazer todo aquele povo na *chincha*.

Mas o sargento não era de ferro... e vendo tanta mulata de *pegá pra saí*, entrou na roda: Eta! Rapaziada boa!

O capitão, brabo que nem cobra na hora da queimada, *chispou* o alferes em busca da negrada.

Mas o alferes — que havia de fazer? Era dos tais que não podem ver defunto sem chorar, e caiu na pândega, com os galões e tudo. E espera pra lá, capitão do inferno!

E o capitão *apois* mandou que o tenente trouxesse tudo de cambulhada, e, já sabia, *trinta por sessenta* na canalha.

E vai o tenente, que pegou da espada e foi bufando por ali fora, que parecia um raio.

ão a coisa é que estava mesmo boa. Eta sapateado de
ente deu a espada *pru* cabo e... *entra, Juca*! Aquilo ia
r um mês, que era um regalo.

tocou, mas nada! Ninguém apareceu na *revista* da
o é que o capitão quase *tira as calças e pisa nelas*. E
o ir buscar a rapaziada. Havia de pegá-la pra Judas!
nhos, como caititu na trilha com cachorrada atrás...
ando ao pagode... Eh! Maria Chica danada pra dan-
vistou o capitão, fez uma chamada com o lencinho
s dedinhos pra banda dele e o *bicho* entrou na dança,

roda. A companhia inteira dançava que era uma *gos-
o então pegou a cantar:

Venha ver, ó minha gente,
Como é boa esta função.
Viola, dança e mulata
Prende inté seu capitão.

No outro dia o tenente perguntou ao oficial:

— Pronto, meu capitão: quantas *cadeias* pra negrada?

— Deixa disso, tenente. Quem cai na dança não se *alembra* de mais nada...

E pegaram a rir, e tudo acabou em santa paz.

NOITE DE SÃO-JOÃO
Bernardo Élis

> *Um conto ao som da moda de viola, das noites de são-joão que até hoje se espalham e se repetem pelo interior do país, tradição e terreno férteis onde nasceram e se desenvolveram ritmos como o baião, o xote, da música nordestina à música gaúcha, tem aqui seu registro ficcional, como não poderia deixar de ser, em tom de literatura regional. A "partitura" é do mestre/maestro Bernardo Élis (1915-1997), autor, entre outros livros, de* Ermos e gerais, *de 1944, de onde foi extraído o conto que se vai ler.*

Era um são-joão com todas as exigências protocolares: terreiro varrido, no meio dele, descansando num X de varas de pindaíba, o mastro pintado de tauá e oca e com o pé à beira do buraco tapado com um caco de telha. Ao lado, a fogueira. Dentro da sala, num altar, a bandeira daquele santo brabo que comia gafanhotos. Na frente da casa erguia-se o copiá feito de piteira e folhas de bananeiras.

Era a ave-maria e reunia-se um povão na chácara. As alimárias rinchavam e se escoicinhavam no curral ao lado, enquanto guegués insultantes latiam.

Depois da reza, saiu a procissão perfumada da cera queimada dos rolos.

— Viva são João Batista. — O mastro principio[u] e foguetes rápidos sangraram com arranhões felinos a b[oca de] um céu agora todo empapado de luar. A fogueira batia pal[mas?] doce, jogando contra as estrelas punhados de áscuas rubras, il[uminando] a frente da casa, o curral fronteiriço, os campos longes.

Serviam café com bolo de mandioca. O pessoal barul[hento,] risonho, cercou a fogueira. Um balão começou a subir. Não. É men[tira.] Não há balões nos são-joões analfabetos das roças. O que começou [a] subir pelo céu, mais belo que um balão, foi uma moda de viola. Chorosa, longa, com sabor arrependido de banzo.

Assavam batatas, arrebentavam pipocas, enquanto tiravam as sortes, e um velho, hierático, com pés descalços, atravessava sobre as brasas vivas. Depois uma sanfona começou, fanhosamente, a arrastar pela poeira o ritmo canalha da mazurca e a moçada entrou para o "rasta-pé", deixando a fogueira quase sozinha.

Como então um ventinho frio começasse a bulir com as folhas secas da mangueira lá onde não se varreu, seu Jeremias (escrivão da vila) puxou um toquinho, soprou dele a poeira e assentou-se perto do fogo. Espetou seus olhos vagos, empapuçados, sapiroquentos nas brasas, como se os quisesse assar a todo o custo. A meninada fazia aquele barulhão desgraçado, brincando de pegar nas folhas do copiá.

— Esta festa é nacional. Muito nacional e sobretudo católica — falava um velho, de óculos e cachenê, ao vigário.

Seu vigário, que já havia aquecido a frente do corpo, virou a parte traseira para a fogueira e ficou balançando a batina:

— É. Isso mesmo. Aliás, catolicismo e nacionalismo, no Brasil, se confundem.

O homem do cachenê (seu Jeremias não sabia quem era — devia ser de fora) impôs gravemente suas mãos ao fogo, num gesto grandioso de ritual sagrado:

— Justamente. Justamente.

Alguém, mais longe, conversava:

— Quantas palavras de amor já não se disseram em ocasiões semelhantes!

Seu Jeremias colocou essa frase sobre o fundo romântico de uma modinha, acompanhada ao violão, que cantavam lá dentro:

Só quem ama é que sabe quanto eu sofro,
Ó! meu Deus, dai-me alívio ao padecer.
Só quem ama...

Agora ele já não ouvia mais nada. Não percebia o padre, nem o homem do cachenê, nem mesmo a fogueira, porque de dentro de sua memória foi-se levantando o fantasma da saudade, em cuja garupa ele montou, e ficou de olhos parados, meio enfezado, numa feiura sisudamente inspirada. Recordava uma noite de são-joão há mais de trinta anos. Havia o céu, havia a terra, muita gente e mais Anica com seus olhos claros e brincalhões enfincados nos dele apaixonadamente, enquanto cantava aquela mesma modinha: "Só quem ama..." Ela ria-se de um modo provocante, mostrando um dente congestionado.

Seu Jeremias sentiu a mesma falta de fôlego, a mesma bateção de coração que sentira naqueles bons tempos enquanto ouvia Anica.

Lembrou-se, com um certo gozo dolorido, do desejo imperioso que ele tinha de declarar-lhe seu amor. De beijá-la. De senti-la perto de si. De defendê-la contra bandidos que queriam assassiná-la de mentira — demônios e outras coisas imaginárias.

Mas uma declaração era uma violência enorme para ele. Jeremias de noite arquitetava toda a cena: pegaria na mão dela, beijaria, depois diria: "Amo-te muito, Anica, com toda a força de meu ser." Então ela responderia, com lágrimas nos olhos: "Se não casarmos, Jeremias, até sou capaz de morrer."

E a cena, onde se passaria? Na alcova de Anica, por uma noite de luar, à margem de um regato, na igreja... Sim, na igreja ficava mesmo muito a caráter. Muito mesmo. Ficava na igreja, sem nenhuma testemunha.

Amanhecia, porém, inexoravelmente, e ele, durante o dia, não encontrava momento oportuno. De noite, tornava a reconstituir a cena, retocando-a, para adiá-la, no dia seguinte, e tornar a reconstituir, minuciosamente, à noite. Aqui seu Jeremias, à força de idealizar durante anos o ato, já tinha convicção de que beijara mesmo Anica.

Mas depois se convencia do contrário e, para justificar sua covardia, pegava a imaginar que o pacato pai de Anica era muito mau e não queria o casamento. E embora o capitão Bernardo estivesse louco por empurrar-lhe a filha, Jeremias travava com ele lutas perigosíssimas, de vida e de morte, e chegava até a furtar a moça, fugindo a cavalo, entre tiroteios e mil peripécias. Tudo isso, porém, debaixo das competentes cobertas, confundindo picadas de percevejo com punhaladas e tiros.

Anica se casou num sábado e seu Jeremias ficou aguardando oportunidade. Teve um filho cinco meses depois, outro filho, um parto gêmeo, um aborto, e ele continuou toda a vida aguardando o momento da sua declaração.

— Ó! meu Deus, dai-me alívio ao padecer. — Como era doce a voz de Anica e como ele a amava na ternura provocante de seus olhos claros! Foi quando uma bomba retardada estourou na fogueira. Seu Jeremias deu um pulo e o seu sonho fugiu como um bando de ratinhos, de capetas. Uma das lembranças se escondeu atrás do baú velho dos preconceitos do escrivão e de lá ficou fazendo caretas.

Fedia fortemente a pano queimado. Ele levantou-se, sacudiu o paletó, olhou as calças: "Não era a roupa que ardia." Então notou que ao pé da fogueira não tinha vivalma. Só mesmo aquele fedor. Olhou à esquerda. Aí estava sentada uma cinquentona fornida, com o rosto cheio de barbas, corado do calor do fogo. Dormia. A boca estava aberta e a dentadura, que se desprendera, emprestava-lhe ao semblante um ar ameaçador de cachorro rosnando. Seu Jeremias assustou-se: "Seria Anica?!"

— E se ela tivesse ouvido o meu pensamento? Quem sabe ela ouviu minha velha declaração mofada e agora estivesse fingindo que dormia, muito de propósito?

Reparou bem a carona dela para ver se estava rindo. Não. Não estava rindo. Estava babando, um fio longo.

O fedor continuava insistente.

— E se ela acordasse de repente e o visse ali ao seu lado?

Sentiu uma vergonha suja de dona Anica, dele mesmo, da humanidade inteira.

"E se ela acordasse..." Essa suposição lhe deu medo, um medo gostoso, quase criminoso, como se acabasse de declarar seu amor.

Agora, porém, ele pôde perceber: era o xale dela que queimava, calmamente, sem pressa, com meticulosidade malvada. Seu Jeremias afastou-se nas pontas dos pés, ressabiado, achando que algum malicioso o estivesse observando na sombra. E foi encostar-se à porta da chácara, aguardando o momento em que dona Anica acordasse sobressaltada com o incêndio. "Naturalmente a dentadura cairia dentro do fogo ou no chão e se partiria. Ia ser gozado."

Antegozando o susto, ele se vingava de uma maneira idiota. Entretanto...

— Amo-te muito, mais do que tudo — havia um calor quase pornográfico nessa frase.

— Se não casarmos, meu amor, até sou capaz de morrer — diziam duas bocas sôfregas no escuro alcoviteiro de um vão de janela suspeitosamente romântico. Seu Jeremias teve um arrepio e se lembrou de Anica muito gorda, com a boca aberta e a dentadura ferozmente caída e também de seu fantasma juvenil cantando com o dente congestionado naquela antiga noite são-joanina, sobre cujas ruínas floriam ternas saudades. Não pôde reprimir um sorriso amargo, cruel, seco, por onde vazava toda a sua desilusão e toda a sua revolta.

Tirou um taco de fumo do bolso, picou-o caprichosamente e sumiu-se entre os dançadores da sala, lambendo a mortalha de palha: ia à cozinha arranjar um cafezinho para fazer boca de pito.

CONFETE, PIERRÔS E COLOMBINAS

"'Mascarados, sede bem-vindos!' — diz em *Romeu e Julieta* o velho Capuleto — 'já houve um tempo em que eu também me mascarava, para murmurar amáveis lisonjas ao ouvido das mulheres bonitas!' Quase todos os velhos cariocas podem dizer o mesmo, porque no Rio de Janeiro o Carnaval já foi a grande festa da cidade, a festa que consagrava no mesmo delírio todas as classes e todas as idades."

Olavo Bilac, *Ironia e piedade*, Rio, 1926

O ÚLTIMO ENTRUDO
Raul Pompeia

O autor do clássico O Ateneu *não é, nunca foi, autor de um livro só, conforme mostrou o levantamento de toda sua obra realizado por Afrânio Coutinho, nos anos 1970 e 1980, e infelizmente até hoje ignorada pelos leitores e mesmo por nossos editores. O contista Raul Pompeia, por exemplo, é uma boa surpresa e está a pedir reedição. (Da minha parte, o Pompeia contista está presente em algumas das minhas antologias, desde* Contos que a história escreveu *até* O melhor do humor brasileiro, *entre outras.) E o entrudo? Flagrante de 1883: a infância da infância do carnaval carioca. As batalhas de limões de cheiro (ou outros cheiros...) eram inocentes brincadeiras familiares e entre vizinhos, e que antecederam os corsos, os ranchos, as grandes sociedades, as primitivas escolas de samba, enfim. Mas logo, nas ruas, as águas perfumadas dos limões de cheiro foram substituídas por líquidos malcheirosos de origem as mais diversas — e duvidosas. O prefeito Pereira Passos, preocupado com a higienização e urbanização do Rio, acabou proibindo a brincadeira. Curioso no conto aqui apresentado, nesta segunda edição da antologia, é que o velho Borba, entusiasta do entrudo, era um religioso atuante, "figura na irmandade do Santíssimo". Metáfora talvez involuntária da origem católica — as procissões, as festas da Penha e mesmo os primeiros corsos — para as fuzarcas e alegrias do... Rei Momo, e da própria evolução do samba?*

Ah! Nunca mais jogou-se entrudo lá em casa. Todos perdemos o amor pelas loucuras dos três dias, os banhos monumentais, os tiroteios de limão de cheiro. Tem-se saudade, e não se pode volver aos bons tempos. Às vezes, nós da família entramos em divertimentos de molhadelas, mas só em casa dos amigos, raramente, isso mesmo espancando a custo as recordações que nos ensombrecem a alegria. Em nossa casa, é que nunca mais houve entrudo...

Vocês conheceram o velho Borba, aquele tio alto, magro, de cabelos alvíssimos cortados rente, que parecia cobrir-lhe o crânio com um barrete de linho branco... Conheceram. Viram-lhe os miúdos olhos negros, que confundiam as cintilações vividas com as longas pestanas de fina prata, irradiadas das pálpebras, como fios de luz. Lembram-se daquele queixinho ossudo, eternamente barbeado, aquela boca expressiva, grande, que tinha sempre engatilhada uma pilhéria crepitante, explosiva, ou uma risada franca, que passava pelas falhas daquela dentadura clara, e excitava-nos a todos, como o espírito invisível, comunicativo da alegria...

O velho Borba era doido pelo entrudo...

Quem o visse, a figura na irmandade do Santíssimo, de tocha em punho, como o cajado patriarcal de um pastor da Bíblia, opa vermelha de seda, flutuante aos ventos, com ares ao mesmo tempo de manto real e de asas brilhantes de anjo de primeira hierarquia; quem o visse sisudo, grave, religioso, ladeando o andor da Virgem Puríssima, sem olhar para as bandas, calculando o passo pela cantoria rouquenha dos padres e pela marcha sonolenta da banda militar que fechava o préstito da procissão; quem visse aí somente, ou na repartição, trabalhando; quem o estudasse por esse lado de seriedade, jamais faria dele a menor ideia.

Vê-lo, era nas alegrias domésticas; vê-lo, era a soltar balões em S. João, a trinchar perus nos banquetes íntimos e a brindar-nos, misturando afetos com graçolas boas, impagáveis; vê-lo, era a armar um presepe, coordenando atentamente pela montanha de musgo artificial os carneirinhos de pau cortado, os reis magos, grudando os anjinhos de papel — *glória a Deus nas alturas* —, a estrela *de rabo* e a *paz dos homens na terra*, figurada por aqueles campônios ingênuos de que fala a história do Natal, e que as lojas de brinquedos produzem.

Boa alma!

Ele era a festa em pessoa, absorvia-se no prazer doméstico como um menino, e empenhava no brinquedo os seus sessenta e tantos, como se foram sete anos cândidos, inocentes.

O entrudo é que era o seu grande tempo.

— Pelo entrudo dou a minha vida — dizia ele, alçando um grande limão de cera à altura de um gesto heroico.

Nunca se soube de melhor artilheiro para os combates d'água. Ele era o primeiro, o invicto, a pontaria certeira e o tiro distante. Ninguém como ele!

Dois meses antes do domingo gordo, víamos o nosso Borba, gesticulando diante de um vaso de cera fundida, manejando uma forma de limões... Chamava as meninas e metia mãos à obra. Mal dormia; consumia-se; a fabricar projetis,[1] como um arsenal em tempos de guerra. Os limões, as granadas, como ele chamava, iam-se-lhe amontoando ao lado, e o velho sorria triunfalmente, de ver avultar a montanha de esfera, de todas as cores, graciosas, aveludadas, macias, irrepreensíveis. Fazia gosto vê-lo passear ao longo dos seus obuses de cera transparente, dispostos por uma mesa afora; dir-se-ia um velho capitão, encanecido na guerra, a percorrer em revista as trincheiras inexpugnáveis do seu reduto!

E o tio Borba gozava sinceramente umas cócegas marciais durante as úmidas refregas do entrudo. O olhar assumia-lhe uma expressão militar sombria: ostentava a inflexibilidade da sua bravura, diante de qualquer ataque; não temia o número; tinha agilidade e sangue-frio para fazer frente a 12 atiradores; calculava os movimentos do seu adversário no jardim, como um profundo estratégico; antevia a trajetória dos limões, como um velho artilheiro, e regozijava-se ferozmente com o efeito dos seus tiros, como o soldado que vê esboroar-se ao longe a muralha devastada pela sua peça.

Um perfeito bravo! Não temia contusões, nem quedas, nem banhos, nem bronquites; nem atendia aos reclamos do cansaço do seu organismo...

O entrudo era sério para ele como a guerra.

— Faz-se a guerra — dizia — pelo fogo; o entrudo é a guerra pela água.

Não considerava o entrudo um brinquedo, rigorosamente. Achava-o uma brutalidade necessária, útil como exercício de agilidade, útil como ginástica de coragem, útil como expansão de certos instintos que nos vão cá por dentro.

---

[1] "Projeteis", no jornal. (N.E.)

E praticava convictamente a teoria.

Na história dos seus combates, contava alguns episódios, uma inflamação de olhos, que quase o cegava, proveniente da pancada violenta de um espesso limão, alguns dias de febre, o braço direito quebrado... Nada falamos dos compromissos pecuniários e das despesas loucas com que acabrunhava-o o entrudo, não obstante vir cera do Santíssimo tomar parte nas confecções guerreiras...

Há cinco anos que em nossa casa não aparecem mais aqueles globos transparentes, amarelos, verdes, vermelhos, azuis, alinhados corretamente nas longas caixas de papelão, onde o tio Borba os acondicionava carinhosamente em polpas de algodão desfiado.

Mesmo antes disso os entrudos lá de casa não tinham o mesmo entusiasmo de outrora.

A saúde do pobre tio Borba se alterava gravemente pelos últimos tempos.

Ele revoltava-se contra a natureza, mas forçoso era cair...

Então ele, agoniado de sofrimento, deplorava no fundo da cama a decadência das festas da nossa casa.

S. João sem os serões de *buena-dicha* e sem os ovos do sereno, presepes mal-arranjados, sem graça e a vida que só ele sabia comunicar às figurinhas de pau pintado.

Mesmo do leito, ele tentava reanimar aquele descalabro com as suas pilhérias e o seu bom humor... Nada!

O entrudo se transformara em trocas banais de limões, contrariados, aborrecidos, sem capricho, que pareciam mesmo querer seguir sempre em sentido contrário à calculada direção. Não havia mais a batalha campal no meio da rua, a invasão vandálica das casas vizinhas. Oh! Como sentia o tio Borba o obscurecimento da má estrela!

Havia dois anos já que o seu nome deixava de ser o terror do bairro nos grandes dias!

O desmoronamento do seu passado.

Há cinco anos... vão completar-se no próximo entrudo, estava o velho Borba de cama.

Ultimamente ele quase não deixava a cama. O médico recomendava-lhe, constantemente, sossego, tranquilidade, abstenção de movimentos bruscos, de alegrias violentas, de excesso de qualquer gênero. O doente domava os seus ímpetos e obedecia. Chegaram, porém, os dias de loucura.

Do seu quarto o bom tio ouvia atentamente os rumores do entrudo, os gritos de vitória, o barulho da água arremessada a bacias, e os limões, que, de quando em quando, barafustavam pelas janelas como obuses, e esmagavam-se de encontro às paredes, com um rumor de ovos partindo-se...

Algumas famílias tinham vindo à nossa casa, e nesse ano brincávamos com mais calor do que nos dois anteriores.

De tempos a tempos, as crianças, como ajudantes de campo, vinham contar ao tio Borba as peripécias da campanha. O velho acolhia sorrindo os pequeninos mensageiros ofegantes, molhados, que narravam-lhe as cousas desatando risadas intermináveis; dava-lhes conselhos; interessava-se particularmente pelo nosso triunfo; queria ver sempre vencedores os de casa, atiradores da sua escola.

As crianças levavam à campanha os seus conselhos de veterano experimentado.

Que vergonha para o velho Borba, se os visse derrotados...

Repentinamente, uma gritaria imensa e um tropel rumoroso invade a sala como uma tempestade; uma saraivada de projetis de cera vem rebentar às portas do aposento do enfermo; a vidraça de uma porta voou em pedaços.

O velho estremece no leito. Como nos bons tempos, sobe-lhe à fronte o sangue guerreiro.

De um pulo ganha a sala, desdobrando a bela estatura diante dos invasores.

Viu os sobrinhos[2] espavoridos, fugindo pela casa, as roupas ensopadas a colarem-se-lhes às espáduas, os cabelos soltos gotejantes como a madeixa das ondinas, os vestidos atrapalhando a carreira.

Era a derrota dos seus!

---

[2] Sic. (N.E.)

O Borba estava transfigurado. Uma energia estranha, que há muito lhe fugira, voltou-lhe a reanimar os músculos. Parou no meio da sala, fremente e ameaçador, como o marechal que vê-se abandonado, e quer parar o inimigo com o prestígio do próprio heroísmo.

Esta aparição surtiu efeito.

Os invasores pararam à porta.

Fez-se um milagre.

Havia sobre uma mesa da sala uma pirâmide de limões de cheiro. Borba, aproveitando-se do espanto dos adversários, precipita-se para os limões. Cerca de alguns segundos, já não existira a pirâmide! Como uma metralhadora animada, o velho Borba varrera a entrada da sala!

— Ainda sou o mesmo! — rugiu o velho com a face radiante.

....

depois, cautelosos, medrosos, voltaram os invasores. Lançaram algumas granadas para sala. Ninguém respondeu. Que surpresa lhes estaria a preparar o invencível? Adiantaram-se... espiaram. Lá estava o pobre Borba, com as roupas encharcadas, de bruços, rosto contra o soalho, braços abertos, morto!

Morto sobre o soalho alagado, entre as cores alegres dos estilhaços das suas queridas granadas!

Foi o nosso último entrudo.

Corte, novembro de 1883.

Gazeta de Notícias. Rio de Janeiro, 26 nov. 1883.

CORDÕES
João do Rio

Uma página de "documentário" extraída do famoso A alma encantadora das ruas, *de João do Rio, quando o Carnaval se realizava com foliões agrupados em cordões, pequenos blocos e ranchos, entre outras coisas. No embalo das músicas da época. (Praticamente todas as letras citadas — e não são poucas — foram de músicas colhidas nas ruas e, claro, não registradas em gravações.) De quando era de bom-tom frequentar as "batalhas das flores" — "Aonde vais, Sereno/ aonde vais, com teu amor?/ Vou ao Campo de Santana/ ver a batalha das flores".*

Oh! abre ala!
Que eu quero passá
Estrela-d'Alva
Do Carnavá!

Era em plena rua do Ouvidor. Não se podia andar. A multidão apertava-se, sufocada. Havia sujeitos congestos, forçando a passagem com os cotovelos, mulheres afogueadas, crianças a gritar, tipos que berravam pilhérias. A pletora da alegria punha desvarios em todas as faces. Era provável que do largo de São Francisco à rua Direita dançassem vinte cordões e quarenta grupos, rufassem duzentos tambores, zabumbassem cem bombos, gritassem cinquenta mil pessoas. A rua convulsionava-se como se fosse fender, rebentar de luxúria e de barulho. A atmosfera pesava como chumbo. No alto, arcos de gás besuntavam de uma luz de açafrão as fachadas dos prédios. Nos estabelecimentos comerciais, nas redações dos jornais, as lâmpadas elétricas despejavam sobre a multidão uma luz ácida e galvânica, que enlividescia e parecia convulsionar os movimentos da turba, sob o panejamento multicolor das bandeiras que adejavam sob o esfarelar constante dos *confetti*, que, como um irisamento do ar, caíam, voavam, rodopiavam. Essa iluminação violenta era ainda aquecida pelos braços de luz *auer*, pelas vermelhidões de incêndio e as súbitas explosões azuis e verdes dos fogos de Bengala; era como que arrepiada pela corrida diabólica e incessante dos archotes e das pequenas lâmpadas portáteis. Serpentinas riscavam o ar; homens passavam empapados d'água, cheios de *confetti*; mulheres de chapéu de papel curvavam as nucas à etila dos lança-perfumes, frases rugiam cabeludas, entre gargalhadas, risos, berros, uivos, guinchos. Um cheiro estranho, misto de perfume barato, *fartum*, poeira, álcool, aquecia ainda mais o baixo instinto de promiscuidade. A rua personalizava-se, tornava-se uma e parecia, toda ela policromada de serpentinas e *confetti*, arlequinar o pincho da loucura e do deboche. Nós íamos indo, eu e o meu amigo, nesse pandemônio. Atrás de nós, sem colarinho, de pijama, bufando, um grupo de rapazes acadêmicos, futuros diplomatas e futuras glórias nacionais, berrava furioso a cantiga do dia, essas cantigas que só aparecem no Carnaval:

> *Há duas coisa*
> *Que me faz chorá*
> *É nó nas tripa*
> *E bataião navá!*

De repente, numa esquina, surgira o pavoroso *abre-alas*, enquanto, acompanhado de urros, de pandeiros, de *xequerês*, um outro cordão surgia.

> *Sou eu! Sou eu!*
> *Sou eu que cheguei aqui*
> *Sou eu Mina de Ouro*
> *Trazendo nosso Bogari.*

Era intimativo, definitivo. Havia porém outro. E esse cantava adulçorado:

> *Meu beija-flor*
> *Pediu para não contar*

O meu segredo
A Iaiá.
Só conto particular.
Iaiá me deixe descansar
Rema, rema, meu amor
Eu sou o rei do pescador.

Na turba compacta o alarma correu. O cordão vinha assustador. À frente um grupo desenfreado de quatro ou cinco caboclos adolescentes com os sapatos desfeitos e grandes arcos pontudos corria abrindo as bocas em berros roucos. Depois um negralhão todo de penas, com a face lustrosa como piche, a gotejar suor, estendia o braço musculoso e nu sustentando o tacape de ferro. Em seguida gargolejava o grupo vestido de vermelho e amarelo com lantejoulas d'ouro a chispar no dorso das casacas e grandes cabeleiras de cachos, que se confundiam com a epiderme num empastamento nauseabundo. Ladeando o bolo, homens em tamancos ou de pés nus iam por ali, tropeçando, erguendo archotes, carregando serpentes vivas sem os dentes, lagartos enfeitados, jabutis aterradores com grandes gritos roufenhos.

Abriguei-me a uma porta. Sob a chuva de *confetti*, o meu companheiro esforçava-se por alcançar-me.

— Por que foges?

— Oh! estes cordões! Odeio o cordão.

— Não é possível.

— Sério!

Ele parou, sorriu:

— Mas que pensas tu? O cordão é o Carnaval, o cordão é vida delirante, o cordão é o último elo das religiões pagãs. Cada um desses pretos ululantes tem por sob a belbutina e o reflexo discrômico das lantejoulas tradições milenares; cada preta bêbada, desconjuntando nas tarlatanas amarfanhadas os quadris largos, recorda o delírio das procissões em Biblos pela época da primavera e a fúria rábida das bacantes. Eu tenho vontade, quando os vejo passar zabumbando, chocalhando, berrando, arrastando a apoteose incomensurável do rumor, de os respeitar, entoando em seu louvor a "prosódia" clássica com as frases de Píndaro: salve, grupos floridos, ramos floridos da vida...

Parei a uma porta, estendo as mãos.

— É a loucura, não tem dúvida, é a loucura. Pois é possível louvar o agente embrutecedor das cefalgias e do horror?

— Eu adoro o horror. É a única feição verdadeira da humanidade. E por isso adoro os cordões, a vida paroxismada, todos os sentimentos tendidos, todas as cóleras a rebentar, todas as ternuras ávidas de torturas.

Achas tu que haveria Carnaval se não houvesse os cordões? Achas tu que bastariam os préstitos idiotas de meia dúzia de senhores que se julgam engraçadíssimos ou esse pesadelo dos três dias gordos intitulado máscaras de espírito? Mas o Carnaval teria desaparecido, seria hoje menos que a festa da Glória ou o "bumba meu boi" se não fosse o entusiasmo dos grupos da Gamboa, do Saco, da Saúde, de S. Diogo, da Cidade Nova, esse entusiasmo ardente, que meses antes dos três dias vem queimando como pequenas fogueiras crepitantes para acabar no formidável e total incêndio que envolve e estorce a cidade inteira. Há em todas as sociedades, em todos os meios, em todos os prazeres, um núcleo dos mais persistentes, que através do tempo guarda a chama pura do entusiasmo. Os outros são mariposas, aumentam as sombras, fazem os efeitos.

Os cordões são os núcleos irredutíveis da folia carioca, brotam como um fulgor mais vivo e são antes de tudo bem do povo, bem da terra, bem da alma encantadora e bárbara do Rio.

Quantos cordões julgas que há da Urca ao Caju? Mais de duzentos! E todos, mais de duas centenas de grupos, são inconscientemente os sacrários da tradição religiosa da dança, de um costume histórico e de um hábito infiltrado em todo o Brasil.

— Explica-te! — bradei eu, fugindo para outra porta, sob uma avalanche de *confetti* e velhas serpentinas varridas de uma sacada.

Atrás de mim, todo sujo, com fitas de papel velho pelos ombros, o meu companheiro continuou:

— Eu explico. A dança foi sempre uma manifestação cultual. Não há danças novas; há lentas transformações de antigas atitudes de culto religioso. O bailado clássico das bailarinas do Scala e da Ópera tem uma série de passos do culto bramânico, o minueto é uma degenerescência da reverência sacerdotal, e o *cakewalk* e o *maxixe,* danças delirantes, têm o seu nascedouro nas correrias de Dionísios e no pavor dos Orixalás da África. A dança saiu dos templos; em todos os templos se dançou, mesmo nos católicos.

O meu amigo falava intercortado, gesticulando. Começava a desconfiar da sua razão. Ele, entretanto, esticando o dedo, bradava no torvelinho da rua:

— O Carnaval é uma festa religiosa, é o misto dos dias sagrados de Afrodite e Dionísios, vem coroado de pâmpanos e cheirando a luxúria. As mulheres entregam-se; os homens abrem-se; os instrumentos rugem; estes três dias ardentes, coruscantes, são como uma enorme sangria na congestão dos maus instintos. Os cordões saíram dos templos! Ignoras a origem dos cordões? Pois eles vêm da festa de N.Sr.ª do Rosário, ainda nos tempos coloniais. Não sei por que os pretos gostam da N.Sr.ª do Rosário... Já naquele tempo gostavam e saíam pelas ruas vestidos de reis, de bichos, pajens, de guardas, tocando instrumentos africanos, e paravam em frente à casa do vice-rei a dançar e cantar. De uma feita, pediram ao vice-rei um dos escravos para fazer de rei. O homem recusou a lisonja que dignificava o servo, mas permitiu os folguedos. E estes folguedos ainda subsistem com simulacros de batalha, e quase transformados, nas cidades do interior. Havia uma certa conexão nas frases do cavalheiro que me acompanhava; mas, cada vez mais receoso da apologia, eu andava agora quase a correr. Tive, porém, de parar. Era o Grêmio Carnavalesco Destemidos do Inferno, arrastando seis estandartes cobertos de coroas de louro. Os homens e as mulheres, vestidos de preto, amarelo e encarnado, pingando suor, zé-pereiravam:

Os rouxinóis estão a cantar
Por cima do carramanchão
Os Destemidos do Inferno
Tenho por eles paixão.

E logo vinha a chula:

Como és tão linda!
Como és formosa!
Olha os destemidos
No galho da rosa.

— Como é idiota!
— É admirável. Os poetas simbolistas são ainda mais obscuros. Ora, escuta este aqui ao lado.

Vinte e sete bombos e tambores rufavam em torno de nós com a fúria macabra de nos desparafusar os tímpanos. Voltei-me para onde me guiava o dedo conhecedor do Píndaro daquele desespero e vi que cerca de quarenta seres humanos cantavam com o lábio grosso, úmido de cuspe, estes versos:

Três vezes nove
Vinte e sete
Bela morena
Me empresta seu leque
Eu quero conhecer
Quem é o treme-terra?
No campo de batalha
Repentinos dá sinal da guerra.

Entretanto, os Destemidos tinham parado também. Vinham em sentido contrário, fazendo letras complicadas pela rua forrada de papel policromo, sob a ardência das lâmpadas e dos arcos, o grupo da Rainha do Mar e o grupo dos Filhos do Relâmpago do Mundo Novo. Os da Rainha cantavam em bamboleios de onda:

Moreninha bela
Hei de te amar
Sonhando contigo
Nas ondas do mar.

Os do Relâmpago, chocalhando chocalhos, riscando "xequedés", berravam mais apressados:

> *No triná das ave*
> *Vem rompendo a aurora*
> *Ela de saudades*
> *Suspirando chora.*
> *Sou o Ferramenta*
> *Vim de Portugá*
> *O meu balão*
> *ChamaEncionã.*

Senhor Deus! Era a loucura, o pandemônio do barulho e da sandice. O fragor porém aumentava, como se concentrando naquele ponto, e, esticando os pés, eu vi por trás da Rainha do Mar uma serenata, uma autêntica serenata com cavaquinhos, violões, vozes em ritornelo sustentando *fermatas* langorosas. Era a Papoula do Japão:

> *Toda a gente pressurosa*
> *Procura flor em botão*
> *É uma flor recém-nascida*
> *A papoula do Japão*
> *Docemente se beijava*
> *Uma... rola*
> *Atraída pelo aroma*
> *Da... papoula...*

— Vamos embora. Acabo tendo uma vertigem.
— Admira a confusão, o caos ululante. Todos os sentimentos, todos os fatos do ano reviravolteiam, esperneiam, enlanguescem, revivem nessas quadras feitas apenas para acertar com a toada da cantiga. Entretanto, homem frio, é o povo que fala. Vê o que é para ele a maior parte dos acontecimentos.
— Quantos cordões haverá nesta rua?

— Sei lá; quarenta, oitenta, cem, dançando em frente à redação dos jornais. Mas, caramba! olha o brilho dos grupos, louva-lhes a prosperidade. O cordão da Senhora do Rosário passou ao cordão de Velhos. Depois dos Velhos os Cucumbis. Depois dos Cucumbis os Vassourinhas. Hoje são duzentos.

— É verdade, com a feição feroz da ironia que esfaqueia os deuses e os céus — fiz eu recordando a frase apologista.

— Sim, porque a origem dos cordões é o afoxé africano, em que se debocha a religião.

— O afoxé? — insisti, pasmado.

— Sim, o afoxé. É preciso ver nesses bandos mais do que uma correria alegre — a psicologia de um povo. O cordão tem antes de tudo o sentimento da hierarquia e da ordem.

— A ordem na desordem?

— É um lema nacional. Cada cordão tem uma diretoria. Para as danças há dois fiscais, dois mestres-salas, um mestre de canto, dois porta-machados, um *achinagú* ou homem da frente, vestido ricamente. Aos títulos dos cordões pode-se aplicar uma das leis de filosofia primeira e concluir daí todas as ideias dominantes na população. Há uma infinidade que são caprichosos e outros teimosos. Perfeitamente pessoal da lira: — Agora é capricho! Quando eu teimo, teimo mesmo!

"Nota depois a preocupação de maravilhar, com ouro, com prata, com diamantes, que infundem o respeito da riqueza — Caju de Ouro, Chuveiro de Ouro, Chuva de Prata, Rosa de Diamantes, e às vezes coisas excepcionais e únicas — Relâmpago do Mundo Novo. Mas o da grossa população é a flor da gente, tendo da harmonia a constante impressão das gaitas, cavaquinhos, dos violões, desconhecendo a palavra, talvez apenas sentindo-a como certos animais que entendem discursos e sofrem a ação dos sons. Há quase tantos cordões intitulados Flor e Harmonia, como há Teimosos e Caprichosos. Um mesmo chama-se Flor da Harmonia, como há outro intitulado Flor do Café.

"Não te parece? Vai-se aos poucos detalhando a alma nacional nos estandartes dos cordões. Oliveira Gomes, esse ironista sutil, foi mais longe, estudou-lhes a zoologia. Mas, se há Flores, Teimosos, Caprichosos e Harmonias, os que querem espantar com riquezas e festas nunca vistas, há também os preocupados com as vitórias e os triunfos, os que antes de sair já são Filhos do Triunfo da Glória, Vitoriosos das Chamas, Vitória das Belas, Triunfo das Morenas."

— Acho gentil essa preocupação de deixar vencer as mulheres.

— A morena é uma preocupação fundamental da canalha. E há ainda mais, meu amigo, nenhum desses grupos intitula-se republicano, Republicanos da Saúde, por exemplo. E sabe por quê? Porque a massa é monarquista. Em compensação abundam os reis, as rainhas, os vassalos, reis de ouro, vassalos da aurora, rainhas do mar, há patriotas tremendos e a ode ao Brasil vibra infinita.

Neste momento tínhamos chegado a uma esquina atulhada de gente. Era impossível passar. Dançando e como que rebentando as fachadas com uma "pancadaria" formidável, estavam os do Prazer da Pedra Encantada e cantavam:

> *Tanta folia, Nenê!*
> *Tanto namoro;*
> *A Pedra Encantada, ai! ai!*
> *Coberta de ouro!*

E o coro, furioso:

> *Chegou o povo, Nenê Floreada*
> *É o pessoal, ai! ai!*
> *Da Pedra Encantada.*

Mas a multidão, sufocada, ficava em derredor da Pedra entaipada por outros quatro cordões que se encontravam numa confluência perigosa. Apesar do calor, corria um frio de medo; as batalhas de *confetti* cessavam; os gritos, os risos, as piadas apagavam-se, e só, convulsionando a rua, como que sacudindo as casas, como que subindo aos céus, o batuque confuso, epiléptico, dos atabaques, "xequedés", pandeiros e tambores, os pancadões dos bombos, os urros das cantigas berradas para dominar os rivais, entre trilos de apitos, sinais misteriosos cortando a zabumbada delirante como a chamar cada um dos tipos à realidade de um compromisso anterior. Eram a Rosa Branca, negros lantejoulantes da rua dos Cajueiros, os Destemidos das Chamas, os Amantes do Sereno e os Amantes do Beija-Flor! Os negros da Rosa, abrindo muito as mandíbulas, cantavam:

> *No Largo de S. Francisco*
> *Quando a corneta tocou*
> *Era o triunfo "Rosa Branca"*
> *Pela rua do Ouvidô.*

Os Destemidos, em contraposição, eram patriotas:

> *Rapaziada, bate,*
> *Bate com maneira*
> *Vamos dar um viva*
> *À bandeira brasileira.*

Os Amantes do Sereno, dengosos, suavizavam:

> *Aonde vais, Sereno*
> *Aonde vais, com teu amor?*
> *Vou ao Campo de Santana*
> *Ver a batalha de flô.*

E no meio daquela balbúrdia infernal, como uma nota ácida de turba que chora as suas desgraças divertindo-se, que soluça cantando, que se mata sem compreender, este soluço mascarado, esta careta d'Arlequim choroso elevava-se do Beija-Flor:

> *A 21 de janeiro*
> *O "Aquidabã" incendiou*
> *Explodiu o paiol de pólvora*
> *Com toda gente naufragou*

E o coro:

> *Os filhinhos choram*
> *Pelos pais queridos.*
> *As viúvas soluçam*
> *Pelos seus maridos.*

Era horrível. Fixei bem a face intumescida dos cantores. Nem um deles sentia ou sequer compreendia a sacrílega menipeia desvairada do ambiente, Só a alma da turba consegue o prodígio de ligar o sofrimento e o gozo na mesma lei de fatalidade, só o povo diverte-se não esquecendo as suas chagas, só a população desta terra de sol encara sem pavor a morte nos sambas macabros do Carnaval.

— Estás atristado pelos versos do Beija-Flor? Há uma porção de grupos que comentam a catástrofe. Ainda há instantes passou a Mina de Ouro. Sabes qual é a marcha dessa sociedade? Esta sandice tétrica:

> *Corremos, corremos*
> *Povo brasileiro*
> *Para salvar do "Aquidabã"*
> *Os patriotas marinheiros.*

Isto no Carnaval, quando todos nós sentimos irreparável a desgraça. Mas o cordão perderia a sua superioridade de vivo reflexo da turba se não fosse esse misto indecifrável de dor e pesar. Todos os anos as suas cantigas comemoram as fatalidades culminantes.

Neste momento, porém, os Amantes do Sereno resolveram voltar. Houve um trilo de apito, a turba fendeu-se. Dois rapazinhos vestidos de belbutina começaram a fazer "letra" com grandes espadas de pau prateado, dando pulos quebrando o corpo. Depois, o *achinagú* ou homem da frente, todo coberto de lantejoulas, deu uma volta sob a luz clara da luz elétrica e o bolo todo golfou — diabos, palhaços, mulheres, os pobres que não tinham conseguido fantasias e carregavam os archotes, os fogos de bengala, as lâmpadas de querosene. A multidão aproveitou o vazio e precipitou-se. Eu e meu amigo caímos na corrente impetuosa.

Oh! sim! ele tinha razão! O cordão é o Carnaval, é o último elo das religiões pagãs, é bem o conservador do sagrado dia do deboche ritual; o cordão é a nossa alma ardente, luxuriosa, triste, meio escrava e revoltosa, babando lascívia pelas mulheres e querendo maravilhar, fanfarrona, meiga, bárbara, lamentável...

Toda a rua rebentava no estridor dos bombos. Outras canções se ouviam. E, agarrado ao braço do meu amigo, arrastado pela impetuosa corrente aberta pela passagem dos Amantes do Sereno, eu continuei rua abaixo, amarrado ao triunfo e à fúria do cordão!...

CARNAVALESCOS
Olavo Bilac

> *Houve época em que Olavo Brás Martins dos Guimarães Bilac (1865-1918) foi o mais conhecido poeta do país — muitos sabiam versos seus de cor ("Ora, direis, ouvir estrelas..."; ou "Última flor do Lácio inculta e bela..."). Era também cronista da imprensa do fim do século XIX, começo do século XX. Numa dessas crônicas, publicada há mais de 115 anos — e ao que se saiba nunca reeditada —, ele traça um perfil (gênero do jornalismo quase inexistente então) do carnavalesco, então tipicamente carioca. Tirando algumas das características de época, isto é, descontando o contexto do Brasil em que ele foi escrito (imaginemos o Rio do ano de 1901!), chega a ser surpreendente a atualidade deste perfil, que tem nos comerciantes locais os antecessores dos bicheiros de hoje.*

São uma gente à parte — quase uma raça distinta das outras. Os que amam o Carnaval, como amam todas as outras festas, não são dignos do nome de carnavalescos. O carnavalesco é um homem que nasceu para o Carnaval, que vive para o Carnaval, que conta os anos de vida pelos Carnavais que tem atravessado, e que, na hora da morte, só tem uma tristeza: a de sair da vida sem gozar os Carnavais incontáveis, que ainda se hão de suceder no Rio de Janeiro pelos séculos sem fim.

Que se hão de suceder no Rio de Janeiro — escrevi eu. Porque o verdadeiro, o legítimo, o autêntico, o único tipo de carnavalesco real é o carnavalesco do Rio de Janeiro. A espécie é nossa, unicamente nossa, essencialmente e exclusivamente carioca: só o Rio de Janeiro, com seus Carnavais maravilhosos, delirantes e inconfundíveis, possui o verdadeiro carnavalesco.

E não suponham que haja por aí muitos verdadeiros carnavalescos... Quase todos os foliões do Carnaval folgam por acidente, ou por imitação, ou por desfastio, ou por entusiasmo passageiro: folgam dois anos, ou cinco anos, ou dez anos — e cansam, e recolhem-se à vida séria. Mas o carnavalesco legítimo não tem cansaço nem aposentadoria: envelhece carnavalesco, e morre carnavalesco: morre no seu posto, extenuado pelo Carnaval, entisicado pelo Carnaval, devorado pelo Carnaval. O Carnaval é para ele ao mesmo tempo uma paixão absorvente e arruinadora, um vício indomável, uma religião fanática. Para ele, o Carnaval é o único oásis fresco e perfumado, que se antolha no adulto deserto da vida!

Esse é o verdadeiro carnavalesco. Trabalha todo o ano, pena e sua 12 meses a fio, privando-se de tudo, alimentando-se mal, vestindo-se mal, acumulando, somiticamente, ansiosamente, alucinadamente, vintém a vintém, os contos de réis que há de gastar no Carnaval. São 12 meses de sacrifício, de renúncia, de desprendimento: o carnavalesco pensa no Carnaval. Não era maior do que a sua a constância de Jacó, pastor apaixonado, servindo o velho Labão, pai da formosa Raquel... O carnavalesco, para conquistar o Carnaval, pena toda a vida.

"Dizendo: mais penara, se não fora
Para tão grande amor tão curta a vida!..."

Acontece, às vezes, que o carnavalesco já não é um rapazola, sem família e sem deveres sociais: — é um homem maduro, negociante matriculado, tendo próprio casal e nele assistindo, tendo mulher e filhos, tendo apólices e comenda. Pouco importa! É um carnavalesco... Na vida desse homem, de vida regrada e equilibrada, o Carnaval é um hiato, é uma síncope, é a anulação completa da sua consciência de homem e de chefe de família, é a suspensão absoluta de toda a sua gravidade de negociante e de comendador.

A família conhece e perdoa a sua paixão: e, no sábado de Carnaval, ei-lo que se despede dos seus e parte para o delírio, com os olhos acesos em febre e o coração rufando um zé-pereira precipitado (...) Parte, e a família não o vê durante os três dias fatais; e, na Quarta-feira de Cinzas, o carnavalesco volta ao seu lar e aos seus negócios, moído, pisado, contundido — e muitas vezes com a cara quebrada —, mas sem remorso, sem arrependimento, com o orgulho que dá a consciência da missão bem cumprida...

Evoco a recordação, neste momento, de alguns carnavalescos autênticos, que tenho conhecido — e dois, sobre todos, avultam na minha memória, claramente relembrados.

Um deles era um negociante rico, cuja opinião pesava na praça e cuja firma valia ouro nos bancos. Não tinha vícios: não fumava, não jogava, não bebia, não frequentava cantinas nem chafaricas suspeitas. Era carnavalesco...

Haviam-no feito presidente de uma sociedade de carnavalescos — e era ele quem pagava a baderna, quem sustentava a glória do pavilhão do clube. E somente duas vantagens e regalias exigia, em troca de muitas dúzias de contos de réis que lhe custava cada ano a sua paixão: a honra de carregar o estandarte social e o privilégio de dar as *ideias* para os carros de crítica no grande préstito da terça-feira.

Quando o conheci, já ele tinha vinte anos de carnavalesco e de fornecedor de *ideias*. E, como eu o cumprimentasse pela fecundidade da sua imaginação, disse-me, apertando a cabeça entre as mãos: "Realmente, eu não sei como esta cabeça ainda pode ter ideias! Imagine o senhor: vinte Carnavais!..." E parecia-se realmente acabrunhado e sucumbido ao peso de sua missão; e eu inclinei-me diante dele, saudando-o, como se tivesse diante de mim um Darwin, um Comte, um Spencer, um desses criadores de doutrinas e sistemas, que atravessam a vida semeando ideias pela imensa extensão do campo moral...

Mas era de vê-lo, na terça-feira de Carnaval, no alto do grande carro do estandarte, sobre uma montanha de papelão dourado, empunhando o pavilhão do Clube, entre quatro meretrizes que lhes formavam a guarda de honra — e atravessando a cidade, numa apoteose, ao clamor triunfal das fanfarras, sob a abóbada chamejante dos arcos de gás, ao clarão vermelho dos fogos de bengala!

A sua face, nédia e escanhoada, de honrado comerciante — resplandecia ali como a de um Deus! Assim, devia Baco partir para a conquista das Índias! Assim deviam os triunfadores romanos entrar em Roma (...) Aquela noite só se pagava ao carnavalesco todos os seus sacrifícios de dinheiro e todos os seus esbanjamentos de *ideias*... Hoje esse carnavalesco é morto: morreu sempre rico, sempre respeitado, sempre honrado — e sempre carnavalesco (...)

O outro, cuja figura tenho agora presente ao espírito, era um carnavalesco pobre — um dos que economizam o dinheiro durante todo o ano para gastá-lo no Carnaval. Era um guarda-livros. Não lhe escrevo o nome — nem a alcunha, mais conhecida ainda do que o nome. Era famoso! Fantasiava-se e mascarava-se no sábado, e só tirava a fantasia e a máscara na quarta-feira, para dar entrada num hospital da Ordem Terceira, onde se refazia durante um mês dos estragos dos quatro dias de Carnaval (...)

A tuberculose acabou por lhe tomar conta do corpo, depois de um dos seus desvairados Carnavais. Mas ainda o carnavalesco viveu dois ou três anos, tísico — sem abandonar o Carnaval. E nos Carnavais desses dois ou três anos — lembro-me bem! — era um espetáculo macabro encontrá-lo pelas ruas, basicamente vestido de chita ou de cetim, com os ossos do corpo descarnado dançando dentro das pantalonas amplas e da blusa larga, tendo por máscara a sua própria cara escaveirada, em que os olhos ardiam com o brilho da febre hética — e dizendo cousas engraçadas entre dois acessos de tosse convulsa. Era um pesadelo!

Alguém que o conheceu até a morte contou-me que esta se deu — ironia da sorte? Ou bondade do destino? — num domingo de Carnaval, a hora em que mais atroadora e bárbara era pelas ruas a alegria carnavalesca...

Não creio que a morte lhe tenha aparecido com a sua trágica e terrível majestade habitual. Suponho que, no seu delírio último, ela lhe apareceu como uma Morte de Carnaval — dessas que encontramos por aí, entre os velhos de cabeça enorme e os diabinhos da cauda vermelha, nos *cordões* que, inconscientemente, reproduzem as cerimônias cômicas e pavorosas da Idade Média.

Assim deve ela ter aparecido, a Morte, ao carnavalesco moribundo — como uma velha amiga da folia e da pândega. E o carnavalesco arrojou-se aos seus braços com alegria, e foi valsando com ela, cabriolando com ela, cancaneando com ela, até com ela cair no grande abismo negro...

Cousas dos carnavalescos! Não lhes dizia eu que os verdadeiros carnavalescos são uma raça à parte, uma gente que não parece com as outras gentes e que nasce carnavalesca para viver carnavalesca e morrer carnavalesca?

(1901)

COMO EU ME DIVERTI!
Arthur Azevedo

Ah, como eram singelos e familiares os Carnavais de outrora! Época dos corsos, das batalhas de confete, do entrudo e dos blocos de sujos! E na Quarta-feira de Cinzas, bem, depois da "pândega" do "reinado do Momo", ou do "tríduo momesco", o folião (e ainda não "carnavalesco") podia suspirar de alívio, cansaço ou alegria, como o personagem deste conto-peça que se vai ler: "Como eu me diverti!" Nosso carioquíssimo maranhense que foi Arthur Azevedo (1855-1908), poeta, comediógrafo e talvez nosso maior contista anedótico, autor, entre outros títulos, de Contos fora de moda, *de onde escolhemos o conto em questão. Carnaval de mui antigamente? Não, não é saudosismo, trata-se de registrar uma época em que o estribilho, o mote, era diversão e não exibição: a ordem não era "desfilar", mas sim "brincar" ou "pular" o Carnaval. Uma diferença semântica, de verbo, que faz toda a diferença.*

Ao embalo de que ritmos teria se divertido o personagem deste conto? Podemos concluir, sem muito medo de errar, que "as danças de 1901 a 1905, durante o Carnaval, são a quadrilha, o pas de quatre, a valsa vertiginosa, a polca chorada, o cakewalk, o tanguinho brasileiro e o maxixe em salões mais abertos". (O carnaval carioca através da música, Edigar de Alencar, Livraria Freitas Bastos, 1965.) Já Roberto M. Moura lembra: "Abre-alas", de Chiquinha Gonzaga, de 1899, era bastante executada naqueles Carnavais, parodiada inclusive por outros cordões. Não esquecer, também, "Rato, rato", de Casemiro Rocha e Claudino Costa, sucesso de 1904: "Rato, rato, rato, por que motivo tu roeste meu baú?/ Rato, rato, rato, audacioso e malfazejo gabiru."

PERSONAGENS

JORGE, empregado no comércio.

O COMENDADOR ANDRADE, negociante, sócio principal da firma Andrade, Gomes & Companhia.

UM MÉDICO.

DONA MARIA, excelente senhora de meia-idade, estabelecida com casa de alugar cômodos a moços solteiros.

(A ação passa-se no Rio de Janeiro, em Quarta-feira de Cinzas. Atualidade.)

ATO ÚNICO

(A cena representa a sala e a alcova que Jorge ocupa em casa de dona Maria. Atirado sobre um velho canapé, um hábito de frade encardido de suor e sujo de lama. No chão, um par de luvas, igualmente sujas, e um nariz de papelão quase a desfazer-se, preso a uns grandes bigodes e a um par de óculos.)

CENA I

DONA MARIA E O MÉDICO

O MÉDICO — Que tem ele?
DONA MARIA — Não sei, doutor, não sei. O senhor Jorge tem muito bom coração, mas tem muito má cabeça: é doido pelo Carnaval.
O MÉDICO — Gabo-lhe o gosto.
DONA MARIA — Ontem vestiu-se de frade, pôs aquele nariz postiço, e andou, num carro todo enfeitado de flores, ao lado de uma sujeita que mora no hotel Ravot, acompanhando um préstito. Só o vestuário da pelintra lhe custou perto de oitocentos mil-réis!
O MÉDICO — Quem lhe disse?
DONA MARIA — Os meus hóspedes não têm segredos para mim.
O MÉDICO — Adiante.
DONA MARIA — Para se não constipar, o pobre moço levou consigo, por baixo do hábito, uma garrafa de conhaque, e, de vez em quando, atiçava-lhe que era um gosto! Quando o préstito passou pela primeira vez na rua do Ouvidor (eu estava lá...) já ia o frade que não se podia lamber! Depois, na rua da Constituição — isto sei eu por um

amigo dele, que tudo viu —, outro moço, também fantasiado, bifou-lhe a pelintra, e isso deu lugar...

O MÉDICO — ...a um rolo! Pudera!...

DONA MARIA — Racharam-lhe a cabeça!

O MÉDICO — Naturalmente.

DONA MARIA — E o demônio do rapaz andou toda a noite, de cabeça rachada, à procura da tal mulher, dos Fenianos para os Tenentes e dos Tenentes para os Democráticos, bebendo sempre, até cair na rua do Fogo, às três horas da madrugada!...

O MÉDICO — Com efeito!

DONA MARIA — A polícia levou-o para a estação da travessa do Rosário, e pela manhã uns amigos, que tinham sido avisados, trouxeram-no para casa.

O MÉDICO — Onde está ele?

DONA MARIA — Naquela alcova. Há cinco horas que ali está deitado, sem dar acordo de si. Por isso, mandei chamá-lo, doutor.

O MÉDICO — Fez bem. Vamos vê-lo.

(Entram na alcova)

CENA II

JORGE, O MÉDICO E DONA MARIA

(Na alcova, Jorge está de cama, com a cabeça amarrada, os olhos fechados, os braços caídos. O médico, ao ver o enfermo, tem um movimento que escapa a dona Maria.)

O MÉDICO *(tomando o pulso do doente)* — Não tem febre. *(Depois de examinar-lhe a cabeça.)* O ferimento nada vale... Já lhe puseram uns pontos falsos; é quanto basta... O seu hóspede tem apenas o que os estudantes chamam uma "ressaca"; precisa de descanso e mais nada. Quando voltar a si, se quiser tomar alguma coisa, dê-lhe uma canja, dois dedos de vinho do Porto, misturado com água de Vichy, um pouco de marmelada, e disse. Se amanhã continuar incomodado, que tome um laxante.

CENA III

O MÉDICO E DONA MARIA
(Na sala)

O MÉDICO *(tomando o chapéu)* — A senhora não imagina como estimei ter sido chamado para ver este senhor Jorge! Foi uma providência!

DONA MARIA — Por quê, doutor?

O MÉDICO — Conheço-o, mas não sabia que se tratava dele. É o namorado, o quase noivo de minha afilhada, filha do meu velho amigo Raposo. A menina gosta dele, e o pai já estava meio inclinado a consentir no casamento: tinham-lhe dado boas informações sobre este pândego. Agora, porém, vou prevenir o compadre e dissuadir minha afilhada, que é muito dócil e me ouve com acatamento.

DONA MARIA — Valha-me Deus! E sou eu a culpada de tudo isto!

O MÉDICO — Culpada por quê?

DONA MARIA — Por ter mandado chamar o padrinho! Pobre rapaz!...

O MÉDICO — A senhora deve estar, pelo contrário, satisfeita por ter indiretamente contribuído para este resultado. *(Voltando-se para a alcova.)* Que grande patife! Namorar uma menina pura como uma flor, e andar de carro, publicamente, embriago, em companhia de uma prostituta!

DONA MARIA — No Carnaval tudo se desculpa.

O MÉDICO — Nada! Eu sou o padrinho, o segundo pai daquele anjo! *(Vai saindo.)*

DONA MARIA *(tomando-o pelo braço)* — Doutor, doutor, não vá assim zangado com o senhor Jorge... não diga nada à família da menina... Ah!, se eu soubesse... Mas que quer?... Vejo que este hóspede tem segredos para mim... *(O doutor tenta safar-se.)* Ouça, doutor... ele tem um bom emprego... é muito estimado pelos patrões...

O MÉDICO — E a minha afilhada tem um dote de 150 contos!

DONA MARIA *(largando o braço do médico)* — Cento e cinquenta contos!

O MÉDICO *(saindo)* — Fora o que lhe dá de caber por morte do pai! *(Chegando à porta, para, volta-se e diz.)* Canja... vinho do Porto... água de Vichy... marmelada... e disse!

(Sai)

CENA IV

DONA MARIA, depois ANDRADE
(Dona Maria fica perplexa, de olhos baixos, na atitude de Fedra, quando diz:)

— *Juste ciel! Qu'ai je fait aujourd'hui?*

(É despertada bruscamente pelo comendador, que entra com grande espalhafato.)

O COMENDADOR *(gritando)* — Onde está o senhor Jorge?

DONA MARIA *(consigo)* — Um homem zangado! É ele, é o pai da menina!...

O COMENDADOR — Senhora, pergunto-lhe pelo senhor Jorge!

DONA MARIA — Está doente... naquela alcova... dorme...

O COMENDADOR — Já me contaram as façanhas que ele praticou esta noite! *(Apanhando o nariz postiço.)* Cá está uma prova! *(Atira-o longe.)*

DONA MARIA — Desculpe-lhe essa rapaziada e não lhe negue a mão da menina.

O COMENDADOR — A mão da menina! Que menina?

DONA MARIA — Sua filha.

O COMENDADOR — Minha filha? Qual delas? Pois este mariola ainda em cima se atreve a erguer os olhos para uma das filhas do seu patrão!

DONA MARIA — Do seu patrão? Ah!, então não é o senhor Raposo?

O COMENDADOR — Que Raposo, nem meio Raposo! Eu sou o comendador Andrade, sócio principal da firma Andrade, Gomes & Companhia. O senhor Jorge está dormindo, disse a senhora...

DONA MARIA — Sim, senhor.

O COMENDADOR — Pois bem; quando acordar, diga-lhe que eu aqui estive, e o ponho no olho da rua! Que apareça para fazermos contas.

DONA MARIA — Atenda, senhor comendador!

O COMENDADOR — A nada atendo! A casa Andrade, Gomes & Companhia não pode ter empregados que se embriagam e passam a noite no xadrez! Era o que faltava.

(Sai arrebatadamente)

CENA V

JORGE E DONA MARIA
(Na alcova)

JORGE *(abre um olho, depois o outro, olha em volta de si, certifica-se de que está em sua casa, dirige a dona Maria um sorriso de agradecimento, solta um longo suspiro e exclama, com voz rouca e sumida)* — Como eu me diverti!

(Cai o pano)

CLÓ
Lima Barreto

"Mais tarde será nos teus livros, e alguns de Machado de Assis, mas sobretudo nos teus, que os pósteros poderão sentir o Rio atual com todas as suas mazelas de salão pra cima e Sapucaia pra baixo. Paisagens e almas, muitas, está tudo aí." Os pósteros somos nós e a carta, de Monteiro Lobato a Lima Barreto (1881-1922), é de 1918, ano aproximadamente do "Rio atual". Está tudo aí, neste conto com nome de mulher: num dia comum, um carioca comum, algumas garrafas de cerveja num bar tranquilo de um bairro também tranquilo (pelo menos na época) e: "Lá fora, o falsete dos mascarados em trote, as longas cantilenas dos cordões, os risos e as músicas lascivas enchiam a rua de sons e ruídos desencontrados e, dela, vinha à sala uma satisfação de viver, um frêmito de vida e de luxúria..." Precisa dizer mais?

A Alexandre Valentim Magalhães

Devia ser já a terceira pessoa que lhe sentava à mesa. Não lhe era agradável aquela sociedade com desconhecidos; mas que fazer naquela segunda-feira de Carnaval, quando as confeitarias têm todas as mesas ocupadas e as cerimônias dos outros dias desfazem-se, dissolvem-se?

Se as duas primeiras pessoas eram desajeitados sujeitos sem atrativos, o terceiro conviva resgatava todo o desgosto causado pelos outros. Uma mulher formosa e bem-tratada é sempre bom ter-se à vista, embora sendo desconhecida ou talvez por isso mesmo...

Estava ali o velho Maximiliano esquecido, só moendo cismas, bebendo cerveja, obediente ao seu velho hábito. Se fosse um dia comum, estaria cercado de amigos; mas os homens populares, como ele, nunca o são nas festas populares. São populares a seu jeito, para os frequentadores das ruas célebres, cafés e confeitarias, nos dias comuns; mas nunca para a multidão que desce dos arrabaldes, dos subúrbios, das províncias vizinhas, abafa aqueles e como que os afugenta. Contudo não se sentia deslocado...

A quinta garrafa já se esvaziara e a sala continuava a encher-se e a esvaziar-se e a encher-se. Lá fora, o falsete dos mascarados em trote, as longas cantilenas dos cordões, os risos e as músicas lascivas enchiam a rua de sons e ruídos desencontrados e, dela, vinha à sala uma satisfação de viver, um frêmito de vida e de luxúria que convidava o velho professor a ficar durante mais tempo, bebendo, afastando o momento de entrar em casa.

E esse frêmito de vida e luxúria que faz estremecer a cidade nos três dias de sua festa clássica, naquele momento, diminuía-lhe muito as grandes mágoas de sempre e, sobretudo, aquela teimosa e pequenina de hoje. Ela o pusera assim macambúzio e isolado, embora mergulhado no turbilhão de riso, de alegria, de rumor, de embriaguez e luxúria dos outros, em segunda-feira gorda.

O *jacaré* não dera e muito menos a centena.

Esse capricho da sorte tirava-lhe a esperança de um conto e pouco — doce esperança que se esvaía amargosamente naquele crepúsculo de galhofa e prazer.

E que trabalho não tivera ele, dr. Maximiliano, para fazê-la brotar no seu peito, logo nas primeiras horas do dia! Que chusmas de interpretações, de palpites, de exames cabalísticos! Ele bem parecia um áugure romano que vem dizer ao cônsul se deve ou não oferecer batalha...

Logo que ela lhe assomou aos olhos, como não lhe pareceu certo aquele navegar precavido dentro do nevoento mar do Mistério, marcando rumo para aquele ponto — o *jacaré* — onde encontraria sossego, durante alguns dias!

E agora, passado o nevoeiro, onde estava?... Estava ainda em mar alto, já sem provisões quase, e com débeis energias para levar o barco a salvamento... Como havia de comprar bisnagas, confetes, serpentinas, alugar automóvel? E — o que era mais grave — como havia de pagar o vestido de que a filha andava precisada, para se mostrar, sábado próximo, na rua do Ouvidor, em toda a plenitude de sua beleza, feita (e ele não sabia como) da rija carnadura de Itália e de uma forte e exótica exalação sexual...

Como havia de dar-lhe o vestido?

Com aquele seu olhar calmo em que não havia mais nem espanto, nem reprovação, nem esperança, o velho professor olhou ainda a sala tão cheia, por aquelas horas, tão povoada e animada de mocidade, de talento e de beleza. Ele viu alguns poetas conhecidos, quis chamá-los, mas, pensando melhor, resolveu continuar só.

O velho dr. Maximiliano não se cansou de observar, um por um, aqueles homens e aquelas mulheres, homens e mulheres cheios de vícios e aleijões morais; e ficou um instante a pensar se a nossa vida total, geral, seria possível sem os vícios que a estimulavam, embora a degradem também.

Por esse tempo, então, notou ele a curiosidade e a inveja com que um grupo de modestas meninas dos arrabaldes examinava a *toilette* e os ademanes das mundanas presentes.

Na sua mesa, atraindo-lhes os olhares, lá estava aquela formosa e famosa Eponina, a mais linda mulher pública da cidade, produto combinado das imigrações italiana e espanhola, extraordinariamente estúpida, mas com um olhar de abismo, cheio de atrações, de promessas e de volúpia.

E o velho lente olhava tudo aquilo pausadamente, com a sua indulgência de infeliz, quando lhe veio o pensar na casa, naquele seu lar, onde o luxo era uma agrura, uma dor, amaciada pela música, pelo canto, pelo riso e pelo álcool.

Pensou, então, em sua filha, Clódia — a Cló, em família —, em cujo temperamento e feitio de espírito havia estofo de uma grande hetaira. Lembrou-se com casta admiração de sua carne veludosa e palpitante, do seu amor às danças lúbricas, do seu culto à *toilette* e ao perfume, do seu fraco senso moral, do seu gosto pelos licores fortes; e, de repente e por instantes, ele a viu coroada de hera, cobrindo mal a sua magnífica nudez, com uma pele mosqueada, o ramo de tirso erguido, dançando, religiosamente bêbeda, cheia de júria sagrada de bacante: "Evoé! Baco!"

E essa visão antiga lhe passou pelos olhos, quando Eponina ergueu-se da mesa, tilintando as pulseiras e berloques caros, chamando muito a atenção de madame Rego da Silva, que, em companhia do marido e da sua extremosa amiga Dulce, amante de ambos no dizer da cidade, tomavam sorvetes, numa mesa ao longe.

O dr. Maximiliano, ao ver aquelas joias e aquele vestido, voltou a lembrar-se de que o *jacaré* não dera; e refletiu, talvez com profundeza, mas certo com muita amargura, sobre a má organização da nossa sociedade. Mas não foi adiante e procurou decifrar o problema da sua multiplicação em Cló, tão maravilhosa e tão rara. Como é que ele tinha posto no mundo um exemplar de mulher assaz vicioso e delicado como era a filha? De que misteriosa célula sua saíra aquela floração exuberante de fêmea humana? Vinha dele ou da mulher? De ambos? Ou de sua mulher só, daquela sua carne apaixonada e sedenta que trepidava quando lhe recebia as lições de piano, na casa dos pais?

Não pôde, porém, resolver o caso. Aproximava-se o dr. André, com o seu rosto de ídolo peruano, duro, sem mobilidade alguma na fisionomia acobreada, onde o ouro do arco do *pince-nez* reluzia fortemente e iluminava a barba cerdosa.

Era um homem forte, de largos ombros, musculoso, tórax saliente, saltando; e, se bem tivesse as pernas arqueadas, era assim mesmo um belo exemplar da raça humana.

Lamentava-se que ele fosse um bacharel vulgar e um deputado obscuro. A sua falta de agilidade intelectual, de maleabilidade, de dutilidade, a sua fraca capacidade de abstração e débil poder de associar ideias não pediam fosse ele deputado e bacharel. Ele seria rei, estaria no seu quadro natural, não na Câmara, mas remando em ubás ou igaras nos nossos grandes rios ou distendendo aqueles fortes arcos de iri que despejam frechas ervadas com curare.

Era o seu último amigo, entretanto o mais constante comensal de sua mesa luculesca.

Deputado, como já ficou dito, e rico, representava, com muita galhardia e liberalidade uma feitoria mansa do Norte, as salas burguesas;

e, apesar de casado, a filha do antigo professor, a lasciva Cló, esperava casar-se com ele, pela religião do Sol, um novo culto recentemente fundado por um agrimensor ilustrado e sem emprego.

O velho Maximiliano nada de definitivo pensava sobre tais projetos; não os aprovava, nem os reprovava. Limitava-se a pequenas reprimendas sem convicção, para que o casamento não fosse efetuado sem a bênção do sacerdote do Sol ou de outro qualquer.

E se isto fazia, era para não precipitar as coisas; ele gostava dos desdobramentos naturais e encadeados, das passagens suaves, das inflexões doces, e detestava os saltos bruscos de um estado para outro.

— Então, doutor, ainda por aqui? — fez o rico parlamentar sentando-se.

— É verdade — respondeu-lhe o velho. — Estou fazendo o meu sacrifício, rezando a minha missa... É a quinta... Que toma, doutor?

— Um "madeira"... Que tal o Carnaval?

— Como sempre.

E, depois, voltando-se para o caixeiro:

— Outra cerveja e um "madeira", aqui, para o doutor. Olha: leva a garrafa.

O caixeiro afastou-se, levando a garrafa vazia, e o dr. André perguntou:

— D. Isabel não veio?

— Não. Minha mulher não gosta das segundas-feiras de Carnaval. Acha-as desenxabidas... Ficaram, ela e a Cló, em casa a se prepararem para o baile à fantasia na casa dos Silvas... Quer ir?

— O senhor vai?

— Não, meu caro senhor; do Carnaval, eu só gosto dessa barulhada da rua, dessa música selvagem e sincopada de reco-recos, de pandeiros, de bombos, desse estrídulo de fanhosos instrumentos de metais... Até do bombo gosto, mais nada! Essa barulhada faz-me bem à alma. Não irei... Agora, se o doutor quer ir. Cló vai de preta mina.

— Deve-lhe ficar muito bem... Não posso ir; entretanto, irei à sua casa para ver a sua senhora e a sua filha fantasiadas. O senhor devia também ir...

— Fantasiado?

— Que tinha?

— Ora, doutor! eu ando sempre com a máscara no rosto.

E sorriu leve com amargura; o deputado pareceu não compreender e observou:

— Mas a sua fisionomia não é tão decrépita assim... Maximiliano ia objetar qualquer coisa quando o caixeiro chegou com as bebidas, ao tempo em que madame Rego e Silva e o marido levantaram-se com a pequena Dulce, amante de ambos, no dizer da cidade em peso.

O parlamentar olhou-os bastante com o seu seguro ar de quem tudo pode. Ouviu que ao lado diziam, à passagem dos três: *ménage à trois*. A sua simplicidade provinciana não compreendeu a maldade e logo dirigiu-se ao velho professor:

— Jantam em casa?

— Jantamos; e o doutor não quer jantar conosco?

— Obrigado. Não me é possível ir hoje... Tenho um compromisso sério... Mas fique certo que, antes de saírem, lá irei tomar um uisquezinho... Se me permite?

— Oh! Doutor! O senhor é o nosso melhor amigo. Não imagina como todos lá falam do senhor. Isabel levanta-se a pensar no dr. André; Cló, essa, nem se fala! Até o caçula, quando o vê, não late; faz-lhe festas não é?

— Como isso me cumula de...

— Ainda há dias, Isabel me disse: Maximiliano, eu nunca bebi um *Chambertin* como esse que o dr. André nos mandou... O meu filho, o Fred, sabe até um dos seus discursos de cor; e, de tanto repeti-lo, creio que sei de memória vários trechos dele.

A face rígida do ídolo, com grande esforço, abriu-se um pouco; e ele disse, ao jeito de quem quer o contrário:

— Não vá agora recitá-lo.

— Certo que não. Seria inconveniente; mas não estou impedido de dizer, aqui, que o senhor tem muita imaginação, belas imagens e uma forma magnífica.

— Sou principiante ainda, por isso não me fica mal aceitar o elogio e agradecer a animação.

Fez uma pausa, tomou um pouco de vinho e continuou em tom conveniente:

— O senhor sabe perfeitamente que espécie de força me prende aos seus... Um sentimento acima de mim, uma solicitação, alguma coisa a mais que os senhores puseram na minha vida...

— Pois então — interrompeu cheio de comoção o dr. Maximiliano. — À nossa!

Ergueu o copo e ambos tocaram os seus, reatando o parlamentar a conversa desta maneira:

— Deu aula hoje?

— Não. Desci para espairecer e *cavar*. É dura esta vida... *Cavar!* Como é triste dizer-se isto! Mas que se há de fazer? Ganha-se uma miséria... um professor com oitocentos mil-réis o que é? Tem-se a família, representação... Uma miséria! Ainda agora, com tantas dificuldades, é que Cló deu em tomar banhos de leite...

— Que ideia! Onde aprendeu isso?

— Sei lá! Ela diz que tem não sei que propriedades, certas virtudes... O diabo é que tenho de pagar uma conta estupenda no leiteiro. São banhos de ouro, é que são! Jogo no bicho... Hoje tinha tanta fé no *jacaré*...

O caixeiro passava e ele recomendou:

— Baldomero, outra cerveja. O doutor não toma mais um "madeira"?

— Vá lá. Ganhou, doutor?

— Qual! E não imagina que falta me fez!

— Se quer?...

— Por quem é, meu caro; deixe-se disso! Então há de ser assim todo o dia?

— Que tem!... Ora... Nada de cerimônias; é como se recebesse de um filho...

— Nada disso. Nada disso...

Fingindo que não entendia a recusa, o dr. André foi retirando da carteira uma bela nota, cujo valor nas algibeiras do dr. Maximiliano fez-lhe esquecer em muito a sua desdita no *jacaré*.

O deputado ainda esteve um pouco; em breve, porém, se despediu, reiterando a promessa de que iria até à casa do professor, para ver as duas senhoras fantasiadas.

O dr. Maximiliano bebeu ainda uma garrafa e, acabada que foi a cerveja, saiu vagarosamente um tanto trôpego.

A noite já tinha caído de há muito. Era já noite fechada. Os cordões e os bandos carnavalescos continuavam a passar, rufando, batendo, gritando desesperadamente. Homens e mulheres de todas as cores — os alicerces do país — vestidos de meia, canitares e enduapes de penas multicores, fingindo índios, dançavam na frente, ao som de uma zabumbada africana, tangida com fúria em instrumentos selvagens, roufenhos uns, estridentes outros. As danças tinham luxuriosos requebros de quadris, uns caprichosos trocar de pernas, umas quedas imprevistas.

Aqueles fantasiados tinham guardado na memória muscular velhos gestos dos avoengos, mas não mais sabiam coordená-los, nem a explicação deles. Eram restos de danças guerreiras ou religiosas dos selvagens, de onde a maioria deles provinha, que o tempo e outras influências tinham transformado em palhaçadas carnavalescas...

Certamente, durante os séculos da escravidão, nas cidades, os seus antepassados só se podiam lembrar daquelas cerimônias de suas aringas ou tabas, pelo Carnaval. A tradição passou aos filhos, aos netos, e estes estavam ali a observá-la com as inevitáveis deturpações.

Ele, o dr. Maximiliano, apaixonado amador de música, antigo professor de piano, para poder viver e formar-se, deteve-se um pouco, para ouvir aquelas bizarras e bárbaras cantorias, pensando na pobreza de invenção melódica daquela gente. A frase, mal desenhada, era curta, logo cortada, interrompida, sacudida pelos rufos, pelo ranger, pelos guinchos de instrumentos selvagens e ingênuos. Um instante, ele pensou em continuar uma daquelas cantigas, em completá-la; e a ária veio-lhe inteira, ao ouvido, provocando o antigo professor de música a fazer parar o "Chuveiro de Ouro" a fim de ensinar-lhes, aos cantores, o que a imaginação lhe havia trazido à cabeça naquele momento.

 Arrependeu-se que tivesse dito gostar daquela barulhada; porém, o amador de música vencia o homem desgostoso. Ele queria que aquela gente entoasse um hino, uma cantiga, um canto com qualquer nome, mas que tivesse regra e beleza. Mas — logo imaginou — para quê? Corresponderia a música mais ou menos artística aos pensamentos íntimos deles? Seria mesmo a expansão dos seus sonhos, fantasias e dores?

 E, devagar, se foi indo pela rua em fora, cobrindo de simpatia toda a puerilidade aparente daqueles esgares e berros, que bem sentia profundos e próprios daquelas criaturas grosseiras e de raças tão várias, mas que encontravam naquele vozerio bárbaro e ensurdecedor meio de fazer porejar os seus sofrimentos de raça e de indivíduo e exprimir também as suas ânsias de felicidade.

 Encaminhou-se direto para a casa. Estava fechada; mas havia luzes na sala principal, onde tocavam e dançavam.

 Atravessou o pequeno jardim, ouvindo o piano. Era sua mulher quem tocava; ele o adivinhava pelo seu *velouté*, pela maneira de ferir as notas, muito docemente, sem deixar quase perceber a impulsão que os dedos levavam. Como ela tocava aquele tango! Que paixão punha naquela música inferior!

 Lembrou-se então dos *cordões*, dos *ranchos*, das suas cantilenas ingênuas e bárbaras, daquele ritmo especial a elas que também perturbava sua mulher e abrasava sua filha. Por que caminho lhes tinha chegado ao sangue e à carne aquele gosto, aquele pendor por tais músicas? Como havia correlação entre elas e as almas daquelas duas mulheres?

 Não sabia ao certo; mas viu em toda a sociedade complicados movimentos de trocas e influências — trocas de ideias e sentimentos, de influências e paixões, de gostos e inclinações.

 Quando entrou, o piano cessava e a filha descansava, no sofá, a fadiga da dança lúbrica que estivera ensaiando com o irmão. O velho ainda ouviu indulgentemente o filho dizer:

 — É assim que se dança nos Democráticos.

Cló, logo que o viu, correu a abraçá-lo e, abraçada ao pai, perguntou:

— André não vem?

— Virá.

Mas, logo, em tom severo, acrescentou:

— Que tem você com André?

— Nada, papai; mas ele é tão bom...

Quis Maximiliano ser severo; quis apossar-se da sua respeitável autoridade de pai de família; quis exercer o velho sacerdócio de sacrificador aos deuses Penates; mas era cético demais, duvidava, não acreditava mais nem no seu sacerdócio nem no fundamento de sua autoridade. Ralhou, entretanto, frouxamente:

— Você precisa ter mais compostura, Cló. Veja que o dr. André é casado e isto não fica bem.

A isto, todos entraram em explicações. O respeitável professor foi vencido e convencido de que a afeição da filha pelo deputado era a coisa mais inocente e natural deste mundo. Foram jantar. A refeição foi tomada rapidamente. Fred, contudo, pôde dar algumas informações sobre os préstitos carnavalescos do dia seguinte. Os Fenianos perderiam na certa. Os Democráticos tinham gasto mais de sessenta contos e iriam pôr na rua uma coisa nunca vista. O carro do estandarte, que era um templo japonês, havia de fazer um *bruto sucesso*. Demais, as mulheres eram as mais lindas, as mais bonitas... Estariam a Alice, a Charlotte, a Lolita, a Carmem...

— Ainda toma muito cloral? — perguntou Cló.

— Ainda — retrucou o irmão. E emendou: — Vai ser uma lindeza, um triunfo, à noite, com luz elétrica, nas ruas largas...

E Cló, por instantes, mordeu os lábios, suspendeu um pouco o corpo e viu-se também, no alto de um daqueles carros, iluminada pelos fogos de bengala, recebida com palmas, pelos meninos, pelos rapazes, pelas moças, pelas burguesas e burgueses da cidade. Era o seu triunfo, a meta de sua vida; era a proliferação imponderável de sua beleza em sonhos, em anseios, em ideias, em violentos desejos naquelas almas pequenas sujeitas ao império da convenção, da regra e da moral. Tomou a cerveja, todo o copo de um hausto, limpou a espuma dos lábios e o seu ligeiro buço surgiu lindo sobre os breves lábios vermelhos. Em seguida, perguntou ao irmão:

— E essas mulheres ganham?

— Qual! Você não vê que é uma honra — respondeu-lhe o irmão. E o jantar acabou sério e familiar, embora a cerveja e o vinho não tivessem faltado aos devotos de cada uma das duas bebidas.

Logo que a refeição acabou, talvez uns vinte minutos após, o dr. André se fazia anunciar. Desculpou-se com as senhoras; não pudera vir jantar, questões políticas, uma conferência... Pedia licença para oferecer aquelas pequenas lembranças de Carnaval. Deu uma pequena caixa a d. Isabel e uma maior a Cló. As joias saíram dos escrínios e faiscaram orgulhosamente para todos os presentes, deslumbrados. Para a mãe, um anel; para a filha, um bracelete.

— Oh, doutor! — fez d. Isabel. — O senhor está a sacrificar-se e nós não podemos consentir nisto...

— Qual, d. Isabel! São falsas, nada valem... Sabia que d. Clódia ia de "preta-mina" e lembrei-me de trazer-lhe esse enfeite...

Cló agradeceu sorridente a lembrança e a suave boca quis fixar demoradamente o longo sorriso de alegria e agradecimento. E voltaram a tocar. D. Isabel pôs-se ao piano e, como tocasse depois da sobremesa, hora da melancolia e das discussões transcendentes, como já foi observado, executou alguma coisa triste.

Chegava a ocasião de se prepararem para o baile à fantasia que os Silvas davam. As senhoras retiraram-se e só ficaram, na sala, os homens bebendo uísque. André, impaciente e desatento; o velho lente, indiferente e compassivo, contando histórias brejeiras, com vagar e cuidado; o filho, sempre a procurar caminho para exibir o seu saber em coisas carnavalescas. A conversa ia caindo, quando o velho disse para o deputado:

— Já ouviu a "Bamboula", de Gottschalk, doutor?

— Não... Não conheço...

— Vou tocá-la.

Sentou-se ao piano, abriu o álbum onde estava a peça e começou a executar aqueles compassos de uma música negra de Nova Orleans, que o famoso pianista tinha filtrado e civilizado.

A filha entrou, linda, fresca, veludosa, de pano da costa ao ombro, trunfa, com o colo inteiramente nu, muito cheio e marmóreo, separado do pescoço modelado, por um colar de falsas turquesas. Os braceletes e as miçangas tilintavam no peito e nos braços, a bem dizer totalmente despidos; e os bicos de crivo da camisa de linho rendavam as raízes dos seios duros que mal suportavam a alvíssima prisão onde estavam retidos.

Ainda pôde requebrar, aos últimos compassos da "Bamboula", sobre as chinelas que ocupavam a metade dos pés; e toda risonha sentou-se por fim, esperando que aquele Salomão de *pince-nez* de ouro lhe dissesse ao ouvido:

— Os teus lábios são como uma fita de escarlate; e o teu falar é doce. Assim como é o vermelho da romã partida, assim é o nácar das tuas faces; sem falar no que está escondido dentro.

O dr. Maximiliano deixou o tamborete do piano e o deputado, bem perto de Clódia, se não falava como o rei Salomão à rainha de Sabá, dilatava as narinas para sorver toda a exalação acre daquela moça, que mais capitosa se fazia dentro daquele vestuário de escrava desprezada.

A sala encheu-se de outros convidados e a sessão de música veio a cair na canção e na modinha. Fred cantou e Cló, instada pelo dr. André, cantou também. O automóvel não tinha chegado; ela tinha tempo...

D. Isabel acompanhou; e a moça, pondo tudo o que havia de sedução na sua voz, nos seus olhos pequenos e castanhos, cantou a "Canção da Preta Mina":

Pimenta de cheiro, jiló, quimbombô;
Eu vendo barato, mi compra ioiô!

Ao acabar, era com prazer especial, cheia de dengues nos olhos e na voz, com um longo gozo íntimo que ela, sacudindo as ancas e pondo as mãos dobradas pelas costas na cintura, curvava-se para o dr. André e dizia vagamente:

Mi compra ioiô!

E repetia com mais volúpia, ainda uma vez:

Mi compra ioiô!

O BEBÊ DE TARLATANA ROSA
João do Rio

Sombra e luz: entre o ar soturno da ação dramática e a luz do Carnaval como pano de fundo decorre este que é um dos mais fortes contos de João do Rio. A obra do nosso cronista/contista do Rio vem sendo reavaliada, lida e relida, nos últimos trinta anos. Mas já em 1924, um modernista arguto como António de Alcântara Machado escrevia num jornal de São Paulo: "João do Rio foi um dos espíritos mais singularmente encantadores da literatura brasileira. À sua fantasia rica e moça, que um estilo nervoso e atraente como poucos serve à maravilha, as letras nacionais devem algumas de suas produções mais originais e mais belas." Trilha musical da época: em 1910, um trecho da opereta A viúva alegre, *de Franz Lehár, foi a melodia mais cantada no Carnaval do Rio de Janeiro. E o bloco Os Filhos da Primavera parodiou a opereta, em um dos seus trechos mais conhecidos: "primavera/ quando sai a passear/ é um anúncio que sai no jornal/ é um vaso cercado de flores/ um cartão-postal de amores/ as estrelas do céu a correr/ numa noite de belo luar/ primavera quando quer/ quer mesmo/ não há força de amor/ que a possa privar." Franz Lehár entra com a luz de fundo e a sombra... bem, uma sombra paira sobre nós: afinal, quem disse que Carnaval é alegria?*

— Oh!, uma história de máscaras! Quem não a tem na vida? O Carnaval só é interessante porque nos dá essa sensação de angustioso imprevisto... Francamente. Toda a gente tem a sua história de Carnaval, deliciosa ou macabra, álgida ou cheia de luxúrias atrozes. Um Carnaval sem aventuras não é Carnaval. Eu mesmo este ano tive uma aventura...

E Heitor de Alencar esticava-se preguiçosamente no divã, gozando a nossa curiosidade.

Havia no gabinete do barão de Belfort, Anatólio de Azambuja, de quem as mulheres tinham tanta implicância; Maria da Flor, a extravagante boêmia, e todos ardiam por saber a aventura de Heitor. O silêncio tombou expectante. Heitor, fumando um Gianaclis autêntico, parecia absorto.

— É uma aventura alegre? — indagou Maria.
— Conforme os temperamentos.
— Suja?
— Pavorosa ao menos.
— De dia?
— Não. Pela madrugada.
— Mas, homem de Deus, conta! — suplicava Anatólio.
— Olha que está adoecendo a Maria.
Heitor puxou um largo trago à cigarreta.

— Não há quem não saia no Carnaval disposto ao excesso, disposto aos transportes da carne e às maiores extravagâncias. O desejo, quase doentio, é como incutido, infiltrado pelo ambiente. Tudo respira luxúria, tudo tem da ânsia e do espasmo, e nesses quatro dias paranoicos, de pulos, de guinchos, de confianças ilimitadas, tudo é possível. Não há quem se contente com uma...

— Nem com um — atalhou Anatólio.

— Os sorrisos são ofertas, os olhos suplicam, as gargalhadas passam como arrepios de urtiga pelo ar. É possível que muita gente consiga ser indiferente. Eu sinto tudo isso. E saindo, à noite, para a porneia da cidade, saio como na Fenícia saíam os navegadores para a procissão da primavera, ou os alexandrinos para as noites de Afrodite.

— Muito bonito! — ciciou Maria da Flor.

— Está claro que este ano organizei uma partida com quatro ou cinco atrizes e quatro ou cinco companheiros. Não me sentia com coragem de ficar só como um trapo no vagalhão de volúpia e de prazer da cidade. O grupo era o meu salva-vidas. No primeiro dia, no sábado, andamos de automóvel a percorrer os bailes. Íamos indistintamente beber champanhe nos clubes de jogo que anunciavam bailes e nos maxixes mais ordinários. Era divertidíssimo e ao quinto clube estávamos de todo excitados. Foi quando lembrei uma visita ao baile público do Recreio. "Nossa Senhora!", disse a primeira estrela de revistas, que ia conosco. "Mas é horrível! Gente ordinária, marinheiros à paisana, fúfias dos pedaços mais esconsos da rua de São Jorge, um cheiro atroz, rolos constantes..." "Que tem isso? Não vamos juntos?"

"Com efeito. Íamos juntos, e fantasiadas as mulheres. Não havia o que temer e a gente conseguia realizar o maior desejo: acanalhar-se, enlamear-se bem. Naturalmente fomos e era uma desolação com pretas beiçudas e desdentadas esparrinhando belbutinas fedorentas pelo estrado da banda militar, todo o pessoal de azeiteiros das ruelas lôbregas e essas estranhas figuras de larva diabólica, de íncubos em frascos d'álcool, que têm as perdidas de certas ruas, moças, mas com os traços como amassados e todas pálidas, pálidas feitas de pasta de mata-borrão e de papel de arroz. Não havia nada de novo. Apenas, como o grupo parara diante dos dançarinos, eu senti que se roçava em mim, gordinho e apetecível, um bebê de tarlatana rosa. Olhei-lhe as pernas de meia curta. Bonitas. Verifiquei os braços, o caído das espáduas, a curva do seio. Bem agradável. Quanto ao rosto era um rostinho atrevido, com dois olhos perversos e uma boca polpuda como se ofertando. Só postiço trazia o nariz, um nariz tão bem-feito, tão acertado, que foi preciso observar para verificá-lo falso. Não tive dúvida. Passei a mão e preguei-lhe um beliscão. O bebê caiu mais e disse num suspiro: 'Ai que dói!' Estão vocês a ver que eu fiquei imediatamente disposto a fugir do grupo. Mas comigo iam cinco ou seis damas elegantes, capazes de se debochar mas de não perdoar os excessos alheios, e era sem linha correr assim, abandonando-as, atrás de uma frequentadora dos bailes do Recreio. Voltamos para os automóveis e fomos cear no clube mais chique e mais secante da cidade."

— E o bebê?

— O bebê ficou. Mas no domingo, em plena avenida, indo eu ao lado do *chauffeur*, no burburinho colossal, senti um beliscão na perna e uma voz rouca dizer: "Para pagar o de ontem." Olhei. Era o bebê rosa, sorrindo, com o nariz postiço, aquele nariz tão perfeito. Ainda tive tempo de indagar: "Aonde vais hoje?". "A toda parte!", respondeu, perdendo-se num grupo tumultuoso.

— Estava perseguindo-te! — comentou Maria da Flor.

— Talvez fosse um homem... — soprou desconfiado o amável Anatólio.

— Não interrompam o Heitor! — fez o barão, estendendo a mão.

Heitor acendeu o outro Gianaclis, ponta de ouro, sorriu, continuou:

— Não o vi mais nessa noite, e segunda-feira não o vi também. Na terça desliguei-me do grupo e caí no mar alto da depravação, só, com uma roupa leve por cima da pele e todos os maus instintos fustigados. De resto, a cidade inteira estava assim. É o momento em que, por trás das máscaras, as meninas confessam paixões aos rapazes, é o instante em que as ligações mais secretas transparecem, em que a virgindade é dúbia e todos nós a achamos inútil, a honra uma caceteação, o bom senso uma fadiga. Nesse momento tudo é possível, os maiores absurdos, os maiores crimes; nesse momento há um riso que galvaniza os sentidos e o beijo se desata naturalmente.

"Eu estava trepidante, com uma ânsia de acanalhar-me quase mórbida. Nada de raparigas do galarim perfumadas e por demais conhecidas, nada do contato familiar, mas o deboche anônimo, o deboche ritual de chegar, pegar, acabar, continuar. Era ignóbil. Felizmente muita gente sofre do mesmo mal no Carnaval."

— A quem o dizes — suspirou Maria da Flor.

— Mas eu estava sem sorte, com a *guigne*, com o caiporismo dos defuntos índios. Era aproximar-me, era ver fugir a presa projetada. Depois de uma dessas caçadas pelas avenidas e pelas praças, embarafustei pelo São Pedro, meti-me nas danças, rocei-me àquela gente em geral pouco limpa, insisti aqui, ali. Nada!

— É quando se fica mais nervoso!

— Exatamente. Fiquei nervoso até o fim do baile, vi sair toda a gente, e saí mais desesperado. Eram três horas da manhã. O movimento das ruas abrandara. Os outros bailes já tinham acabado. As praças, horas antes incendiadas pelos projetores elétricos e as cambiantes enfumadas dos fogos de bengala, caíam em sombras — sombras cúmplices da madrugada urbana. E só, indicando a folia, a excitação da cidade, um ou outro carro arriado levando máscaras aos beijos ou alguma fantasia tilintando guizos pelas calçadas fofas de confete. Oh! a impressão enervante dessas figuras irreais na semissombra das horas mortas, roçando as calçadas, tilintando aqui, ali, um som perdido de guizo! Parece qualquer coisa de impalpável, de vago, de enorme, emergindo da treva aos pedaços... E os dominós embuçados, as dançarinas amarfanhadas, a coleção indecisa das máscaras de último instante arrastando-se extenuados! Dei para andar pelo largo do Rocio e ia caminhando para os lados da Secretaria do Interior, quando vi, parado, o bebê de tarlatana rosa.

"Era ele. Senti palpitar-me o coração. Parei. 'Os bons amigos sempre se encontram', disse. O bebê sorriu sem dizer palavra. 'Estás esperando alguém?' Fez um gesto com a cabeça que não. Enlacei-o. 'Vens comigo?' 'Onde?', indagou a sua voz áspera e rouca. 'Onde quiseres!' Peguei-lhe nas mãos. Estavam úmidas mas eram bem-tratadas. Procurei dar-lhe um beijo. Ela recuou. Os meus lábios tocaram apenas a ponta fria do seu nariz. Fiquei louco."

— Por pouco...

— Não era preciso mais no Carnaval, tanto mais quanto ela dizia com a sua voz arfante e lúbrica: "Aqui não!" Passei-lhe o braço pela cintura e fomos andando sem dar palavra. Ela apoiava-se em mim, mas era quem dirigia o passeio, e os seus olhos molhados pareciam fruir todo o bestial desejo que os meus luziam. Nessas fases do amor não se conversa. Não trocamos uma frase. Eu sentia a ritmia desordenada do meu coração e o sangue em desespero. Que mulher! Que vibração! Tínhamos voltado ao jardim. Diante da estrada que fica fronteira à rua Leopoldina, ela parou, hesitou. Depois arrastou-me, atravessou a praça, metemo-nos pela rua, escura e sem luz. Ao fundo, o edifício das Belas-Artes era desolador e lúgubre. Apertei-a mais. Ela aconchegou-se mais. Como os seus olhos brilhavam! Atravessamos a rua Luís de Camões, ficamos bem embaixo das sombras espessas do Conservatório de Música. Era enorme o silêncio e o ambiente tinha uma cor vagamente ruça com a treva espancada um pouco pela luz dos combustores distantes. O meu bebê gordinho e rosa parecia um esquecimento do vício naquela austeridade da noite. "Então, vamos?", indaguei. "Para onde?" "Para a tua casa." "Ah!, não, em casa não podes." "Então por aí." "Entrar, sair, despir-me. Não sou disso!" "Que queres tu, filha? É impossível ficar aqui na rua. Daqui a minutos passa a guarda." "Que tem?" "Não é possível que nos julguem aqui para bom fim, na madrugada de cinzas. Depois, às quatro tens de tirar a máscara." "Que máscara?" "O nariz."

"Ah!, sim!" E sem mais dizer puxou-me. Abracei-a. Beijei-lhe os braços, beijei-lhe o colo, beijei-lhe o pescoço. Gulosamente a sua boca se oferecia. Em torno de nós o mundo era qualquer coisa de opaco e de indeciso. Sorvi-lhe o lábio.

"Mas o meu nariz sentiu o contato do nariz postiço dela, um nariz com cheiro a resina, um nariz que fazia mal. 'Tira o nariz!' Ela segredou: 'Não! Não! Custa tanto a colocar!' Procurei não tocar no nariz, tão frio naquela carne de chama.

"O pedaço de papelão, porém, avultava, parecia crescer, e eu sentia um mal-estar curioso, um estado de inibição esquisito. 'Que diabo! Não vás agora para casa com isso! Depois não te disfarça nada.' 'Disfarça sim!' 'Não!' Procurei-lhe nos cabelos o cordão. Não tinha. Mas abraçando-me, beijando-me, o bebê de tarlatana rosa parecia uma possessa tendo pressa. De novo os seus lábios aproximaram-se da minha boca. Entreguei-me. O nariz roçava o meu, o nariz que não era dela, o nariz de fantasia. Então, sem poder resistir, fui aproximando a mão, aproximando, enquanto com a esquerda a enlaçava mais, e de chofre agarrei o papelão, arranquei-o. Presa dos meus lábios, com dois olhos que a cólera e o pavor pareciam fundir, eu tinha uma cabeça estranha, uma cabeça sem nariz, com dois buracos sangrentos atulhados de algodão, uma caveira que era alucinadamente — uma caveira com carne.

"Despeguei-a. Recuei num imenso vômito de mim mesmo. Todo eu tremia de horror, de nojo. O bebê de tarlatana rosa emborcara no chão com a caveira voltada para mim, num choro que lhe arregaçava o beiço mostrando singularmente, abaixo do buraco do nariz, os dentes alvos. 'Perdoa! Perdoa! Não me batas. A culpa não é minha! Só no Carnaval é que eu posso gozar. Então, aproveito, ouviste? Aproveito. Foste tu que quiseste...'

"Sacudi-a com fúria, pu-la de pé num safanão que a devia ter desarticulado. Uma vontade de cuspir, de lançar, apertava-me a glote, e vinha-me o imperioso desejo de esmurrar aquele nariz, de matar aquele atroz reverso da luxúria... Mas um apito trilou. O guarda estava na esquina e olhava-nos, reparando naquela cena da semitreva. Que fazer? Levar a caveira ao posto policial? Dizer a todo mundo que a beijara? Não resisti. Afastei-me, apressei o passo e ao chegar ao largo inconscientemente deitei a correr como um louco para casa, os queixos batendo, ardendo em febre.

"Quando parei à porta de casa para tirar a chave é que reparei que a minha mão direita apertava uma pasta oleosa e sangrenta. Era o nariz do bebê de tarlatana rosa."

Heitor de Alencar parou, com o cigarro entre os dedos, apagado. Maria da Flor mostrava uma contração de horror na face e o doce Anatólio parecia mal. O próprio narrador tinha a camarinhar-lhe a fronte gotas de suor. Houve um silêncio agoniento. Afinal o barão Belfort ergueu-se, tocou a campainha para que o criado trouxesse refrigerantes e resumiu:

— Uma aventura, meus amigos, uma bela aventura. Quem não tem do Carnaval a sua aventura? Esta é pelo menos empolgante.

E foi sentar-se ao piano.

O MÁRTIR JESUS (SENHOR CRISPINIANO B. DE JESUS)
António de Alcântara Machado

Carnaval em dose caseira e provinciana e que se resumia a um baile de máscaras, com o chefe de família senhor Crispiniano B. de Jesus, "de acordo com a tática adotada nos anos anteriores", vinte dias antes "chorando" a "carestia" da festa, naqueles anos 1920, 1930 ("As cousas estão pretas. Não há dinheiro. Continuando assim, não sei aonde vamos parar!") — bem, melhor ler o conto. E dizer que António de Alcântara Machado (1901-1935) é um dos três mosqueteiros do Modernismo de 22, junto com Oswald e Mário de Andrade. Infelizmente morreu cedo. Mesmo sendo de uma tradicional família paulista, criou seus personagens e seu mundo ficcional com personagens populares, gente de Brás, Bexiga e Barra Funda, ao mesmo tempo título do seu principal livro e nome de bairros de São Paulo. Em tempo: o senhor Jesus morava num destes bairros. E acabou levando a família para o baile à fantasia.

De acordo com a tática adotada nos anos anteriores, Crispiniano B. de Jesus, vinte dias antes do Carnaval, chorou miséria na mesa do almoço perante a família reunida:

— As cousas estão pretas. Não há dinheiro. Continuando assim, não sei aonde vamos parar!

Fifi, que procurava na *Revista da Semana* um modelo de fantasia bem "bataclã", exclamou mastigando o palito:

— Ora, papai! Deixe disso...

A preta de cabelos cortados trouxe o café, rebolando. Dona sinhara coçou-se toda e encheu as xícaras.

— Pra mim bastante açúcar!

Crispiniano espetou o olhar no Aristides. Espetou e disse:

— Pois aí está! Ninguém economiza nesta casa. E eu que aguente o balanço sozinho!

A família, em silêncio, sorveu as xícaras com ruído. Crispiniano espantou a mosca do açucareiro, afastou a cadeira, acendeu um Kiss--Me-De-Luxo, procurou os chinelos com os pés. Só achou um.

— Quem é que levou meu chinelo daqui?

A família, ao mesmo tempo, espiou debaixo da mesa. Nada. Crispiniano queixou-se duramente da sorte e da vida e levantou-se.

— Não pise assim no chão, homem de Deus!

Pulando sobre um pé só, foi até à salinha do piano. Jogou-se na cadeira de balanço. Começou a acariciar o pé descalço. A família sentou-se em torno com a cara da desolação.

— Pois é isso mesmo. Há espíritos nesta casa. E as coisas estão pretas. Eu nunca vi gente resistente como aquela da Secretaria! Há três anos que não morre um primeiro escriturário!

Maria José murmurou:

— É o cúmulo!

Com o rosto escondido pelo jornal, Aristides começou pausadamente:

— Falecimentos. Faleceu esta madrugada, repentinamente, em sua residência, à rua Capitão Salomão, nº 135, o senhor Josias de Bastos Guerra, estimado primeiro escriturário da...

Crispiniano ficou pálido.

— Que negócio é esse? Eu não li isso, não!

Fifi já estava atrás do Aristides com os olhos no jornal.

— Ora bolas! É brincadeira do Aristides, papai.

Aristides principiou uma risada irritante.

— Imbecil!

— Não sei por quê...

— Imbecil e estúpido!

Da copa vieram gritos e latidos desesperados. Dona sinhara (que ia também descompor o Aristides) foi ver o que era. E chegaram da copa então uivos e gemidos sentidos.

— O que é, sinhara?

— Não é nada. O Totônio brigando com seu Mé por causa do chinelo.

— Traga aqui o menino e ponha o cachorro no quintal!

O puxão nas orelhas do Totônio e a reconquista do chinelo fizeram bem a Crispiniano. Espreguiçou-se todo. Assobiou, mas muito desafinado. Disse para a Fifi:

— Toque aquela valsa do Nazaré de que eu gosto.
— Que valsa?
— A que acaba baixinho.
Carlinhos fez o desaforo de sair tapando os ouvidos.

As meninas iam fazer o corso no automóvel das odaliscas. Ideia do Mário Zanetti, pequeno da Fifi e primogênito louro do seu Nicola da farmácia, onde Crispiniano já tinha duas contas atrasadas (varizes da sinhara e estômago do Aristides).
Dona sinhara veio logo com uma das suas:
— No Brás eu não admito que vocês vão.
— Que é que tem de mais? No Carnaval tudo é permitido...
— Ah!, é? Eta, falta de vergonha, minha Nossa Senhora!
Maria José (segunda secretária da Congregação das Virgens de Maria da Paróquia) arriscou uma piada pronominal:
— Minha ou nossa?
— Não seja cretina!
Jogou a fantasia no chão e foi para outra sala soluçando. Totônio gozou esmurrando o teclado.
O contínuo disse:
— Macaco pelo primeiro.
Abaixou a cabeça vencido. Sim, senhor. Sim, senhor. O papel para informar ficou para informar. Pediu licença ao diretor. E saiu com uma ruga funda na testa. As botinas rangiam. Ele parava, dobrava o peito delas erguendo-se na ponta dos pés, continuava. Chiavam. Não há coisa que incomode mais. Meteu os pés de propósito na poça barrenta. Duas fantasias de odalisca. Duas caixas de bisnaga. Contribuição para o corso. Botinas de cinquenta mil-réis. Para rangerem assim. Mais isto e mais aquilo e o resto. O resto é que é o pior. Facada doída do Aristides. Outra mais razoável do Carlinhos. Serpentina e fantasia para as crianças. Também tinham direito. Nem carro de boi chia tanto. Puxa! E outras coisas. E outras coisas que iriam aparecendo.
Entrou no Monte de Socorro Federal.

* * *

Auxiliado pela Elvira, o Totônio tanta má-criação fez, abrindo a boca, pulando, batendo o pé, que convenceu dona sinhara.

— Crispiniano, não há outro remédio mesmo: vamos dar uma volta com as crianças.

— Nem que me paguem!

O Totônio fantasiado de caçador de esmeraldas (sugestão nacionalista do doutor Andrade que se formara em Coimbra) e a Elvira de rosa-chá ameaçaram pôr a casa abaixo. Desataram num choro sentido quebrando a resistência comodista (pijama de linho gostoso) de Crispiniano.

— Está bem. Não é preciso chorar mais. Vamos embora. Mas só até o largo do Paraíso.

Na rua Vergueiro, Elvira, de ventarola japonesa na mão, quis ir para os braços do pai.

— Faça a vontade da menina, Crispiniano.

Domingo carnavalesco. Serpentinas nos fios da Light. Negras de confete na carapinha bisnagando carpinteiros portugueses no olho. O único alegre era o gordo vestido de mulher. Pernas dependuradas na capota dos automóveis de escapamento aberto. Italianinhas de braço dado com a irmã casada atrás. O sorriso agradecido das meninas feias bisnagadas. Fileira de bondes vazios. Isso é que é alegria? Carnaval paulista.

Crispiniano amaldiçoava tudo. Uma esguichada de lança-perfume bem dentro do ouvido direito deixou o Totônio desesperado.

— Vamos voltar, sinhara?

— Não. Deixe as crianças se divertirem mais um bocadinho só.

Elvira quis ir para o chão. Foi. Grupos parados diziam besteiras. Crispiniano, com o tranco do toureiro, quase caiu de quatro. E a bisnaga do Totônio estourou no seu bolso. Crispiniano ficou fulo. Dona sinhara praguejou revoltada. Totônio abriu a boca. Elvira sumiu.

Procura-que-procura. Procura-que-procura.

— Tem uma menina chorando ali adiante. Sob o chorão a chorona.

— O negrinho tirou a minha ventarola.

Voltaram para casa chispando.

Terça-feira entre oito e três quartos e nove horas da noite as odaliscas chegaram do corso em companhia do sultão Mário Zanetti.

Crispiniano, com um arzinho triunfante, dirigiu-lhes a palavra:

— Ora, até que enfim! Acabou-se, não é assim? Agora estão satisfeitas. E temos sossego até o ano que vem.

As odaliscas cruzaram olhares desalentados. O sultão fingia que não estava ouvindo.

Maria José falou:

— Nós ainda queríamos ir ao baile do Primor, papai... Será possível?!

— Ahn? Bai-le do Pri-mor?

Dona sinhara perguntou também:

— Que negócio é esse?

— É uma sociedade de dança, mamãe. Só famílias conhecidas. O Mário arranjou um convite para nós...

Deixaram o sultão todo encabulado no tamborete do piano e vieram discutir na sala de jantar.

(Famílias distintas. Não tem nada de mais. As filhas de dona Ernestina iam. E eram filhas de vereador. Aí está. Acabava cedo. Só se o Crispiniano for também. Por nada deste mundo. Ora, essa é muito boa! Pai malvado. Não faltava mais nada. Falta de couro, isso sim. Meninas sem juízo. Tempos de hoje. Meninas sapecas. O mundo não acaba amanhã. Antigamente — hein, sinhara? —, antigamente não era assim. Tratem de casar primeiro. Afinal de contas, não há mal nenhum. Aproveitar a mocidade. Sair antes do fim. É o último dia também. Olhe o remorso mais tarde. Toda a gente se diverte. São tantas as tristezas da vida. Bom. Mas que seja pela primeira e última vez. Que gozo.)

No alto da escada dois sujeitos bastante antipáticos (um até mal--encarado) contando dinheiro e o aviso de que o convite custava dez mil-réis, mas as damas acompanhadas de cavalheiros não pagavam entrada.

Tal seria. Crispiniano, rebocado pelo sultão e odaliscas, aproximou-se já arrependido de ter vindo.

— O convite, faz favor?

— Está aqui. Duas entradas.

O mal-encarado estranhou:

— Duas? Mas o cavalheiro não pode entrar. Ah! isso era o cúmulo dos cúmulos.

— Não posso? Não posso por quê?

— Fantasia obrigatória.

E esta agora? O sultão entrou com a sua influência do primo do segundo vice-presidente. Sem nenhum resultado. Crispiniano quis virar valente. Que é que adiantava? Fifi reteve com dificuldade umas lágrimas sinceras.

— Eu só digo isto: sozinhas vocês não entram!

O que não era mal-encarado sugeriu, amável:

— Por que o senhor não aluga aqui ao lado uma fantasia?

Crispiniano passou a língua nos lábios. As odaliscas não esperaram mais nada para estremecer com pavor da explosão. Todos os olhares bateram em Crispiniano B. de Jesus. Porém Crispiniano sorriu. Riu mesmo. Riu. Riu mesmo. E disse com voz trêmula:

— Mas se eu estou fantasiado!

— Como fantasiado?

— De Cristo!

— Que brincadeira é essa?

— Não é brincadeira: é ver-da-de!

E fez uma cara tal, que as portas do salão se abriram como braços (de uma cruz).

EMBAIXADA DA CONCÓRDIA
Francisco Inácio Peixoto

A Semana de Arte Moderna de 22 teve ecos pelo Brasil afora. Um dos mais interessantes ocorreu numa cidade de Minas Gerais, Cataguases, terra do cineasta Humberto Mauro (de alguma forma também ele fruto da abertura estética do "Salão"). O grupo literário em torno da Revista Verde tinha os então jovens Guilhermino César, poeta que faria carreira universitária e como ensaísta no Rio Grande do Sul, e Francisco Inácio Peixoto, que estreou em 1928, com os poemas de Meia pataca. *Ele deixou um livro de contos,* Dona Flor, *de 1940, considerado por Álvaro Lins "o mais importante deste ano". E Mário de Andrade: "O autor conta muito bem, numa língua aparentemente desataviada, de deliciosa naturalidade, que atinge seu melhor equilíbrio nos diálogos." Extraímos "Embaixada da Concórdia" da reedição de 1967, da Editora do Autor, com o título de* A janela. *É o Carnaval carioca dos anos 1930 visto por um mineiro. Que, escrevendo, sabia sambar.*

— Silêncio, gente! Estou cansado de pedir. Assim eu largo esta joça de uma vez e vou tratar de outra vida. Silêncio! — gritou ainda Bidunga, desesperado, enxugando o suor que lhe dava um brilho mais acentuado na testa, engordurada de brilhantina que sobrou dos cabelos.

O falatório foi diminuindo de intensidade e permaneceu depois apenas uma surdina de vozes. Um apito estridente impôs definitivamente o silêncio. Todos os olhares convergiam, de repente, para o mulato que estava agora trepado numa cadeira do tablado dos músicos. Um resto de raiva ainda fez com que ele soprasse de novo no apito, preso ao pescoço por um barbante, para deixá-lo cair dos lábios pintalgados de vitiligo.

— Deus me livre! Ou bem que há disciplina, ou, então, eu deixo esta droga! Vocês querem me escutar ou não? Que raio!

— Pode falar, Mussolini!

— Isto aqui não é comício, não. Toca o bonde!

A turma acolhia os apartes com risadas. E os mais salientes, com tal estímulo, porfiavam na chacota.

Bidunga estava desavorado, fulo de raiva, sem saber o que responder aos que lhe perturbavam o ensaio daquela noite. Percebendo ser inútil prosseguir, pois a confusão se fizera novamente e recrudescia a cada palavra sua, desceu da cadeira num pulo rápido. A pequena cartola carnavalesca resvalara para a nuca e ele, como que sentindo, naquela situação, o ridículo de semelhante indumentária, arrebentou o elástico que a prendia ao pescoço, atirando-a fora.

— Não ensaio é nada! — berrou. — Quem quiser que tome o meu lugar.

Do meio do salão veio uma voz autoritária:

— Deixa ele falar, gente!

Bidunga olhou para o ponto de onde supunha haver partido aquele apoio e, em vez de agradecê-lo, respondeu asperamente:

— Quem te falou que eu quero falar?! Eu queria era só dizer que vocês são uma cambada de gente sem educação. Estou perdendo o meu tempo e...

— Não precisa morder, não, chefe! — interrompeu um engraçado.

— Só se for a mãezinha de quem falou — xingou Bidunga, no auge da exaltação, avançando para um negrinho batoque, de camisa de cetim amarelo que ali estava, a poucos passos na sua frente, atrevido, mostrando a dentadura perfeita, num risinho provocador.

— Minha mãe está morta, pintado. O resto você já sabe...

Uns, que se achavam mais próximos de Bidunga, seguraram-no, procurando evitar que a coisa esquentasse mais. Bidunga tentou ainda se desvencilhar dos braços que o agarravam, dando uns safanões violentos. Vendo que lhe era impossível e que seus companheiros jeitosamente o levavam para fora do salão, esticou o pescoço para trás e prometeu ao contendor:

— Ainda havemos de nos encontrar, negro safado!

— Uai! Se quiser, é pra já, carijó. Deixa ele vir, pessoal!

— Brigando à toa, gente! Deixa disso — aconselhou alguém.

— Eu estava brincando, ué! Quem começou foi ele, puxando nome de mãe. Não enjeito parada.

— Isto não vale nada, Xerém. Ele falou na hora da raiva.

— Não estou somando se foi na hora da raiva ou não. Topo tudo — acentuou Xerém, já mais calmo. — Desaforo! Não é mesmo?

Os que o rodeavam limitaram-se a afirmar, num último apelo, já agora supérfluo, pois o incidente chegara ao fim:

— Acabou, acabou, não se fala mais nisso. Vamos embora, Xerém.

Afastando-se em companhia de um amigo, fingia displicência. E, petulante, dirigiu-se a uma moreninha que, encostada à porta do reservado das senhoras, parecia ter aguardado, ali, o desenrolar da rixa para, em caso de necessidade, pôr-se a salvo mais facilmente:

— Tu te assustou, minha nega?

A morena retirou-se sem dizer nada. Xerém riu e penetrou no saguão, onde se formara um grupo, num canto, em torno de Bidunga. O amigo, temendo o reencontro, empurrou-o disfarçadamente daquele lugar, mas Xerém, brusco, soltou o braço:

— Você é besta, seu! Não preciso de pajem, não. — E, encostando-se ao corrimão da escada, puxou um cigarro e ficou escutando a conversa da roda, em atitude zombeteira. Alguns notaram-lhe a presença e, conciliadores, acercaram-se dele. Do grupo vinham frases soltas, insistentes. Que o pessoal estava cansado. Que era preciso ter paciência. Que ele não ligasse importância àquelas brincadeiras. Porque era tudo dito sem intenção de ofensa. As mesmas coisas eram repetidas mil vezes. Bidunga só fazia grunhir:

— Brincadeira... Hum! Hum! Brincadeira...

— É, sim. Você compreende que ficar meses e meses, todas as noites quase, ensaiando, não é sopa. Cansa mesmo. Hoje só é que foi isso. A primeira vez.

— A primeira vez... Hum!

Um mulatinho se aproximou mais de Bidunga e pediu com a voz sestrosa:

— Fica, seu Bidunga! Bobagem sua...

Bidunga não se conteve e respondeu, azedo:

— Tira a mão do meu ombro, duvidoso! A conversa ainda não chegou pra você, não.

O rapaz encabulou e houve, da parte de todos, um certo retraimento. Bidunga adivinhou que as explicações e os pedidos iriam cessar. Os músicos faziam pequenos treinos isolados com os seus instrumentos e o ruído irritante exasperou-o. No salão, algumas damas pediram para que tocassem qualquer coisa, já esquecidas do tumulto de há pouco. A maioria das moças estava nas sacadas tomando a fresca. Formavam-se pequenos agrupamentos. Riam e conversavam. Bidunga já estava querendo se convencer de que havia sido inconsequente. Vacilava, talvez mesmo voltasse atrás, mas um dos que o vinham convencendo acabou por desistir:

— Ah! Se quer ir, vai. Fica fazendo chiquê toda a vida...

Bidunga, aí, tomou pé novamente na sua raiva e nas suas convicções:

— Bobagem! Não cedo mesmo nem um passo. Mal-agradecidos!

E foi abrindo caminho, se livrando dos que procuravam detê-lo. Quando chegava à escada, escutou uma recriminação:

— Com efeito! Sujeito metido! Quem é que te encomendou sermão? Agora vocês que se arranjem, que também vou cair fora. A gente procura consertar e você atrapalha tudo. Agora você toma conta, toma!

Aquilo satisfez à vaidade de Bidunga. Sabia a falta que iria fazer. Sabia, ele também, que haveriam de procurá-lo no dia seguinte. O clube sem ele era a mesma coisa do que baile sem música. Tinha certeza disso. Deu de cara com Xerém, mas ainda pôde descer, triunfante, as escadas do Mimosas de Deodoro, caindo na noite suburbana, que a viração noturna refrescava. Não durou muito, porém, o seu ar suficiente. Quando ia pondo os pés na soleira da porta do café da esquina, a música rompeu em cima, provocante, acompanhada do coro metálico de vozes:

Ó Ferdinando!
Ó Ferdinando!
Não olha assim pra mim.
Ó Ferdinando!
Ó Ferdinando!
Vai cheirar as flores do jardim!

Arrepiou caminho bruscamente e passou a mão pela cabeça, se lembrando logo de que esquecera o palhinha no clube. O estribilho incessante machucava-lhe os nervos. Deu um último olhar para as janelas iluminadas e não se conteve que não xingasse outra vez, os dentes rilhados:

— Mal-agradecidos!

Liorlinda de Souza, tecelã da fábrica, eleita, depois de renhido pleito, rainha do Mimosas de Deodoro, muito trabalhou pela pacificação do seu clube. Bidunga, ferido, profundamente ferido, no seu amor-próprio, recusava-se a aceitar uma fórmula conciliatória. O Carnaval estava à porta. E a atitude do primeiro elemento da sociedade recreativa provocara desentendimentos maiores: uns, tomando o seu partido; outros, achando que era humilhar-se demais, sem necessidade, estar insistindo pela volta dele; alguns, poucos, mantendo-se equidistantes e querendo somente que acabassem com as dissensões.

— Já no ano passado foi aquela água! Resolve daqui, resolve dali, escolhe enredo, não escolhe, ensaia tudo às pressas... No fim, a gente quase que faz fiasco.

— É isso mesmo. Precisa terminar com essas porcarias.

— Por mim, pouco se me dá. Gosto é da farra. Não ligo pra besteiras.

— Isso é que não! Isto aqui não é bagunça. Pra sair na rua tem que ser coisa decente. Ele tem razão: no ano passado foi uma vergonheira.

— Vergonheira também não! — corrigiu um.

— Vergonheira, sim, senhor! E agora que tudo lá ia muito direitinho, pronto! Fica essa brigaria louca. Porém, verdade seja dita que o Bidunga não deixa de ter a sua razão. E vocês podem procurar outro de vela acesa. Igual não acham, não!

Derrotistas, indiferentes, exaltados, ninguém chegava a um acordo, e os preparativos para o grande prélio carnavalesco no Mimosas de Deodoro sofreram um colapso que ameaçava a existência do clube. Os ensaios há muito não se realizavam. A comissão encarregada do Livro de Ouro e que já percorrera apenas uma parte do comércio, angariando donativos, desanimara.

Foi então que Liorlinda, tomada de brios, à frente de algumas companheiras do clube, iniciou, autorizada pela diretoria, negociações diplomáticas no sentido de conseguir a volta de Bidunga. Este fazia corpo mole, gostando de ser rogado, satisfeito na sua vaidade diante de tanta insistência. Mas nada decidia.

— Dentro dos meus direitos, não arredo um passo.

— Mas não se trata de direitos — retrucou Liorlinda. — A gente quer só que o senhor volte. E não há desmerecimento nenhum. Como é que o clube vai se arranjar?

— Como é; não sei.

— Volte! Volte!

— Não volto nem por nada — decidiu Bidunga, com ares de quem já estava sendo importunado, mas contente, no fundo, com aquelas súplicas. Liorlinda continuava teimando, entortava um pouco o pescoço e fazia beicinho:

— Volte!

Bidunga reparava como era bonita a moça. O vestido colante modelava um corpo de carnes rijas, moreno, de curvas macias. Olhou para a boca de lábios grossos, baixou-os em seguida para os braços roliços e, meio perturbado, afirmou sem vontade:

— Não volto, não.

A moça sabia que ele estava fraquejando e resolveu açular o seu orgulho:

— Será por causa do Xerém? — indagou.

Bidunga, noutra ocasião, teria estrilado. Mas agora, diante daqueles olhos, daquele rosto de cromo, estava manso. E apenas pôde explicar, sem dar conta da insinuação que se escondia na pergunta de Liorlinda:

— Quem? Eu? Não dei importância nenhuma àquilo não. No princípio fiquei safado. Mas resolvi deixar correr o marfim. Se a gente tiver de se encontrar, se encontra lá no clube ou fora dele, em qualquer lugar. Eu cá, por mim, topo qualquer parada.

— Então, seu Bidunga! — aparteou uma das moças. — Volte! O que passou, passou.

— Isso, vírgula! De mais a mais, eu sei que o pessoal não está combinando mesmo. Gosto de trabalhar, mas é tudo de harmonia. Assim, não. Uns torcem pra cá, outros torcem pra lá. Hum, hum! Não dá certo, não. Carnaval para este seu criado é coisa muito séria. A gente tem responsabilidade.

Bidunga, como se tivesse uma inspiração súbita, encarou Liorlinda e, depois de uma pausa, sugeriu:

— Agora, tem uma coisa. Se vocês quiserem, pode se organizar um outro clube. O tempo é pequeno, mas dá. É só ter boa vontade e reunir a turma que estiver disposta a aderir. Dinheiro garanto que se arranja. E pra começar, qualquer barracão serve. Que tal?

As moças entreolharam-se espantadas. Ele, porém, insistiu:

— Se quiserem, vamos.

A ideia viera-lhe sem premeditação. Mas já se entusiasmara, antegozando uma vitória. O tempo era curto? Qual! Tudo se conseguiria. E, num instante, viu na sua frente a turma luzidia, Liorlinda na frente, carregando o estandarte, em evoluções gentis. E ele, Teotônio da Conceição, antigo mestre-sala do Cordão das Camélias Rubras, ex-diretor artístico do União dos Beija-Flores, ex-presidente do Furrecas do Encantado, sentia-se até aflito com a porção de planos que lhe acudiam à mente. Lembrava-se com ódio do Mimosas do Encantado. Haviam de pagar caro. Se haviam! Sabia lutar, estava acostumado com dissabores. Não desanimava por pouca coisa. Então, quando se tratava de dar uma lição, quando o seu orgulho era esporeado, aí ninguém o vencia. Ninguém. Apaixonava-se, sabia transmitir entusiasmo quando a turma naufragava em desânimo. Interrogou Liorlinda com os olhos. A moça fitou-o, surpresa. Mas, parecendo que lia no pensamento de Bidunga todos os planos mirabolantes que o agitavam, aceitou o desafio. E, abrindo-se num sorriso para as companheiras, exclamou:

— Eu vou aderir. E sabe que já encontrei um nome alinhado? — Sem esperar resposta, foi logo dizendo: — Embaixada da Concórdia.

Uma das suas colegas, embora seduzida, objetou timidamente:

— Mas como é que vai ser? Fica feio a gente...

— Que feio, que nada!

— Aquele clube estava mesmo uma bagunça.

Liorlinda, notando que todas se achavam de acordo, firmou com Bidunga:

— Nós topamos.

E, ainda naquela noite, ficou definitivamente assentada a organização do clube recreativo Embaixada da Concórdia, que conseguiu congregar em torno de sua bandeira os foliões mais destacados de Deodoro. Foi esse, mais ou menos, o final de uma notícia que apareceu dias depois na seção carnavalesca de um vespertino, assinada por "Lord Cebola".

Há muito que a cidade acordara para a grande festa. As seções carnavalescas dos jornais noticiavam bailes, batalhas de confete, banhos de mar a fantasia. Nas tardes cheias do centro, os sambas e marchas que vinham das casas de música se espalhavam no ar pesado e eram um convite para a multidão apressada e suarenta. Os rádios berravam. Há muito que se sentia a presença do Carnaval. Mas aquela tarde de sábado trazia, com o crescer de suas sombras, qualquer coisa de estranho ao tumulto das ruas. Tudo era diferente. O matraquear estridente e irritante das réguas nos balcões das agências de loteria, anunciando as próximas extrações. Os pregões metálicos dos camelôs, oferecendo os últimos sucessos do Carnaval, lâminas gilete a duzentos réis, a segurança das chaves a dez tostões, reloginhos para crianças, brinquedos. A fisionomia dos homens que passavam, desviando-se uns dos outros, dirigindo-se para os bondes apinhados, para os ônibus incandescentes, cujos carburantes espocavam de minuto em minuto. E, ao acender das luzes, quando o comércio cerrou com fragor as suas portas, se fez um novo dia na avenida de luzes ofuscantes, cujos postes estavam decorados de enormes máscaras. Improvisavam-se blocos pelas calçadas. Alguns mais afoitos subiram a um palanque armado no meio da rua e iniciaram um choro. Uma cuíca roncava forte. E as vozes capricharam no samba:

Em Mangueira
Na hora da minha despedida
Todo o mundo chorou
Todo o mundo chorou.
Foi para mim
A maior emoção da minha vida
Porque em Mangueira
O meu coração ficou.

Bidunga viera descendo da banda do Cais do Porto, acompanhando um bloco. O sol batia em cheio no calçamento. E, como se a chapa ardente queimasse os pés dos foliões, punham-se eles a sapatear em doidas evoluções, requebrando os corpos suados, se desconjuntando em meneios de coreia, negaceando, em avanços e recuos bruscos, violentos, dançando frenéticos ao som dos tamborins e dos pandeiros guizalhantes, enquanto roncavam, profundas, as cuícas. O coro de vozes repetia um estribilho interminável. Homens fantasiados de havaianas; homens vestidos de mulher; índios de cocares feitos de penas de espanador; malandros de camisas listadas; mulheres de pijamas, de calças apertadas modelando ancas enormes; baianas de corpos elásticos, de corpos bronzeados, sambando, abraçando-se, agitavam-se em bamboleios, sacudindo os seios firmes. E o bloco seguia, movendo-se como um só corpo, homogêneo e indivisível, no meio da multidão de curiosos. Quando chegou à praça Mauá, Bidunga largou-o e, cauteloso, apalpou os bigodes e o cavanhaque postiços, que lhe davam comichões na pele. Naquele rosto inexpressivo, somente os olhos tinham vida, desconfiavam, eram como os de uma fera que pressente o perigo. Logo depois, encontrou outro bloco. Fugiu das mãos que tentaram agarrá-lo, procurando prendê-lo numa roda. Mais adiante, entretanto, não pôde se livrar de um grupo de moças e rapazes que o envolveram. Ele ali ficou no meio deles, sem movimento, querendo sorrir, desajeitado como um velho urso. As moças faziam-lhe momices e cantavam, afinadíssimas:

> *Eu perguntei a um malmequer*
> *Se meu bem ainda me quer*
> *E ele, então, me respondeu que não...*
> *Chorei, mas depois eu me lembrei*
> *Que a flor também é uma mulher*
> *Que nunca teve coração.*

Bidunga suava. Teve vontade de forçar a cadeia de braços que o cercavam e sair correndo. Mas não foi preciso, porque, no mesmo instante, uma voz comandou:

— Vam'bora, pessoal.

Suspirou aliviado e, como se estivesse fatigado do esforço que fizera para se conter, entrou num café e pediu na caixa as chaves da privada. Lá permaneceu de pé, os nervos agora relaxados da tensão a que haviam sido submetidos. Há dois dias tratava-se dentro dele uma luta medonha. Estava exausto. Dormira ao relento, acordara sobressaltado, vendo-se perseguido a todas as horas. Sabia ser difícil à polícia reconhecê-lo com aquele disfarce e, ainda mais, naqueles dias de tumulto. Mas não alcançava dominar o medo que o invadia e que lhe dava uma sensação constante de frio nas entranhas. Por isso procurava a multidão que se comprimia pelas ruas. Evitava isolar-se. E quando, de madrugada, era menos intenso o movimento, buscava, como único refúgio, os logradouros públicos, livres agora para o sono dos que só puderam encontrar para o seu descanso a relva fresca dos jardins. Mal conseguia, porém, cerrar os olhos num cochilo rápido e era preciso voltar para as ruas, pois senão abordá-lo-iam com certeza e seria pior. Seu suplício era, então, sem limites. Tentava vencer o abatimento, bancando o folgazão, dirigindo gracejos aos transeuntes para que não suspeitassem, àquela hora matinal, do fantasiado sombrio e sem rumo. Lembrava-se de que o dia seguinte era Quarta-feira de Cinzas. E sentia-se preso. Preso, no meio do povo, na cidade que abria caminhos inumeráveis na sua frente. As artérias latejavam-lhe o rosto e veio para fora. Todos os seus sentidos foram novamente violentados, de chofre.

Algazarra de milhões de bocas que cantam e gritam; massa ondulante e policroma do povo se divertindo acima de todos os preconceitos; serpentinas coloridas em espirais pelo ar, enroscando-se nas árvores, nos fios, embolando-se nas rodas dos automóveis, ligando-os no corso que se movimenta lentamente; confetes; cheiro de suor, de éter dos lança-perfumes, de gasolina, cheiros acres e excitantes; contato de todos aqueles corpos no desvario do Carnaval, pressão de nádegas se encostando, flácidas, de braços de veludo, de seios... Bidunga sentia mãos que o empurravam à procura de espaço para gestos convulsos. E as mãos também dançavam no ar, frementes, empunhando reco-recos, pandeiros e chocalhos.

Foi caminhando até à praça Floriano. Lá é que desembocava a caudal humana. Grande rio que fluía e refluía.

Bateram-lhe no ombro. Voltou-se, assustado, para ver quem era. Um senhor gordo, de amplos bigodes caricaturais, estava a seu lado, perguntando-lhe com sotaque carregado e fisionomia compungida:

— O cavalheiro poderá ter a bondade de dizer-me a que horas é o enterro?

O gordo, vendo a atrapalhação de Bidunga, soltou uma gargalhada e se dirigiu, em seguida, a um folião que dançava, grotesco, vestido de mulher, sozinho na calçada:

— A madama quer dar-me a honra desta valsa?

Um instante rodopiaram os dois e o dançarino, largando o par de repente, perguntou a um vendedor que, debaixo de uma árvore, expunha, sobre caixotes, rubras talhadas de melancia:

— Quanto custa cada?

— Quinhentos.

Suspendeu o rapaz, de um lado, o vestido e procurou o dinheiro no bolso das calças. Tirou para fora uma moeda e, examinando-a, desculpou-se:

— Não posso. Só tenho duzentão.

E, como se nada daquilo tivesse importância, saiu lampeiro, uma das mãos na cintura, requebrando-se todo.

Veio a noite. Gente cansada se apinhava nas escadarias do Municipal e da Biblioteca, à espera da passagem dos préstitos carnavalescos.

Já era tarde quando um clarão de fogos de bengala anunciou, no fim da avenida, que o desfile havia sido iniciado. Ouviam os clarins que precediam o cortejo.

Bidunga, que adormecera de cócoras numa das reentrâncias do teatro, só acordou quando um estalar de palmas saudou, perto, o primeiro carro alegórico que passava. A comissão de frente dos clubes distribuía cumprimentos à multidão. Os homens montados em cavalos de pelo reluzente tiravam as cartolas com largos gestos de reverência.

Fenianos, Democráticos, Tenentes, todas as grandes sociedades que, durante o ano, trabalharam em segredo, rivalizavam agora na apresentação de seus préstitos. Os carros exibiam alegorias estranhas, apoteoses, fantástica arquitetura de rodas, pérgulas e conchas, num brilho ofuscante de ouro e prata. E tinham nomes pomposos e líricos: Quimera Azul, Brasil Forte, Sonho da Primavera, Epopeia da Raça.

Desfilaram todos os carros. Estava findando o Carnaval. Bidunga teve, mais uma vez, consciência de sua situação. Os pés doíam-lhe. Seus nervos estavam em tiras. Súbito, como se houvesse encontrado um salvamento, foi rompendo por entre o povo, empurrando uns, acotovelando outros, abrindo um caminho que, na sua ânsia, lhe parecia mais difícil. Sua cabeça estava fraca. Tinha dentro dela um disco que girava, girava sem parar, repetindo mil vezes o itinerário que traçara. Rua do Passeio, Lapa, Mem de Sá... Os nomes se embaralhavam, avivando-lhe lembranças. A praça Onze fervilhava ainda. Era ali o seu Carnaval. O Carnaval das escolas de samba e dos cordões numerosos. Gente que descia do morro para cantar, que vinha dos subúrbios em ranchos vistosos e pitorescos.

Teve medo de entrar na praça. Voltou esgueirando-se logo por uma rua. O coração batia descompassado e ele teve a impressão de que corria. Na madrugada que vinha vindo, chegou-lhe aos ouvidos uma voz rouca de mulher cantando:

Não posso mais, eu quero viver na orgia!

A estrela da manhã era rútila no céu.

O BLOCO DAS MIMOSAS BORBOLETAS
Ribeiro Couto

"Dono de uma sensibilidade sempre atenta, como um espírito comovido por todas as imagens do mundo, que ele transforma em poemas e histórias, nesse homem irrequieto há um músico maravilhoso, misto de Chopin, Debussy e algum vago fazedor de canções vividas." Foi o que escreveu o cronista Álvaro Moreyra sobre o autor deste conto presente em tantas antologias brasileiras. Ribeiro Couto (1889-1963) era diplomata de carreira, poeta, contista respeitado e membro da Academia Brasileira de Letras. Numa época em que as "borboletas" eram amadoras e só podiam ser "mimosas", e a escola — bem, incluindo aí principalmente as escolas de samba — era "risonha e franca". E falava-se menos em samba-enredo e desfiles na avenida e cantavam-se mais marchinhas de blocos e salões: "Confete/ pedacinho colorido de saudade..." Os Carnavais d'antanho, direis.

Foi na véspera do Carnaval que encontrei o sr. Brito. Ele esperava o bonde junto ao Hotel Avenida.

— Boa tarde, sr. Brito!

— Boa tarde!

E, como eu parasse para acender um charuto, o sr. Brito, aproximando-se, pediu com humildade:

— O seu fogo, faz favor?

Estava ali há dois minutos, com o cigarro apagado, à espera do bonde e de um conhecido para emprestar-lhe o fogo. O sr. Brito ouviu dizer, ou leu num almanaque, que o banqueiro Laffite obteve o seu primeiro emprego porque o futuro patrão o viu curvar-se para apanhar um simples alfinete. Então faz economias de caixas de fósforos, de cafés, de engraxate. Pode ser que algum capitalista se aperceba disto e o convide para um alto negócio.

Aliás, há uma outra razão para o sr. Brito agir desse modo: possui duas interessantes filhas, as duas com vinte anos e pouco, as duas caríssimas, as duas impondo uma importância social que está em absoluto desacordo com o modesto cargo que o sr. Jocelino de Brito e Souza ocupa, silenciosamente, no Ministério da Fazenda.

Eram cinco e meia da tarde. Como a multidão nos acotovelasse, convidei o sr. Brito a tomar um aperitivo na Americana. O sr. Brito, aceso o seu cigarro, principiara a lamentar-se; e a conversa, ainda que fastidiosa, excitava a minha curiosidade.

O sr. Brito é dos homens mais notáveis da cidade. Eu é que sei, no entanto, ninguém lhe dá importância. Tem uma obesidade caída, um desânimo balofo, um desacoroçoado jeito de velho funcionário pobre que se desespera em casa com as meninas. As meninas querem vestidos, precisam frequentar a sociedade, consomem-lhe todo o ordenado. Ultimamente, deram para um furor de luxo que não tem medida. E o sr. Brito, triste, cogitativo, anda sempre assim, de fazer dó: os braços cheios de embrulhos, o paletó-saco poeirento, os cabelos grisalhos esvoaçando-
-lhe pelas orelhas, sob o chapéu de palha encardida.

— Sr. Brito, um vermute.

— Acho bom, doutor, acho bom.

Tem um pormenor impressionante no rosto: as sobrancelhas muito peludas, também grisalhas, como que enfarinhadas de cinza. São agressivas as suas sobrancelhas.

Na pessoa mansa do sr. Brito, esse ponto enérgico é único, isolado. Tirando as sobrancelhas, todo ele é doçura.

A pêndula do bar martelou seis horas. O sr. Brito, que ia engolir o vermute, teve uma indecisão, o cálice suspenso à boca.

Li nos seus olhos inquietos esta frase: "As meninas estão à minha espera."

Exatamente. O sr. Brito bebeu o gole e disse:

— As meninas estão à minha espera.

Ah, a minha feroz alegria! O sr. Brito é assim: um homem que eu, há tempos, venho surpreendendo, desvendando. Tomando posse da sua individualidade sem resistência. Estou a ponto de "saber" todo o sr. Brito. Há ocasiões em que, encontrando-o, digo para mim mesmo: "Ele vai falar-me de um artigo tremendo que saiu hoje contra o presidente da República na *Vanguarda*". É delicioso: o sr. Brito, depois de me apertar a mão, põe-se a conversar sobre vagas coisas e, de repente, como se obedecesse ao meu comando, pergunta:

— Leu hoje a *Vanguarda*? Que artigo tremendo! Que horror!

— Tome outro vermute, sr. Brito.

Sacudiu a cabeça que não.

— As meninas devem estar impacientes.

— E como vão elas?

— Assim, assim. O senhor é que não quis mais aparecer?

(Ele pergunta isso sem o menor interesse oculto. Sabe perfeitamente que não pretendo casar-me.)

— Muito serviço, não calcula.

— Mas aos domingos, doutor! Uma vez ou outra! Dá-nos sempre muita honra e principalmente muito prazer.

— Obrigadinho, obrigadinho. Hei de aparecer. O senhor sabe que aprecio muito as suas meninas.

— Elas são boazinhas, isso é verdade, gostam de divertir-se, de dançar, de brincar. Não pensam na vida.

Não pensam na vida! Para os seus olhos de pai essas duas interessantes princesas de arrabalde não pensam na vida. E elas não pensam senão na vida! Tratam exclusivamente de suas preciosas pessoinhas, dos seus preciosos projetos de casamento, do seu precioso luxo que custa as lágrimas secretas do pai desconsolado.

— Faça favos, beba outro.

Aceita. E expõe o seu caso de hoje, o caso que eu há vinte minutos estou esperando, como um caçador mau, de emboscada:

— Não avalia as dificuldades que passei de ontem para cá! Imagine que era necessário arranjar um conto de réis e eu não encontrava agiota nenhum que me quisesses emprestá-lo. Afinal, sempre convenci o Morais, aquele da rua da Misericórdia, que por sinal todos os meses já me rói metade do ordenado. Esta vida, meu caro doutor!

— Sei o que ela é, sr. Brito. Também eu tenho os meus apertos.

O vermute o perturbou um pouco, predispondo-o para a confidência. Continuo insinuando a expansão, pelo meu ar atento, pelo meu todo solícito, pelas minhas frases curtas que deixam sempre uma ponta, para o sr. Brito emendá-la com o que tem no íntimo.

— As meninas morreriam de tristeza se eu não conseguisse nada.

— Ah!

— O senhor sabe, são moças, querem divertir-se.

— É natural!

— O Carnaval faz todo mundo perder a cabeça. O senhor compreende: qual é o pai que, numa ocasião destas não fará um sacrifício?

— Justo!

Pedi mais dois vermutes ao garçom.

— Esses empréstimos abalam muito a bolsa de um homem, sr. Brito.

— Um horror. Nem fale.

— Mas obteve, então?

Toma um gole. Chupa os beiços, enxugando-os. E desabafando:

— Ah, felizmente!

— Meus parabéns sinceros.

Sorriu, feliz. Seus olhos, debaixo das sobrancelhas crespas e peludas, cintilaram contentes. As filhas morreriam de tristeza se não tivesse arranjado! Tomou outro gole.

Tive uma sensação inefável de haver ganhado a tarde.

— Sr. Brito, há de me dar licença...

— Pois não, pois não!

Paguei a despesa, levantei-me. Ele bebeu o resto do cálice e levantou-se também, sobraçando os embrulhos. Senti que ia dizer-me qualquer coisa ainda sobre as meninas, sobre o Carnaval, sobre aqueles embrulhos, sobre o empréstimo...

— Elas estão ansiosas. Está vendo isto? São as fantasias que já haviam escolhido na cidade. E caixas de lança-perfume. E confete.

— E serpentinas.

— Tudo!

O sr. Brito, na sua ternura, ter-me-ia abraçado se não fossem os embrulhos.

— Não sabe o que é ter duas filhas, dois anjos como eu tenho!

O bonde da Gávea parara para o assalto dos passageiros. O sr. Brito ia precipitar-se, mas uma ideia lhe fuzilou no cérebro:

— Não quer tomar parte no bloco das meninas?

Desta vez o sr. Brito me apanhara de surpresa. Não gostei. Aquilo me escapara.

— Ah, elas organizaram bloco este ano?

— Alugamos um autocaminhão. Elas se lembraram do senhor, mas tinham perdido o telefone da sua pensão. E eu ia-me esquecendo, que cabeça! É o Bloco das Mimosas Borboletas. Então, vê?

O bonde partia, campainhando.

— Telefone para lá!

Falou isso correndo, querendo voltar a cabeça para mim e ao mesmo tempo preparar o pulo sobre o estribo. Pulou. Dependurado, com os embrulhos lhe atrapalhando os movimentos, era sublime o sr. Brito. E o bonde virou a esquina da rua São José, levando a bondade, a ventura, o êxtase daquele pai. O Morais, da rua da Misericórdia, estava na porta da Brahma, torcendo os bigodes.

Devo tomar parte no Bloco das Mimosas Borboletas?

Quarta-feira de Cinzas eu entrava tranquilamente num café, quando o sr. Brito surgiu, súbito. Quase nos abalroamos.

— Oh, sr. Brito! Vamos a um cafezinho?

Estendi-lhe o braço procurando envolvê-lo pelo ombro. Ele tentou esquivar-se, esboçando uma recusa frouxa. Insisti com veemência e ele entrou, afinal, sombrio.

Observei-lhe que o laço da gravata estava desfeito. Teve um gesto nervoso, apalpando o colarinho e o peito da camisa, como se aquilo lhe tivesse feito lembrar qualquer coisa desagradável ou dolorosa.

Tive receio de pensar o que ele iria dizer-me... Aquele desleixo na gravata era significativo. Eu sabia que era Lalá, a mais velha, quem lhe dava o nó, todas as manhãs. Ele ia dizer... Não, o sr. Brito desta vez não disse nada.

Então puxei conversa.

— Divertiu-se muito no Carnaval?

Deu de ombros, molemente, num desânimo de vida. E, puxando um cigarro de palha do fundo do bolso do paletó, fez-me com os dedos trêmulos o gesto de pedir fósforos.

Minutos escoaram-se. Não tínhamos assunto. Era mais prático nos despedirmos.

— Bem, sr. Brito, vou aos meus negócios.

Segurou-me pelo braço. Tive um choque. A revelação ia sair.

Passaram-se ainda uns momentos de silêncio. Perguntou-me, enfim:

— Por que não quis tomar parte no nosso bloco?

— Ora, sr. Brito, eu não sou carnavalesco. Acredite: não saí de casa os três dias.

— Pois lamentei, lamentei muito a sua ausência.

— Ora, por quê, sr. Brito?

— O senhor é um moço sério. Se o senhor tivesse vindo, olharia pelas minhas filhas.

Senti um susto e uma pérfida vontade de rir. Tive a impressão do ridículo e, ao mesmo tempo, de um vago drama palpitante. As sobrancelhas do sr. Brito, um instante fitas em mim, moviam-se agora, acompanhando um tique nervoso de piscar, indício de comoção.

— Muito agradecido pela confiança, sr. Brito. Porém, não sei se sou digno.

— Sei eu, sei eu.

Comecei a ficar impaciente.

— Que houve de extraordinário, sr. Brito?

— Imagine o senhor que ontem, último dia, como estivesse com os meus rins muito doloridos, não pude acompanhar as meninas ao carro. Sabe, os meus rins...

— Sei, sr. Brito.

— O bloco era grande, umas trinta pessoas. Enfim, havia o Gomes, da minha repartição. O Gomes com a senhora. Fiquei tranquilo por esse lado e confiei-lhe as meninas. Sabe, os rapazes me pareciam distintos, mas nunca é bom confiar demais.

— Claro.

— Pois, meu caro, não lhe conto nada: até esta hora as meninas ainda não voltaram.

— Oh, sr. Brito!

— O Gomes está abatido. Diz que não sabe como é que elas escaparam das vistas.

No rosto tranquilo do sr. Brito os olhos, sempre doces, faiscaram de dor. As sobrancelhas tremeram-lhe.

— É verdade o que me diz?

— Des-gra-ça-da-men-te!

Caiu-lhe a cabeça sobre o peito, no desconsolo da calamidade. Não tendo o que dizer (e já um pouco arrependido de não haver tomado parte no bloco, mas por motivos inconfessáveis), reuni todas as minhas cóleras contra aquele Gomes:

— Porém, sr. Brito, esse sujeito, esse Gomes, é um patife!

O sr. Brito fez com a cabeça que não, que o Gomes não era um patife. E disse devagar, com tristeza:

— A mulher dele também até agora não chegou em casa.

Íamos pela rua cheia de povo barulhenta e feliz.

— Sr. Brito, cuidado com esse auto.

Atravessamos.

Eu tentava qualquer coisa em prol daquela dor:

— Sossegue. Elas dormiram com certeza em casa de amigas.
— Ninguém sabe delas.
— Paciência, sr. Brito, paciência. Talvez já estejam em casa, até.

Barafustamos por um telefone público. Esperamos um momento até que d. Candinha (irmã solteirona e velhusca do sr. Brito, que criara as meninas, sem mãe, desde cedo) atendeu do outro lado do fio.

— Elas já chegaram? — rompeu o sr. Brito, com a voz gritada e comovida, ansioso da resposta.

Largou o fone no gancho, sem ânimo.

— Vamos embora, doutor. Não apareceram! Não há notícias! E fomos para o *Jornal do Brasil*. No balcão da gerência o sr. Brito redigiu com letra trêmula o anúncio: "Um conto de réis — Gratifica-se com um conto de réis a quem der notícias positivas sobre o paradeiro de duas moças que anteontem, vestidas à século XVIII, tomaram parte no Bloco das Mimosas Borboletas, da Gávea. Dirigir-se à rua República de Andorra, nº 7".

O empregado do jornal pegou o anúncio, leu-o, teve um sorriso discreto e fez a conta.

O sr. Brito pagou o anúncio e saímos. Na rua teve uma ideia repentina:

— É verdade, onde vou buscar outro conto de réis?

E a sua doce pessoa crispou-se de angústia.

Ao nos despedirmos ele queixou-se de uma dor de cabeça. Parou um momento, levando a mão à testa. E, súbito, amontoou-se na calçada. Eu não tivera tempo de ampará-lo. Então, com esforço, suspendi aquela massa pesada. Pessoas que passavam me ajudaram. Estava morto.

Seu cadáver foi no automóvel da Assistência Pública para casa, depois das formalidades legais.

Acompanhei-o.

D. Candinha estava fazendo o jantar e veio ver quem batia, manca de reumatismo, limpando as mãos no avental. Espantou-se.

Atrás dos óculos os olhos se esbugalhavam, sem compreender. Até que, como que se lembrando, deu um grito:

— As meninas! — e ergueu os braços exclamativos.

— É o sr. Brito, d. Candinha — intervim com calma. — Está doente. Muito doente.

— O Jocelino? Pobre Jocelino! Que foi que aconteceu pro Jocelino! E pôs-se a limpar os olhos com o avental sujo.

Entre as pessoas que velavam o cadáver, Gomes destacava-se pelo seu ar digno de homem ferido no seu amor-próprio. A mulher desaparecera definitivamente. Suspeitava-se de um estudante de medicina, um certo Aristóteles, sergipano, um dos influentes do Bloco.

Havia quem apertasse a mão de Gomes, com comoção, apresentando-lhe condolências. Dava a impressão de um parente. A fuga da mulher estabelecera entre ele e o defunto um laço confuso de família.

Gomes agradecia, com um lenço sempre encostado ao rosto.

Pela madrugada entrou Cotinha, a filha mais moça. Entrou pé ante pé. Ninguém lhe perguntou donde vinha nem por que vinha. Havia na sala apenas três ou quatro pessoas pobres da vizinhança, além de mim. Todas as demais — Gomes inclusive — se tinham retirado por volta da meia-noite (Gomes explicou que estava abatido, precisava retirar-se, repousar). D. Candinha dormia lá dentro, numa cadeira de balanço da sala de jantar, vencida pelas agitações das últimas 48 horas.

Cotinha caminhou receosa para o meio da sala e atirou-se sobre o caixão. E chorou, chorou, sacudida, como que se esvaziando a repelões.

Quando acabou de chorar, veio para onde eu estava, toda encolhida como uma criminosa, de olhos inchados e vermelhos. Apertei-lhe a mão que me estendeu e ficamos em silêncio. Depois de uns minutos, como um sentimento surdo e talvez hostil nos impelisse a explicações, perguntei:

— E d. Lalá?

— Não sei. (Deu de ombros, espichando o beiço num muxoxo contrariado.) Cada uma de nós foi para o seu lado.

Fiquei estarrecido.

— E a senhora do Gomes?

Disse que ignorava também o destino da outra. Formosíssimo! Eis o epílogo do Bloco das Mimosas Borboletas no Carnaval de 1922, na muita leal cidade de São Sebastião do Rio de Janeiro — pensei com os meus botões.

Depois Cotinha contou que soubera da morte do pai por acaso, porque passara de automóvel pela porta, "com um senhor"... E acrescentou tímida, rompendo o pudor:

— O senhor com quem eu estou.

Tive um baque. Era possível? Um cinismo lavado de lágrimas, assim, era possível?

— Mas, d. Cotinha: que bicho mordeu as senhoras, desse modo, de repente? Ficaram doidas?

Sacudiu os ombros, pondo as duas mãos nos olhos, como uma criança, e chorando de novo:

— É a vida... Que é que o senhor quer?

As outras pessoas da sala olhavam-nos, a cochichar entre si. Sem dúvida faziam mau juízo. Talvez pensassem até que eu era o comparsa de Cotinha.

Um cheiro de flores pisadas e cera errava, acre. Um sentimento pungente me dominava, abafando uma vaga, uma imprecisa sensação de sarcasmo. As oito velas ardiam silenciosas em torno do caixão do sr. Brito, que tinha um crucifixo de prata à cabeça. Eu não conseguira ainda, até àquele instante, definir o meu estado de alma. Parecia-me, profanamente, que qualquer coisa de cômico se insinuava por tudo aquilo. Talvez, porém, fosse engano meu, ruindade minha, tendência cruel do meu temperamento. No fundo, eu estava zonzo com o que me rodeava: o sr. Brito, a filha que voltava, as pessoas pobres e imbecis da vizinhança, as oito velas, o cheiro de flores pisadas, a ideia do cavalheiro com quem Cotinha passeara de automóvel, a ideia de Lalá, a ideia de Aristóteles furtando a mulher do Gomes, a lembrança do anúncio que saíra de manhã no *Jornal do Brasil*, o ridículo do Bloco das Mimosas Borboletas — tudo aquilo ainda não recebera uma forma definitiva no meu espírito.

Cotinha merecia umas bofetadas?

O problema de saber se Cotinha merecia ou não umas bofetadas me invadiu, súbito. Fiquei a remoer essa inspiração, como se ela encerrasse um alto valor poético ou filosófico. Eram quatro da madrugada. Uma pessoa levantou-se, em bico de pés. Outra pessoa levantou-se também. Daí a um quarto de hora Cotinha e eu estávamos sós.

Ficamos nós dois, longo tempo, calados, olhando o sr. Brito.

Por duas vezes Cotinha soluçou:

— Coitado do meu paizinho!

Por outras duas vezes suspirou:

— E Lalá, que não sabe de nada! Que horror!

Claridades pálidas do dia nascente entraram vagarosas pelas janelas. Um torpor me tomou. Cotinha chorava agora encostada a mim.

O barulho do primeiro bonde, que vinha longe, me ergueu na cadeira. Cotinha encostou a cabeça ao espaldar, fatigada, humilhada, amarrotada, sem valor e sem destino, como uma pobre coisa.

Para vencer o torpor, tomei a deliberação de sair, de andar. Fui olhar então, de perto, o meu defunto amigo, o meu campo de observações e de conquistas psicológicas, o meu infeliz Jocelino de Brito e Souza. O rosto estava calmo, como a sorrir. As sobrancelhas peludas continuavam agressivas, enérgicas, na fisionomia doce, doce para todo o sempre. Aquela massa humana estava agora liberta de pensar no Morais da rua da Misericórdia.

— D. Cotinha, até logo, à hora do enterro.

Ela veio até à porta da sala, que dava para uma área. Levantei a gola do paletó por causa do frio da madrugada.

Estendi a mão para Cotinha. Encarei-a com piedade e revolta: gordinha, morenota, um leve buço enegrecendo-lhe o lábio superior. E irresponsável, camaradinha, fácil, derrotada nas suas vaidades de princesa de arrabalde por aquele complicado drama de fuga e morte.

Olhando-me a fito, vi nos olhos dela a recordação da vida já antiga: o lar do sr. Brito, os domingos de visita ou passeio com outras pessoas que frequentavam a casa, os projetos ambiciosos de bons casamentos, o luxo, a comodidade cotidiana de uma situação de respeito e prazer. Agora, tudo acabado, para nunca mais!

Desabou a chorar sobre o meu ombro: que era muito infeliz, que ia sofrer muito, que não sabia como perdera a cabeça, que agora estava perdida, que queria morrer também...

Consolei-a como pude, segurando-a pelos pulsos. Dei-lhe o conselho de mandar procurar Lalá (ela devia suspeitar, pelo menos suspeitar, onde estivesse a irmã) e despedi-me rápido.

A rua! A rua deserta, vazia, livre, para os meus passos e para o meu rumo! Corri por ali afora, corri para alcançar o bonde e para desentorpecer. E enquanto corria, levava a sensação de fugir a uma coisa fascinante e ameaçadora, de que eu me libertava enfim... uma coisa suave e horrenda que não poderia mais acontecer na madrugada pura do arrabalde...

COMPOSIÇÃO DE CARNAVAL
Marques Rebelo

O carioca — de nascimento e de temática — Marques Rebelo (1907-1973) deixou uma obra identificada com a vida da cidade na primeira metade do século XX. No seu romance de estreia, Marafa, *são ricos os registros do Carnaval carioca; em* A estrela sobe, *ele capta um momento da era do rádio. Suas histórias curtas estão coletadas em* Contos reunidos *(Nova Fronteira, 2002). Marques Rebelo ficou na nossa literatura "como a confluência harmoniosa destas três vertentes: Manuel Antônio de Almeida, Machado de Assis e Lima Barreto", nas palavras de Josué Montello, e não por acaso seus antecessores também marcam presença na nossa antologia. Quanto ao conto que aqui se vai ler, ele é revelador do mundo musical do subúrbio carioca, nos anos 1940, 1950, e gira em torno da festa. "Composição de Carnaval" mostra um singelo desfile de corso, com os carros em fila, andando lentamente, cheios de* coquetteries *e* flirts, *as colombinas e os pierrôs de então. E as respectivas músicas. Quais músicas? Por ordem de entrada em cena: "Ai, seu Mé", de Freire Jr., 1921, com uma letra que satiriza o presidente Arthur Bernardes, gravação de Bahiano para a Casa Edison; e "Pé de anjo", de Sinhô, gravação de Francisco Alves para a Odeon/Discos Populares, 1919. Muita animação singela e inocente. Confete nele, leitores!*

Maria Rosa ficava no fim da serpentina, cabelos deslumbrantes de alvoroço e dourado, bailarina azul, solitária sobre a capota descida do trepidante automóvel.

O corso rodava, vagaroso, com tripla fila, com amplas e seguidas paradas, entre alas de ditos e fantasias — havia corso, então, foi há tanto tempo que os automóveis ainda não eram fechados para os donos não sofrerem frio ou poeira e esconderem melhor seus mistérios de amor.

Em parábolas, as serpentinas cortavam o ar da avenida, desaguadouro dos foliões de todos os bairros, compacto manto feliz de narizes falsos, máscaras grotescas, vozes de falsete, cantos, rodopios, reco-recos.

A serpentina não findara. Maria Rosa recolheu no regaço de filó o rolo quase intacto; num gesto difícil, desajeitado, devolveu a fita amarela com o beijo na ponta que veio estalar no coração juvenil, e que ainda hoje ecoa com a mesma cor e fragrância na entrada de um outro Carnaval sem corso e sem serpentinas.

> *Ai, seu Mé! Ai, seu Mé!*
> *Lá no Palácio das Águias*
> *Olé!*
> *Nunca hás de pôr o pé!*

Das sacadas pejadas de gente tombava o confete, gotas multicores de papel, que escondiam o chão; o céu ameaçador para os lados do mar estremecia de relâmpagos; o calor como onda misturada de éter perfumado não diminuía o furor da alegria; e o chii dos lança-perfumes e os gritinhos nervosos das moças atingidas pelo friozinho folião e gentil.

A serpentina parecia inextinguível. No meio de mil outras, minha e amarela, ligava dois desejos fugazes por suas pontas frágeis. Novamente cortou o espaço a caminho do regaço azul. Parou ao meio, finda afinal, ficou vibrando no ar como desesperada bandeira compridíssima. Ah! abriu a boca pintadíssima — outra! outra!

Voou ao maravilhoso apelo a serpentina azul, que se confundiu no saiote da bailarina por três dias e as pernas alvas cerraram-se para contê-la.

Vem serpentina azul, vai serpentina vermelha, os estandartes improvisados requebram no meio do povaréu, os trombones usam toda a voz, os pandeiros, os chocalhos, os instrumentos improvisados com latas e caixas de charuto atordoam, todas as bocas, milhares de bocas sabem de repente a mesma canção, um único ritmo como que sacode a avenida de ponta a ponta, e Maria Rosa canta também e sacode-se, bamboleia, bate palmas, mexe com os desconhecidos e segura-se medrosa aos ferros da capota, quando o carro dá um arranco para parar dois metros adiante.

Ai, seu Mé! Ai, seu Mé!
Lá no Palácio das Águias
Olé!
Nunca hás de pôr o pé!

Maria Rosa tem pouca direção nos seus golpes — a serpentina verde passa longe do meu alcance, a violeta bate no para-brisa, a branca atreve-se a deslizar pelo grande bigode do chofer ao meu lado; quantas se perdem pelo chão, escondendo-se no tapete de confetes, esmagadas pelos pés dos mascarados e pelas rodas dos carros!

Mas mesmo assim os nossos carros vão se unindo na trama rápida e enamorada das fitas de papel — sou rico de serpentinas, de entusiasmo, de desejo. Os pierrôs que a acompanham — três de preto, imensas golas escarlates de tarlatana e guizos — vivem o seu momento carnavalesco em pé no automóvel. Do meu lado os companheiros têm olhos para outros acontecimentos. E estamos como que sós no meio da desordenada batalha e os carros chegaram a ficar tão juntos que nos falamos.

Debrucei-me no para-brisa:

— Como é o seu nome?

Passa o caminhão de crianças e girassóis, como um imenso caramanchão, num alarido:

O povo só quer a goiabada
campista.
Rolinha desista,
Abaixe essa crista...

Insisti:

— Como é o seu nome?

Apurou o ouvido:

— Quê?

— Como é o seu nome? — E o chofer me olhava de soslaio. Trazia a boca pintada em forma de coração:

— Meu nome? Para que saber?
Atrevidíssimo, delirante:
— Porque gostei de você.
Tão brejeira:
— Oh!

Os carros arrancam em estampidos e fumaça, o liame de serpentinas resiste ao retesamento, os relâmpagos amiúdam-se, se escurece não é só a tarde, é a tempestade de verão que vem e é preciso aproveitar todos os minutos.

— Não quer dizer?
Fazia trejeitos: que não.
— Por quê?

Jogou mais serpentinas, soprou uma corneta de papelão, cochichou com os três pierrôs. De braço com um dominó, a caveira passa com a curva foice arrepiando os medrosos — sai, azar! O urso sacode o corpanzil de saco de aniagem — se acendessem um fósforo era uma vez um folião! Uma velha canção brota de todas as almas:

Ó pé de anjo!
Ó pé de anjo!
És rezador, és rezador,
Tens um pé tão grande,
Que és capaz de pisar Nosso Senhor!

Aí eu já implorava:
— Não quer dizer?

Era linda! Os dentes miúdos como bagos de milho branco, manchas de sol ao longo dos braços trigueiros, o corpete tão justo que fazia uma marca no peito, o suor escorrendo pelas faces de carmim. A faísca serrou o céu. As primeiras gotas, enormes, estalaram, oh! rugiu a avenida inteira — chuva!

— Maria Rosa! — gritou ela no meio do oh! imenso e retumbante como trovão.

A chuva caiu como um sólido, fulminante, diluvial, batia no chão e levantava-se branca como vapor. Num átimo as sarjetas se encheram, os ralos entupidos de confetes e serpentinas afogadas. Em debandada o povo fugia para apinhados e precários abrigos.

O automóvel dela, destro, enfiou pela primeira rua. Ia encharcada já, acenando com o braço de sol. O nosso, por estupidez do chofer, continuou ainda, para fugir afinal por outra rua adiante.

O SAMBA NASCE, AGONIZA, MAS NÃO MORRE

O SAMBA
Magalhães de Azeredo

Às vezes as descobertas mais significativas surgem quase por acaso. Eu pesquisava para um outro trabalho, referente ao conto brasileiro, quando me deparei com o título de um conto: "O samba". A duras penas (pois ele fora publicado em 1900, e nunca mais reeditado), com o texto em mãos, logo deduzi que se tratava, mais do que um texto literário, mesmo que antigo quanto à sua concepção e linguagem, de uma espécie de documento etnográfico sobre a origem do samba. (Aliás, pela primeira vez a palavra "samba" era usada, e ainda alçada a título, em literatura, pelo menos no Brasil. Bem antes do moçambicano Castro Soromenho, já nos anos 1940, 1950, dar o mesmo título a um conto seu.) Cessa tudo o que os especialistas antigos discutiam, sobre se o nosso ritmo nasceu aqui ou ali, na Bahia ou no Rio de Janeiro: este registro de Magalhães de Azeredo prova que o samba nasceu na senzala. Aos grilhões da escravidão reagiam nossos negros com o canto-lamento-grito da música. Era o batuque. A origem do samba não se prende a discussões geográficas, mas sim culturais, no sentido antropológico da palavra. "O samba", do hoje esquecido Azeredo (ele foi da Academia Brasileira de Letras), é essencialmente um conto sobre (contra) a escravidão. O samba aparece como um lamento ao fundo — e o próprio conto tem uma espécie de refrão musical, como se verá. E esse detalhe liga esta história curta, pelo menos na origem do samba (e vamos ter em conta que foi publicada em 1900 — e com certeza escrita bem antes), indissoluvelmente à nossa história. "Pois o samba nasceu lá na Bahia", cantada por Vinicius e Baden, era só uma licença poética. E a favela carioca chegaria anos depois da Abolição, muito mais tarde (depois da revolta de Canudos, para ser preciso). O samba nasceu mesmo de um episódio da história do Brasil: dos batuques dos escravos, da dor da senzala, da tragédia da escravidão. No mínimo uns trinta anos antes do "surgimento" dos velhos sambistas do Estácio, quando, aí sim, o samba se modificou, inclusive com a entrada de novos instrumentos, como o surdo, e ficou mais próximo do que hoje se entende por samba. É o que este relato "O samba" nos diz, nas entrelinhas ou nos intervalos do batuque. Além da semelhança semântica — a palavra "samba" na época da escravidão não seria a mesma de quando a música se consolida na praça Onze e na época de Ismael Silva e Noel Rosa —, este conto de 1900 de alguma forma (bem antes dos especialistas?) registra o nascimento do samba.

Noite de são-joão — noite fria de junho. Brando é o vento, mas álgido, no descampado e na mata; as estrelas tiritam no céu escuro, que a incipiente garoa vai velando; e em placas brancas, apenas perceptíveis nas trevas, se coagula, sobre as pastagens de relva gomosa, a geada sutil. Do terreiro da fazenda, alumiado a lanternas multicores, sobem até as estrelas as músicas dengosas, os rouquenhos rufos, as cantilenas arrastadas e trêmulas do samba.

São desertas as senzalas; o cafezal é deserto. Hoje a enxada e a cavadeira jazem em repouso; em repouso dormem as terras do campo e as rodas do engenho. É a noite de são-joão, noite fria de junho, noite de folga para os pobres cativos.

No largo terreiro, eles estão todos, formando um grande círculo, onde avultam a espaços pequenos grupos mais compactos. Uns ficam sentados, curvo o dorso, a cabeça baixa, os braços pendentes entre os joelhos; com a vista acompanham os movimentos colubrinos da dança, e sorriem; mas que fadiga profunda há nesse sorriso, e que dolorosa humildade hereditária nesses olhos úmidos, tímidos! Outros — são os mais jovens, ainda a canga da servidão lhes não pôs nos ombros a curva indelével — palram voluvelmente, na sua linguagem rudimentar, chamam em voz alta os companheiros que estão longe, dizem graças picantes às mulatas que lhes passam ao pé, no revolutear do baile ao ar livre...

As mulatas mais viçosas, mais gráceis e flexíveis trajam hoje vestidos de festa; são de chita, de cassa, às riscas vermelhas, roxas, azuis; bem colados ao corpo, modelando-lhes com provocante relevo as formas flexuosas, serpentinas de delgadez, felinas de agilidade. Nos crespos cabelos laboriosamente penteados, elas trazem flores do campo, que os movimentos da dança já desfolharam a meio; as contas de coral rubro e de miçanga variegada, de envolta com amuletos e fetiches, lhes reluzem sobre os colos roliços, no largo decote das camisinhas de renda.

Os polpudos lábios violáceos se entreabrem num ofegar de volúpia primitiva; e a pele morena como casca de sapoti, as feições grossas, mas inteligentes e bondosas, parecem eliminadas pelas pupilas candentes, a um tempo inquietas e lânguidas, sem altivez nem desdém, mas poderosas na submissão, carregadas de sortilégio, cheias desse magnetismo sensual que torna perigosas as mulheres mestiças...

Vede como dançam, vede! Como se dobram, como se requebram! parecem cobras, capazes de envencilhar uma criatura nas suas roscas vibráteis. Que elasticidade de molas têm as cinturas finas entre os seios fortes e os amplos quadris! E que sapateado sonoro! — Os pés miúdos, a que os chinelinhos de couro mal apertam a ponta, erguem-se e abaixam-se como se tivessem asas, fazendo estalar no chão a sola e o salto.

Noite de são-joão — noite fria de junho — noite quente de amor.

É aí, ao acaso dos giros do samba, em recantos favorecidos pela escuridão, que as falas entre namorados e namoradas são doces, doces como caldo de cana, e ardentes como um meio-dia de verão tropical. Falas e beliscões e beijos — rogos ingenuamente atrevidos, promessas que se cumprem depressa — à mercê da natureza inculta, que outra lei não conhecem esses pobres entes, nascidos na senzala como animais no sertão, nem outro caminho se lhes abre para escapar — tão raras vezes! — à masmorra caliginosa em que a escravidão os encerra. Ninguém repara quando um par deixa o samba e desaparece nas sombras. E em torno do baile os aplausos ressoam, cálidos, entusiasmados, e as exclamações cabalísticas dos bárbaros dialetos africanos se repetem monotonamente, e as cantilenas arrastadas e trêmulas prosseguem, e os rouquenhos rufos do tambor dominam todos os confusos rumores.

Entretanto, crepitam as fogueiras acesas no terreiro; as mulatas, bailando, passam rente delas, e esquivam o corpo com graça, para não chamuscar as fímbrias dos vestidos.

As garrafas de parati andam de mão em mão, emborcadas com regalo; a fumarada acre e espessa dos cachimbos se condensa em nuvens sobre as cabeças encarapinhadas dos negros. O senhor mandou hoje distribuir generosamente cachaça e tabaco. O senhor de agora é bom e humano; a hora da justiça soou há muito para o algoz antigo; Deus o puniu pelas suas maldades de demônio obsceno e sanguinário. Ele ficou pobre; teve de entregar a fazenda; e dizem que na miséria se vai finando lentamente, triturado por uma doença hedionda... Os tempos estão mudados. O braço do feitor já não cria músculos de aço a zargunchar costas de negro com o bacalhau sibilante...

Que precioso tabaco! E a cachaça ainda é melhor...

Tais favores ninguém os sabe gozar como os *tios* octogenários, de cabelos enfarinhados pela velhice, de faces onde as rugas muito puxadas põem ríctus de Mefistófeles sem malícia. Como bebem pausadamente, trago a trago — como fumam, com religiosa gravidade absortos nas suas recordações! Sofreram tanto, e tão vários infortúnios, na longa existência... Agora este sossego lhes é duplamente caro.

Muitos outros, companheiros de pena, viram morrer, muitos outros, mais velhos e mais moços que elas, trabalhadores válidos, adolescentes álacres, mães carregadas de prole, raparigas franzinas e graciosas, coitadinhas! estes de doença, aqueles de maus-tratos. Elas mesmas não sabem como estão vivos e as figuras dos defuntos lhes voltam à imaginação; como que elas as veem passar e lhes escutam a voz...

Ah! pobre gente! É que na noite de são-joão, noite fria de junho, noite misteriosa de encantamentos e assombramentos, os escravos finados voltam à terra; os libertos da eternidade vêm visitar os seus irmãos que ainda arrastam pelas asperezas de um solo ingrato os lúgubres ferros do cativeiro.

— Ai uê! ai uê! O samba nosso é bem de Deus!

Uma voz trêmula e cansada murmura no ar: "Os urubus de minhas carnes se nutriram; as antas e as onças espalharam meus ossos pela poeira; o vento levou minhas cinzas e as dispersou pelo descampado. Eu era velho, era fraco, e doente; não podia acompanhar a leva dos escravos; abandonaram-me no meio da estrada, e lá morri à fome..."

— Ai uê! ai uê! O samba nosso é bem de Deus!

Uma voz flébil de mulher suspira: "A meus peitos criei o filho do senhor; por ele, meu próprio filho tinha em meu afeto o segundo lugar. Dei-lhe o melhor do meu leite, o melhor do meu coração. Guiado por minhas mãos, nos meus braços amparado, aprendeu a andar; e quantas cantigas lhe ensinei, e quanta oração a Nossa Senhora! Ah! como eu lhe queria bem — com que gosto o via crescer, tão louro e claro, tão rosado e forte! Em pequeno me chamava a *mamãe negra*. Depois ficou rapaz, ficou grande, nem mais olhava para mim. E de que me queixo? triste escrava, que tinha eu de comum com o filho dos brancos? Cala a boca, anda! Que outro destino havias de ter senão servir sem paga, adorar sem recompensa? Ah! meu rico ioiozinho! Quem hoje lhe vai falar da *mamãe negra*? Nem uma ave-maria reza por ela! nem se lembra mais da pobre cativa..."

— Ai uê! ai uê! O samba nosso é bem de Deus!

E outra voz feminina, doce, melíflua, e molhada de lágrimas: "Eu, desgraçada, a que alturas levantei o meu desejo! A sorte me puniu cruamente — dessa culpa que não era minha, ou não era culpa! Eu fui Marcela, a mais linda e graciosa mucama destes sítios — vocês se lembram de mim? Mucama de estimação, nascida e criada entre os brancos, perdida de mimos, mãos macias, jeitosas na costura e no bordado, ouvidos acostumados a palavras de doçura... As companheiras me invejavam — nunca fui má nem soberba —, me invejavam, porque feliz me viram... poucos anos; e quando eu fiquei infeliz, mais infeliz que qualquer delas, nenhuma teve pena. Ai! nunca tivesse eu respirado aqueles ares de sala e jardim; nunca meus pés tivessem pisado senão o ladrilho da senzala, a terra áspera do cafezal! Ai! Sinhô-moço, sinhô--moço! que sua maldade me desgraçou! Quem havia de dizer? Esse sinhô-moço que quando vinha do colégio, nas férias, menino de dez, de 11 anos, só queria ver Marcela, brincar com Marcela, no terreiro e no mato, no coradouro e no tanque — e era Marcela para cá, Marcela para lá... E foi crescendo, e era sempre o mesmo rapaz alegre e caçoador, valente e sem medo de nada, amigo de montar em pelo cavalos bravos, de caçar cotias e pacas, travesso e barulhento como o diabo — um diabo tão lindo, tão lindo! E depois andava já na academia — uma vez quando voltou, tinha bigodes, estava um homem-feito, e ainda assim me procurava, não já para brincar pelo campo fora, mas para conversar comigo muitas horas, e dizer-me coisas que me entonteciam.

"E eu então fugia, eu me esquivava, porque via bem que já não era a mesma coisa. Porque nem ele era mais criança, nem eu... porque ele me achava bonita, e quando me olhava fito com olhos que pareciam querer-me engolir, eu sentia nas entranhas como um fogo que as derretia. Uma vez, de tardinha, eu cosia só na varanda; ele chegou perto de mim, espreitou em roda para ver se havia alguém, e me disse baixinho, com voz sufocada: — Marcela, há três noites seguidas que sonho com você. Você alguma vez sonhou comigo? — Eu tremia toda, a tal ponto que a costura me caiu das mãos. E nada respondi. Mas no meu coração pensava: — Quantas vezes! quantas vezes! — E ele: — Você é uma ingrata, não faz caso de mim, e eu só vivo pensando em você! — Não sei o que eu disse, então, não sei o que ele disse depois... Mas, no escuro já, chegou-se para mim, a sua boca buscou a minha, e eu, sem atinar com o que fazia, o apertei nos meus braços, muito, muito. Nessa noite, bem tarde, ele veio me procurar. Eu não resisti — ele jurava que me havia de querer sempre. Eu era uma inocente, não imaginei que ele pudesse mentir. Mas no dia seguinte acordei mulher, sabendo amar, amando-o com um frenesi de pessoa doente. Ah! como fui feliz nos dois meses que sinhô-moço ainda ficou na fazenda, como fui feliz mesmo depois que ele foi-se embora, acreditando no seu juramento sempre repetido... até o dia em que a gente toda soube que ele ia se casar com uma moça rica da cidade! Ia se casar... e eu já trazia em mim um filho dele!

"Nunca mais pude dormir; comecei a emagrecer; passava as noites chorando e estorcendo-me na cama; de dia, me escondia para chorar... porque as outras, tendo descoberto o meu segredo, fartavam em mim a sua ruim inveja. E riam no terreiro e no tanque, quando eu passava, e diziam: — Olha a mulatinha tola, que pensa agora que o sinhô-moço havia de casar com ela! Fresca noiva! Enquanto é só beijo e o resto, muito bem; para que é que você nasceu bonita senão para o gosto do branco? Mas tinha graça um casamento assim... Ora já se viu!... — Ah! não, minha gente, ah! não! Eu também sou filha de Deus! Se o branco tem coração no peito, o meu peito não é vazio; se o branco achou que eu não merecia o seu amor, por que se abaixou até mim? por que me procurou? por que mentiu? Sim, o branco mentiu! — Assim eu pensava, estalando de raiva; mas logo confessava, chorando: — Vocês têm razão; para que é que eu nasci bonita senão para o gosto do branco? Desde então não falei mais, até a manhã em que sinhô-moço voltou à fazenda, trazendo a mulher, e me mostrou a ela, dizendo com ar distraído: — Como vai, Marcela? — Então foi preciso apertar, morder os beiços para não falar, para não gritar na cara dele:

"— Esta é a sua mulher, a siá dona rica, vestida de seda, carregada de joias? Ah! ah! pois que vale ela ao pé de mim, com todo o seu dinheiro? Feia, feia, e sem graça — e eu sou bonita, eu tenho jeito de princesa, e ela tem jeito de mucama! — Isso era o que eu na alma tinha, mas calei-me. Uma coisa esquisita, uma espécie de doidice tomou conta de mim; fugi para o mato, andei à toa o dia inteiro, e de noite me atirei ao rio... Depois pescaram o meu corpo; ele trazia em si a pobre criancinha, o filho do meu amor, que — feliz dele — não chegou a nascer!..."

— Ai uê! ai uê! O samba nosso é bem de Deus! Uma voz fanhosa e sinistra diz cachinando:

"Eu sou o velho Mathias, o feiticeiro, de que vocês tinham medo como do diabo. Eu sabia preparar beberagens malignas, cozimentos que faziam dormir e pós que faziam morrer... Agora estou pagando; ardo sem descanso como tição, chiando, chiando, numa fogueira, que Satanás atiça com um fole enorme de sete bocas... Fui eu que dei aquele chá de raízes ao dono da fazenda vizinha; ele estava doente, mandou-me chamar porque eu tinha fama de curandeiro. Sinhô andava de teiró com ele, por umas brigas de terra e de gado. Sinhô me disse, antes de eu ir lá: — Mathias, despacha o homem com arte, que eu te forro... — O homem acabou em dois meses, mirradinho, sequinho, sem ninguém desconfiar — trabalho limpo deveras! —, mas sinhô não me forrou...

"Fui eu que botei mandinga na água que o feitor bebeu; o feitor Ambrósio, caboclo bravo também, de carranca fechada e alma danada, ruim como sinhô, ou pior; o grande gosto dele era surrar, surrar com relho a carne dos negros até espirrar sangue grosso; e isso não lhe faltava muitas vezes na semana. Ele e sinhô se entendiam bem; gênios iguais! Mas um dia brigaram a ferro e fogo, por causa de uma pardinha mimosa, que ambos queriam.

"O feitor foi mais esperto, soube engambelar a Joaninha; quando sinhô deu fé, era coisa sem remédio — e sinhô não perdoava um atrevimento assim; estava bufando de raiva e de ódio. Como não mandou agarrar o feitor e acabar com ele a bacalhau? Não vê! Sinhô a modo que tinha medo dele. Por quê, não sei, mas tinha medo. Então foi falar comigo de noite, no rancho de palha em que eu morava, no meio do campo. — Quero-me livrar de Ambrosio, Mathias. Arranja um feitiço, Mathias; mas daqueles finos, que abrem a cova depressa. Depois de amanhã, Mathias, quero o feitor com velas em roda...

"— Eh! eh! Sinhô! não tenha cuidado. Mathias sabe o que faz. — Eu estava contente, contente; parecia que um macaquinho azul pulava e guinchava no meu peito.

"— Espera, caboclo do inferno! — dizia, esfregando as mãos. — Agora me vais pagar as sovas que me pregaste! Ainda na véspera, por uma história de nada, uma moringa de barro que eu tinha deixado cair, quanta bofetada, quanto soco no lombo!... O feitor lá se foi. Sinhô queria envenenar também a pequena. Eu tive dó dela — tão novinha, tão bonitinha! Disse a sinhô:

— Coitada! Perdoe a pobre que não tem culpa nenhuma... e fique com ela. Joaninha vale a pena, sinhô! — Sinhô riu, deu-me uma palmada no ombro: — Manda Joaninha aqui, Mathias..."

— Ai uê! ai uê! O samba nosso é bem de Deus! Uma voz dura e rouca se levanta:

"Eu saí do mundo com o peso de um crime. Sou réu. Fui eu que assassinei o irmão de sinhô, Ildefonso Delegado, que tinha o apelido de Esfola-Pretos, porque, numa revolta de escravos, fez arrancar a pele aos chefes do motim. Sim, eu trago na alma o sangue de um cristão.

"Mas vejam, gentes, vejam por que foi. Sinhô estava na cidade. O Esfola-Pretos veio tomar conta da fazenda; era da mesma raça do irmão, judeu perverso! Em trabalhos e castigos não havia diferença nenhuma; e tudo marchava direitinho, como quando assistia sinhô. Ora, minha mãe estava muito velhinha e doente — quase entrevada, só podia, sentada na porta da senzala, entrançar samburás de cipó e chapéus de palha grossa com as mãozinhas secas, que tremiam.

"De que havia de se lembrar Ildefonso Delegado? De mandar minha mãe carregar sacas de café, sacas de muitas arrobas, que um cabra forte custa a levantar do chão. A pobre da velhinha sabia que o Esfola--Pretos não dizia a mesma coisa duas vezes, e com ele não se reinava. Lá foi, coitadinha! sem respingar, arrastando as pernas que não queriam andar, e com todo o fôlego que tinha puxou uma saca, puxou, puxou, mas a saca não se mexia. O malvado ria, ria de gosto só, e o feitor, que estava com ele, também ria. Eu, que tinha vindo espiar, já com o coração que me saltava dentro e me subia até as goelas, cheguei perto dela, disse: — Deixa, mamãe, deixa que eu vou ajudar vancê. — O Esfola-Pretos virou-se para mim, furioso, batendo no ar com a bengala: — Quem te chamou aqui, crioulo atrevido? Já para trás, diabo! É essa bruxa tonta que há de carregar a saca! — E como minha mãe não podia, mandou ali mesmo, só por capricho, dar de chicote nela. Com meus olhos vi o couro estalar, com meus ouvidos escutei seu choro... Não disse nada. Saí de carreira, entrei no paiol, despeguei da parede uma espingarda, reparei se estava carregada e se tudo ia bem. Quando voltei com ela, o Esfola-Pretos estava no terreiro, passeando muito sossegado. Era de tardinha... Assim que eu enfrentei com ele, uma coruja, passando depressa como um pé de vento diante de mim, soltou uma gargalhada de agouro. Eu pensei: — Chegou a tua hora, malvado! — E, cara a cara com ele, apontei a espingarda. Ele, pálido, pálido, só pôde cobrir a testa com o braço; nem gritou. Num instante, caiu morto. Com o barulho dos tiros, acudiu toda a gente da casa; fui preso, sentenciado, enforcado... Que me importava? Fiz bem ou fiz mal?..."

— Ai uê! ai uê! O samba nosso é bem de Deus! E geme uma voz lamentosa:

"Relho e tronco! Tronco e salmoura! Canga no pescoço, algemas nos pulsos e nas pernas! Sede sem água, dor sem consolo; pele rasgada, feridas roxas; carnes vivas caindo aos pedaços, e os bichos da terra juntando-se nelas — que formigueiro! Foi assim que eu morri — e até agora não sei por quê..."

— Ai uê! ai uê! O samba nosso é bem de Deus!

E soam juntas muitas vozes femininas, vozes plangentes mas vigorosas, altas, de profundas vibrações, como a das cascatas que rompem dos flancos da serra e se despenham em espadanas pelas rochas abruptas, como a das nuvens que se abalroam tonitruando, iluminam o espaço com relâmpagos de ameaça — e se resolvem, chorando, em chuva... Assim se exprimiria uma força da Natureza, que sofresse:

"Da África ardente, dos adustos areais, das selvas povoadas de fantásticas bestas, nos trouxeram por sobre as ondas do mar, no fundo dos porões escuros, onde sol nem ar não entravam nunca. Lá nós vivíamos — ó mocidade! ó liberdade! — em nossas cabanas antigas de cipó e folhagem, na orla de um bosque, no remanso dourado de uma praia, ou à margem de um daqueles volumosos e revoltos rios, que os caimás e hipopótamos frequentam. Enquanto os homens iam à caça e à pesca, ou, brandindo clavas, e urrando como feras, se arrojavam em cólera contra vizinhas tribos provocadoras, nós, ainda virgens ou de pouco mulheres, ficávamos tranquilas ao pé das velhas mães e das crianças joviais, atendendo aos trabalhos domésticos ou acordando os nossos cantos antigos com o sussurro da mata e o balbuciar confuso das águas. E quando os homens voltavam, carregados de presa e despojos, contando lutas com jaguares e combates de extermínio com os negros inimigos, tínhamos festas de muitos dias e muitas noites, rezando, dançando, bebendo, ao redor dos fetiches protetores.

"Mas uma manhã, olhando para o mar, vimos chegar por cima dele umas embarcações grandes e extraordinárias, maiores muitas vezes que as nossas pirogas feitas de cascas de árvores; tinham asas a modo de enormes pássaros, asas abertas e claras, que o vento, assobiando, enfunava. E delas desceram, vindo a nós, homens brancos, belos de rosto, ágeis e astutos, falando uma língua desconhecida e suave, sorrindo com as mãos cheias de presentes. A curiosidade de saber quem eram e a que vinham nos juntou em grupos ao redor deles; nós não entendíamos as suas palavras doces, mas nossos olhos se arregalavam de cobiça diante dos trajes finos, das armas polidas, que estouravam e davam fogo como o raio, dos colares, das pulseiras de vidros azuis e vermelhos, dos espelhinhos, dos lenços de cores vistosas, que eles sem contar nos ofereciam. Todos nós, velhos e moços, homens fortes e raparigas de casar, todos éramos crianças mirando aquelas riquezas que nunca tínhamos sonhado — nós que tantas vezes colhíamos nos riachos pepitas de ouro bruto, e sacudíamos do caminho com a ponta do pé um diamante, como se fosse pedrinha sem valor!... Então, os homens brancos, percebendo que já estávamos seduzidos, nos convidaram por sinais para irmos com eles, nas canoas, visitar os navios de asas abertas e claras, que o vento, assobiando, enfunava. E com o gesto nos gabavam as maravilhas que lá encontraríamos; os canhões, batidos do sol, brilhavam com riscas brancas nas costas, e as bandeiras, encolhendo-se e desfraldando-se na aragem fresca, pareciam estar-nos chamando...

"Alguns, desconfiados, fugiram caladinhos para o mato... esses foram ajuizados e felizes! Nós entramos nas canoas, em grande aperto e inaudita algazarra, rindo e cantando ao compasso dos remos, vendo girar as gaivotas e saltar fora da água os peixes-voadores; e quando nos aproximamos dos navios, nos pusemos a pular, a bater palmas de espanto e entusiasmo.

"Ai! assim que nos viram todos lá dentro, sem suspeita nem defesa, os homens brancos mudaram de voz e de cara. Os marujos brutos se atiraram contra nós, sacudindo trabucos e machadinhas; fomos agarrados, ligados de pulsos e tornozelos com cabos rijos e trancados nos porões, sem que nada valessem nossos gritos e soluços. E os navios começaram a jogar, e partiram logo. Adeus, África ardente, adustos areais, selvas povoadas de fantásticas bestas! cabanas antigas de cipó e folhagem, caça e pesca, batalhas e vitórias, festas de muitos dias e muitas noites ao redor dos fetiches protetores — adeus!...

"Apenas chegamos a terras do Brasil, para nós se abriu o mercado dos escravos. Éramos escravos nós, escravos! Ali nos juntaram em uma praça larga, arredondada, toda cercada de coqueiros; ali estávamos ainda amarrados, moles, estúpidos, e tão fracos da fome e da sede padecidas na viagem — muitos tinham morrido nela — que, se acaso um dos que vinham entrando para nos escolher e comprar nos empurrava, caíamos no chão sem resistência... E entravam muitos, muita gente vinha, e nos mirava, e nos apalpava, e nos abria a boca para ver os dentes, e nos mandava ficar de pé e andar...

"Que brancos de olhos maus, de má fala e maus modos! Nós tremíamos... eles conversavam, apontando-nos, com os que nos haviam trazido de lá, do nosso país, junto de uma grande mesa, onde estava sentado o chefe; a este davam dinheiro, e então nos faziam sair dos nossos bancos, aos lotes, e nos levavam consigo. Ah! não ia o marido com a mulher, a mãe com os seus pequenos; não! Cada qual na sua turma, estranhos com estranhos... e se chorávamos e nos abraçávamos com os nossos, os feitores perversos nos arrastavam, a murros, a bofetões e a chicotadas no lombo, de onde morno o sangue manava, misturando-se com o suor e a poeira, debaixo do sol de brasa. Íamos para a lavoura — para as fazendas e os engenhos, derrubar árvores, acender o fogo das queimadas, capinar a terra, plantar a cana, o café e o milho. Trabalhar sempre; trabalhar sempre. Salário, não; repouso, não. Repouso só na cova. Os homens, a trabalhar; nós, pobres mulheres, a trabalhar e a ter filhos, um depois do outro, para lucro do dono, porque criança é dinheiro... Ter filhos, ter filhos! Primeiro com o dono mesmo, que nos via moças e nos queria gozar, desde o mercado comendo-nos com a vista, e depravando-nos com carícias de javali em cio; mais tarde, com uns e com outros, negros de tribo inimiga, feitores e ajudantes de feitores, mascates que apareciam no sítio com o baú das quinquilharias, e pousavam uma noite... Sem escolher, sem amar... amar? amar é luxo de branco!... O que quisesse, o que viesse! Fomos nós, foram as nossas uniões que só não eram abjetas por serem de mártires, foram as dores cruas dos nossos partos inúmeros, que encheram de escravos sofredores e dedicados cidades e roças, espalhando a semente da raça perseguida pelas florestas bravias do norte e pelas pampas rasas e frias do sul. Lembrai-vos disso, vós que sois filhos nossos e filhos de nossos filhos — rezai por nós!"

— Ai uê! ai uê! O samba nosso é bem de Deus!

Agora, no sopro da brisa vêm ainda dois coros de vozes confusas, masculinas e rudes. São novas multidões que falam.

Dizem de um lado: "Nós fomos como soldados, mochila nas costas, espingarda ao ombro, para a Guerra do Paraguai, batalhar pela gente que nos maltratava contra outra gente que não nos tinha feito nada. Mas os oficiais de galões nos punhos nos diziam que era pelo Brasil, pelo Brasil, e esse nome que nós nem entendíamos bem, parecia que nos punha água nos olhos, e pólvora nas veias. E para diante! para diante!

"Avança, negrada! Que os oficiais eram valentes, eram; esse Osório, esse Caxias, esse Barroso, e outros assim? Oh! gentinha danada! Não era só gritar, não, era batalhar de verdade! Medo quê? Nem por sonho! As cornetas cantavam sem parar! E as espadas reluziam como relâmpagos, e as balas assobiavam como moleques vadios, e os canhões faziam um barulho de atordoar! E vinha por aí fora um tropel de cavalos, que a terra balançava; e vinha a infantaria cerrada, marchando — um, dois, um, dois —, que de longe tinha jeito de formigueiro, preto de tanta formiga! E era pelos brejos e pelas restingas, a gente a caminhar, de pé ou escorregando de gatinhas, com o facão preso entre os dentes; e quando apareciam os paraguaios feios, à unha! à unha! E sabiam se defender, os malvados! Não era povo de se brincar, não! Ai! que brigas com eles, que nem brigas de um bando de onças na mata virgem! Muitos companheiros nossos escaparam e ficaram livres; nós lá acabamos contentes, pensando na última hora que 'era pelo Brasil...'. E de longe escutávamos, morrendo, o hino da nação..."

    Dizem do outro lado: "Cansados de sofrer — tantos anos de cativeiro duro! — nos juntamos num grande bando, e, de noite escura, fugimos. Éramos vinte, quase tudo gente moça e forte, pronta para o que desse e viesse; os poucos velhos, com a ânsia de ir-se embora, andavam tão rijos e tão depressa como os rapazes; as mulheres, carregando às costas as crianças, amarradas com fachas, nos seguiam sem se cansar; e pelos caminhos estreitos da mata, onde não se encontrava alma viva, íamos cantando baixinho, como ladainha, as cantigas do nosso banzo... Fugíamos — para onde? Um dos nossos, carreiro da fazenda, negro de outras terras, nos guiava para um lugar do norte, onde, dizia ele, os pretos ficavam livres. Mas era tão longe, tão longe! E não podíamos andar pelas estradas largas; tínhamos de nos esconder, como os veados e as cotias, pelo meio das árvores; muita vez, os caminhos eram tão apertados, tanto cipó torcido se entrançava diante de nós, que precisávamos de horas e força de machados para abrir passagem. Estávamos todos armados; mas assim mesmo tremíamos de susto a cada instante; se ouvíamos um barulho de passos sobre as folhas secas, já pensávamos ver o feitor, com o capitão e os soldados que nos vinham caçar; ah! e se viessem, nossos facões e nossas garruchas talvez não nos servissem de nada; talvez nos deixássemos agarrar... o medo podia mais que nós, o medo tinha sido sempre a nossa lei. Nossas provisões tinham-se acabado em poucos dias, já nos sustentávamos de cocos e outras frutas bravas; às vezes custávamos a achar água; nos peitos das mulheres que criavam seus filhinhos, já o leite era ralo, e saía gota a gota. Mas não tínhamos ânimo de entrar em nenhuma fazenda próxima, porque decerto nos prenderiam...

"Numa ocasião, de madrugada, acordamos todos em sobressalto; um grande clarão alumiava o céu, um calor de forno enchia toda a mata, e por aqui, por ali, galhos estalavam, estouravam bambus, árvores balançavam como querendo cair. Os camaradas, que tinham ficado velando, gritavam roucos, com os olhos esgazeados: — Fogo! é fogo! — Fogo? Onde, desgraçados? É das fogueiras que a gente acendeu por causa das onças?

"— Não! não! vem de mais longe! — Ficamos quietos um instante, espiando, escutando. E nosso sangue esfriou todo, parecia que tínhamos um nó de corda na garganta, e que as nossas pernas não se podiam mexer; estávamos de boca aberta, estúpidos, como bois no matadouro... Porque de todos os lados ouvíamos um grande rumor, como de muita gente assobiando com força, e disparando espingardas, e arremedando os trovões no fundo das grutas de pedra — Uuh! uuh!... E era o fogo que vinha entrando pela mata, assando as ervinhas do chão, e subindo pelas árvores, e lascando a casca dos troncos, retorcendo os galhos, que se dobravam todos; já estava perto, já víamos as folhas, sentindo o calor, encolher-se, como torresmos na grelha da cozinha; e havia uma fumaceira escura, azeda, com cheiro forte de verniz, que entrava pelo nariz e pela boca e tapava a respiração... E nós ali como bobos, sem saber que fazer; quem há de acreditar? Até que um gritou: — Fugir, minha gente, fugir! que não há tempo a perder! — Então, sim, que nos sacudimos! Foi uma disparada louca, furiosa, uma pressa, uma confusão! Uns por cima dos outros, empurrando-nos, machucando-nos, dando tombos, por aqueles caminhos tão estreitos, enredados de cipós e trepadeiras, que nossas mãos, tremendo, não podiam romper; tão perdidos do juízo estávamos, que quase todos esquecíamos os machados e os facões amarrados na cintura; e os dedos se esfolavam nos espinhos, e se quebravam as unhas nos troncos duros. As mulheres se agarravam a nós berrando e gemendo, não nos deixavam fazer nada, pegando-

-se aos nossos braços, aos nossos joelhos; as criancinhas, assustadas, desatavam num choro de cortar o coração. — É por aqui! — e íamos todos de carreira; mas tínhamos de voltar para trás, porque o fogo nos fechava a saída.

"— É por ali! — E outra vez acontecia a mesma coisa: tínhamos de voltar ainda, resfolegando, suando em bicas, para buscar passagem por outro lado, e encontrar o fogo, só o fogo, sempre o fogo, que nos lambia e tostava a pele com as suas línguas de demônio.

"Então o vento começou a soprar, e foi pior; o incêndio aumentava, medonho; o sol já estava alto, e a fumaceira, subindo, subindo, carregada e escura, em nuvens, enchia todo o céu; e o sol ia ficando cada vez mais pequeno e mais vermelho, como um tição redondo. Por toda parte, no mato, eram só brasas que se viam, tal qual num forno aceso, onde os tijolos ardem por dentro e reluzem; e naquele clarão de labaredas, passavam vultos enormes, animais doidos de terror, macacos que se atiravam de ramo em ramo, javalis, caititus, pacas, onças, que pareciam ter três vezes o tamanho próprio. Passavam, numa corrida desesperada, num frenesi de raiva, iam, vinham, miando, guinchando, urrando, gemendo; e davam uivos de aflição, quando se queimavam nas labaredas; e nos ninhos, dentro das folhagens, chamuscadas já, os passarinhos piavam tristemente. Pelas cascas das árvores, rachadas com grande ruído, as resinas escorregavam e se endureciam logo, exalando um aroma forte.

"Mas já a fumaceira nos cegava, nos sufocava, já não víamos nem respirávamos; algumas das crianças não se moviam mais, rijas, frias; nós andávamos sem tino, como perdidos numa noite escura. Agitávamos os braços, arrancávamos os cabelos, cravávamos as unhas nas palmas das mãos até fazer sangue. Oh! desespero! Oh! desespero! Oh! a morte que vinha!... E veio, mas não sofremos tanto; a fumaceira nos tinha adormecido, como se estivéssemos bêbedos..."

Assim se queixam, desoladamente, as almas dos pobres cativos; e contam as suas histórias de amargura infinita. Mas as músicas dengosas, os rouquenhos rufos, as cantilenas arrastadas e trêmulas do samba lhes abafam os suspiros de além-túmulo.

E as dansas crescem, crescem as tagarelices e as risadas, apesar da garoa fina, cuja umidade penetra até os ossos, apesar da geada que se estende em placas brancas sobre a erva dos campos — nessa noite de são-joão — noite fria de junho — noite quente de amor...

A MORTE DA PORTA-ESTANDARTE
Aníbal Machado

Otto Maria Carpeaux não conteve seu entusiasmo em relação à literatura de Aníbal Machado (1894-1964): "Um dos melhores contistas do século [XX]." Difícil encontrar antologia de nossas melhores histórias curtas que não contenha no mínimo um conto desse mineiro-carioca. E em especial "A morte da porta-estandarte", que é certamente (já que começamos com essa história do melhor e do maior) nosso conto definitivo tendo o Carnaval como tema. Portanto, embora publicado em muitas outras antologias, aqui está ele na antologia certa, ou pelo menos na mais adequada. O plot é um crime — no coração da festa, a tragédia — e tudo o mais é Carnaval: o cenário, o tom, o som, o ritmo, o povo, o desfile, a ação, enfim — e a música. Aliás, por ordem de entrada em cena, são as seguintes as músicas citadas pelo autor: "Agora é cinza", de Bide e Marçal, de 1943, gravada por Mário Reis; "Maria Rosa", de Nássara, também de 1933, gravada por Francisco Alves; e finalmente "Foi ela", de Ary Barroso, de 1934, gravada pelo mesmo Francisco Alves. Mas para ouvir a música do estilo de Aníbal Machado, aconselha-se a leitura de A morte da porta-estandarte e outras histórias, *além de* João Ternura *e* Cadernos de João. *Para entender por que Aníbal foi considerado "um mestre do absurdo lírico" (Antonio Candido) e "um mágico não sindicalizado" (Drummond). E conferir e confirmar se o mestre Carpeaux tinha razão.*

Que adianta ao negro ficar olhando para as bandas do Mangue ou para os lados da Central?

Madureira é longe e a amada só pela madrugada entrará na praça, à frente do seu cordão.

O que o está torturando é a ideia de que a presença dela deixará a todos de cabeça virada, e será a hora culminante da noite.

Se o negro soubesse que luz sinistra estão destilando seus olhos e deixando escapar como as primeiras fumaças pelas frestas de uma casa onde o incêndio apenas começou!...

Todos percebem que ele está desassossegado, que uma paixão o está queimando por dentro. Mas só pelo olhar se pode ler na alma dele, porque, em tudo mais, o preto se conserva misterioso, fechado em sua própria pele, como numa caixa de ébano.

Por que não se incorporou ao seu bloco? E por que não está dançando? Há pouco não passou uma morena que o puxou pelo braço, convidando-o? Era a rapariga do momento, devia tê-la seguido... Ah, negro, não deixes a alegria morrer... É a imagem da outra que não tira do pensamento, que não lhe deixa ver mais nada. Afinal, a outra não lhe pertence ainda, pertence ao seu cordão; não devia proibi-la de sair. Pois ela já não lhe dera todas as provas? Que tenha um pouco de paciência: aquele corpo já lhe foi prometido, será dele mais tarde...

Andar na praça assim, todos desconfiam... Quanto mais agora, que estão tocando o seu samba... Está sombrio, inquieto, sem ouvir a sua música, na obsessão de que a amada pode ser de outrem, se abraçar com outro... O negro não tem razão. Os navais não são mais fortes que ele, nem os estivadores... Nem há nenhum tão alinhado. E Rosinha gosta é dele, se reserva para ele. Será medo do vestido com que ela deve sair hoje, aquele vestido em que fica maravilhosa, "rainha da cabeça aos pés"? Sua agonia vem da certeza de que é impossível que alguém possa olhar para Rosinha sem se apaixonar. E nem de longe admite que ela queira repartir o amor.

O negro fica triste.

E está até amedrontado com as ameaças da noite, com essa praça Onze que cresce numa preamar louca.

A praça transbordava. Dos afluentes que vinham enchê-la, eram os do norte da cidade e os que vinham dos morros que traziam maior caudal de gente. O céu baixo absorvia as vozes dos cantos e o som em fusão de centenas de pandeiros, de cuícas gemendo e de tamborins metralhando. O negro, indiferente à alegria dos outros, estava com o coração batendo, à espera. Só depois que Rosinha chegasse, começaria o Carnaval. O grito dos clarins lhe produz um estremecimento nos músculos e um estado de nostalgia vaga, de heroísmo sem aplicação. Ó praça Onze, ardente e tenebrosa, haverá ponto no Brasil em que, por esta noite sem fim, haja mais vida explodindo, mais movimento e tumulto humano, do que nesse aquário reboante e multicor em que as casas, as pontes, as árvores, os postes parecem tremer e dançar em conivência com as criaturas e a convite de um Deus obscuro que convocou a todos pela voz desse clarim de fim do mundo?...

A praça inteira está cantando, tremendo. O corpo de Rosinha não tardaria a boiar sobre ela como uma pétala. O povo dá passagem aos blocos que abrem esteiras na multidão, entre apertos e gritos.

— Isso não é assim à beça, Jerônimo! Cuidado com essa aí! É virgem...

Rompem novos cantos. Os Destemidos de Quintino, os Endiabrados de Ramos estão desfilando. Há correria do povo para ver. Os companheiros se separam, as filhas perdem-se das mães, as crianças se extraviam. Acima das vagas humanas os estandartes palpitam como velas. E é pela ondulação dessas flâmulas que os que não podem se aproximar deduzem os movimentos das porta-estandartes.

Não se vê o corpo delas, vê-se-lhes o ritmo dos passos no pano alto. Mas era como se fossem vistas de corpo inteiro, tão fiel a imagem delas na agitação das bandeiras.

— Oh, aquela lá, que colosso!... É pena não se poder vê-la; mas é mulata, te garanto...

— Ih, como deve estar dançando aquela do outro lado!... Dezoito anos com certeza... Coxas firmes... Meio maluca...

— A que está empunhando o estandarte que vem vindo aí é que deve ser do outro mundo. Preta com certeza... Veja só como a bandeira se agita, como a bandeira samba com ela...

— Pelo frenesi, a gente conhece logo.

Dezenas de estandartes pareciam falar, transmitiam mensagens ardentes, sacudiam-se, giravam, paravam, desfalecendo, reclinavam-se para beijar, fugiam...

— Imagino como estão tremelicando os seios daquela, lá longe; aquela diaba deve estar suando... Eta gostosura de raça!

— Cala a boca, Jerônimo... Você acaba apanhando...

Os cordões se entrecruzam, baralham-se os cantos. Vem crescendo agora um baticum medonho de tambores. Um bloco formidável se anuncia. O negro amoroso interpreta os sinais semafóricos do estandarte que está entrando pelo lado da praça da República. O negro fura a massa, coloca a sua figura enorme em situação de poder ficar bem perto. Apura o ouvido para saber se é o canto do seu cordão. A barulheira é grande. Algumas notas são do hino... Sente um arrepio. Ela virá com aquele vestido? Se entristece mais, à medida que a mulata se vem aproximando numa onda de glória, entre alas do povo.

Se quiser agora sair daquele lugar, já não poderá mais, se sente pregado ali. O gemido cavernoso de uma cuíca próxima ressoa-lhe fundo no coração.

— Cuíca de mau agouro, vai roncar no inferno... Será ela, meu Deus!...

O negro está tremendo. Mas não pode ser ela. Rosinha, quando aparece, ninguém resiste, é um alvoroço, uma admiração geral... Não vê que é assim... Até o ar fica diferente. E o estandarte que vem vindo é de veludo azul, tem a imagem de são Miguel entre estrelas e as insígnias do cordão. Ainda não é o bloco de Madureira.

O preto se enganou. Sente-se desoprimido. Foi melhor assim. Pensa em ir embora, desistir de tudo. No dia seguinte, na oficina do Engenho de Dentro, se sentirá leve ouvindo o batido das bigornas e o farfalhar das polias. Se os companheiros perguntarem por que não apareceu, dirá que esteve doente, que foi ao enterro de algum parente, de uma tia, por exemplo. Está mesmo disposto a voltar para casa. Que o tomem por decadente, se quiserem...

Se Rosinha desobedecer e vier à praça, não faz mal. Está também disposto a não se importar... Nem indagará se ela fez sucesso, se alguém mais se apaixonou por ela, se o Geraldo continuou com aquelas atenções, aquele safado. Amanhã, no trabalho, recomeçará a vida, será livre novamente. Rosinha que venha procurá-lo depois. Ele é homem e é forte. O que vale no homem é a vontade. Além disso, uma noite corre depressa. Enfiará a cabeça debaixo do travesseiro e a desgraça passará. Apelará para o sono. Já está até com vontade de dormir. Entretanto, não seria mal que caísse uma tempestade. Ao menos assim, Rosinha deixaria de vir à frente do cordão... Oh! como gostaria, como estava torcendo por um temporal que estragasse o vestido dela! Daqueles que inundam tudo, derrubam as casas, param os bondes e trazem uma desmoralização geral. No fundo está até com ódio do Carnaval...

    Perto, estão tocando um samba de fazer dançar as pedras. Todos se mexem. Só quem está imóvel é ele, sob o peso de uma dor enorme. As mulatas passam rente, cheias de dengue; sorriem, dizem palavras. Hoje ele não topa. Se sente mesmo envergonhado de estar tão diferente. Nunca foi assim. No futebol, no trabalho, nas greves, nas festas, era sempre o mais animado. Foi de certo tempo para cá que uma coisa profunda e estranha começou a bulir e crescer dentro de seu peito, uma influência má que parecia nascer, que absurdo!, do corpo de Rosinha, como se esta tivesse alguma culpa. Rosinha não tem culpa. Que culpa tem sua namorada? — essa é que é a verdade.

    E está sofrendo, o preto. Os felizes estão se divertindo. Era preferível ser como os outros, qualquer dos outros a quem a morena poderá pertencer ainda, do que ser alguém como ele, de quem ela pode escapar. Uma rapariga como Rosinha, a felicidade de tê-la, por maior que seja, não é tão grande como o medo de perdê-la. O negro suspira e sente uma raiva surda do Geraldão, o safado. Era este, pelos seus cálculos, quem estaria mais próximo de arrebatar-lhe a noiva. O outro era o Armandinho, mas esse era direito; seu amigo, de fato, incapaz de traí-lo. Sentiu um reconhecimento inexplicável pelo Armandinho.

    Suas pernas o vão levando agora sem direção. Não se acha a caminho de casa, nem se sente completamente na praça. Alguns trechos de sambas e marchas lhe chegam aos ouvidos, pousam-lhe na alma:

O nosso amor
Foi uma chama...
Agora é cinza,
Tudo acabado
E nada mais...

Tudo acabado, tudo tristeza, caramba!... Cabrochas que fogem, leitos vazios, desgraças. Nunca viu tanta dor de corno. Não nasceu para isso, nem tem vocação para sofrer. Os sambas o incomodam. Por que não está dançando como os outros?

O negro está hesitante. As horas caminham e o bloco de Madureira é capaz de não vir mais. Os turistas ingleses contemplam o espetáculo a distância, e combinam o medo com a curiosidade. A inglesa recomenda de vez em quando: "Não chegue muito perto, minha filha, que eles avançam..." A mocinha loura pergunta então ao secretário da Legação se há perigo: "Mas eles são ferozes?" "Não, senhorita, pode aproximar-se à vontade, os negros são mansos." A baiana dos acarajés se ofendeu e resmunga desaforos: "Nóis é que temo medo de vancês, seu cara de não sei que diga; nóis não é bicho, é gente!..."

Passa rente aos olhos da *miss* um torso magnífico de ébano. Ela se perturba, fica excitada, segreda aos ouvidos do secretário, tremendo na voz: "Eu tinha vontade de dançar com um... posso?" "*You are crazy, Amy!...*", exclama-lhe a velha, escandalizada. Mas os turistas agora se assustam. No fundo da praça, uma correria e começo de pânico. Ouvem-se apitos. As portas de aço descem com fragor. As canções das escolas de samba prosseguem mais vivas, sinfonizando o espaço poeirento. A inglesa velha está afobada, puxa a família, entra por uma porta semicerrada.

— Mataram uma moça!

A notícia, que viera da esquina da rua Santana, circulou depois em torno da Escola Benjamim Constant, corria agora por todos os lados alarmando as mães.

— Mataram uma moça! — comentava-se dentro dos bares.

— Mataram, sim, mataram uma moça!...

— Que maldade matarem uma moça assim, num dia de alegria! Será possível?...

— Mas mataram, sim, senhora, garanto que mataram!...

— Como é o tipo dela? O senhor viu?

— Me disseram que é morena, de uns 19 anos, por aí...

— Morena? Dezenove anos!... Ai, meu Deus! é capaz de ser a minha filha!... Diga depressa como é o resto do tipo dela...

Outra senhora cheia de pressentimentos se aproximou do informante:

— O homem que estava com ela era preto, era? Estava de branco?... E tinha uma cicatriz? Ai! se tinha, não me diga mais nada... não me diga mais nada! Meu Deus, mataram minha filha!... Nenucha! Nenucha! Cadê Nenucha?...

As mães todas se levantam e saem a campear as filhas. O clamor de umas vai despertando as outras. Cada qual tem uma filha que pode ser a assassinada. Rompem a multidão, varam os cordões, gritam por elas. Os noivos são ferozes, os namorados prometem sempre matá-las.

A animação da praça é atravessada agora pelo grito das mães aflitas. A mãe de Nenucha, porém, a primeira desgrenhada que se levantou, já está de volta ao seu lugar. Voltou porque cruzara com uma que se rasgava toda em imprecações: "Laurinha, eu bem te disse que não viesses, o malvado jurou que te matava. Virgem Mãe, mataram minha filha... Eu sei... Eu nem quero ver." A mãe de Nenucha transfere o seu desespero para a mãe de Laurinha e se acalma. Mas apareceu uma gorda a dizer por sua vez à mãe de Laurinha que a morta era outra, uma pequena de Bangu, operária de fábrica. A fera tinha sido presa.

Distante do tumulto mortífero, as outras mães que já haviam arrecadado as filhas seguram-nas bem, ao abrigo dos noivos fatais. Eram as que escaparam de morrer, as que tinham sido salvas. "Mariazinha, que susto tua mãe passou! Não vai lá mais não, ouviu? É melhor irmos embora, teu namorado está rondando..."

Outras mães, cheias de maus presságios, partem ainda à procura das filhas.

Uma senhora que recebia a corte de um português debaixo do coreto, ao ouvir a notícia, larga-se aos berros, ainda toda embrulhada em serpentinas, à procura de sua Odete. Era Odete, com certeza... Nem tinha dúvidas... Dava encontros, punha a mão na cabeça, corria. O povo achava graça imaginando fosse alguma farsante bêbeda. Odete já devia estar numa poça de sangue, esvaindo-se. Foi o namorado! Nunca tirava os olhos dos seios dela, aquele monstro... Dizia sempre que ela havia de ser sua. E tinha uma cara malvada, o diabo do homem... Coitadinha de sua Odete... Aqueles seios!... Bem não queria, oh! que fossem tão grandes. Odete também não queria, já estava amedrontada. A mãe corria e soluçava, perguntando a todos onde se achava a filha morta. Era Odete, sim, tinha quase certeza! Caminhava como uma sonâmbula. Falava sozinha, soltando lamentações. Onde é que Odete estava caída? E não tirava do pensamento que a desgraça foi por causa dos seios da mocinha... Quem não estava vendo? Ela mesma, como mãe, reconhecia que aqueles seios chamavam demais a atenção. Tinha o pressentimento de que aquilo acabava mal. Até os passageiros dos bondes cheios se viravam para apreciá-los, quando Odete parava na calçada. Odete a princípio, coitada, tão inexperiente, se sentia faceira com eles... Depois, cresceram mais do que se esperava, e ela própria teve medo. Já produziam escândalo... Fora o demônio que tomara conta daquela parte do corpo de sua filha. Ultimamente, era um desespero: a pobrezinha mal podia atravessar a rua, sentia-se perseguida pelos homens. E não eram dois nem três que olhavam, não: da porta dos cafés, de dentro dos armarinhos, das sacadas, de todos os lados, todos queriam espiar, ficavam olhando... Ela passava depressa, envergonhada. Porque sempre foi muito seriazinha, a sua Odete... Que gente mal-educada... Deus nos livre dos homens. Que adiantou o *soutien* de arrocho?... Foi pior. "Ah, meu Deus, haverá mãe que possa dormir tranquila vendo os seios da filha crescerem assim dessa maneira?..." Quando Odete caminhava é que eles adquiriam a sua plenitude de vida e mistério. Daí o fato de todo mundo, quando pensa em Odete, pensar logo nos seios dela, que sempre apareciam primeiro e na frente, como a proa dos navios...

A mulher tremia e soluçava. Ah! Odete não tem culpa. Foram os seios, foram... Tanto desejava levá-la para longe desses brutos.

Agora, lá vai como louca, à procura do corpo da filha. Caminha e vê crescendo uma rosa vermelha bem em cima do seio esquerdo de sua Odete. Dá um grito, cai sem sentidos. Dois pretos carregam-na para um bar. Já outras mães vinham de volta, trazendo as respectivas filhas bem seguras nas mãos. Deram-lhe éter a cheirar, abanaram-na. Quando voltou a si, parecia ter saído de um banho de resignação. Calma. Como se tivesse se conformado com tudo o que acontecera.

Começa então a declamar a história da filha com o criminoso: conheceram-se num banho à fantasia, na praia de Ramos; ele parecia distinto a princípio, tinha emprego, dava presentes. Depois... o malvado começou a ameaçar a pobrezinha, a fazer-lhe exigências. Não queria que fosse aos bailes, que usasse blusa de malha. Dizia que ela remexia demais as cadeiras quando caminhava. Proibiu-lhe trazer flor na cabeça, conversar com os amiguinhos.

— Mas a senhora tem certeza de que foi sua filha? — interrompeu um mascarado.

— Se já estou vendo o cadáver!... Ah, meu Deus, que dor! Não! Não! Eu quero é contar a história dela. Isso me consola...

Fez uma pausa. Recomeçou depois, mais patética:

— Ainda nem tinha 18 anos. Uma menina... Bordava que era um gosto. Todos apreciavam ela... Me ajudava tanto.

Um sujeito, vestido de Hailé Selassié, escutava comovido. Pouco a pouco, a pobre senhora foi percebendo que estava sendo cercada de cavalos, bois e porcos prestimosos, além de um Mefistófeles e alguns Arlequins que vieram oferecer seus serviços. Essa fauna grotesca afigurava-se-lhe como aparições do reino do pesadelo. Fixou-os de olhos esbugalhados, deu um grito de horror. Eles compreenderam, tiraram as máscaras. De dentro das máscaras surgiram fisionomias cheias de compaixão, que se voltavam para ela, querendo consolá-la. Alguém disse que a vítima era outra, uma mulata de Madureira, porta-estandarte de um cordão. A mulher não acreditava. Era inútil iludi-la.

Lá fora, um coro de vozes perguntava ainda, insistentemente, por certa Maria Rosa:

Cadê Maria Rosa,
Tipo acabado de mulher fatal?

E anunciava que ela tinha como sinal

Uma cicatriz,
Dois olhos muito grandes,
Uma boca e um nariz.

A mulata tinha uma rosa no pixaim da cabeça. Um mascarado tirou a mantilha da companheira, dobrou-a e fez um travesseiro para a morta. Mas o policial disse que não tocassem nela. Os olhos não estavam bem fechados. Pediram silêncio, como se fosse possível impor silêncio àquela praça barulhenta. A última das mães aflitas chega atrasada, atravessa o cerco, espia bem o cadáver, solta um grito de alegria:

— Ah, eu pensava que fosse a Raimunda! Graças a Deus que não foi com minha filha! Escapaste, Raimunda!

Saiu satisfeita. Alguns malandros, de cavaquinho nas mãos, foram se afastando, meio desajeitados. Um deles dava opinião:

— Dor eu não topo, franqueza... Sou contra o sofrimento.

Tentaram pedir silêncio novamente. Uma rapariga comentava, enxugando as lágrimas:

— Só se você visse, Bentinha, quanto mais a faca enterrava, mais a mulher sorria... Morrer assim nunca se viu...

O crime do negro abriu uma clareira silenciosa no meio do povo. Ficaram todos estarrecidos de espanto vendo Rosinha fechar os olhos.

O preto ajoelhado bebia-lhe mudamente o último sorriso, e inclinava a cabeça de um lado para outro como se estivesse contemplando uma criança. Uma escola de samba repontava no Mangue. Ainda se ouviam aclamações à turma da Mangueira. Quando o canto foi se aproximando, a mulata parecia que ia levantar-se.

E estava sorrindo como se fosse viva, como se estivesse ouvindo as palavras que o assassino agora lhe sussurra baixinho aos ouvidos.

O negro não tira os olhos da vítima. Ela parecia sorrir; os curiosos é que queriam chorar. A qualquer momento ela poderia se erguer para dançar. Nunca se viu defunto tão vivo. Estavam esperando esse milagre. Ouvia-se uma canção que parece ter falado ao criminoso:

Quem quebrou meu violão de estimação?
Foi ela...

Ainda apareceram algumas mães retardatárias rondando de longe a morta.

A morta não tinha mãe nem parentes, só tinha o próprio assassino para chorá-la. É ele quem lhe acaricia os cabelos, lhe faz uma confidência demorada, a chama pelo nome:

— Está na hora, Rosinha... Levanta, meu bem... É o Lira do Amor que vem chegando... Rosinha, você não me atende! Agora não é hora de dormir... Depressa, que nós estamos perdendo... O que é que foi? Você caiu? Como foi?... Fui eu? Eu?... Eu, não! Rosinha...

Ele dobra os joelhos para beijá-la. Os que não queriam se comover foram se retirando. O assassino já não sabe bem onde está. Vai sendo levado agora para um destino que lhe é indiferente. É ainda a voz da mesma canção que lhe fala alguma coisa ao desespero:

Quem fez do meu coração seu barracão?
Foi ela...

Que ninguém o incomode agora. Larguem os seus braços. Rosinha está dormindo... Não acordem Rosinha. Não é preciso segurá-lo, que ele não está bêbedo... O céu baixou, se abriu... Esse temporal assim é bom, porque Rosinha não sai. Tenham paciência... Largar Rosinha ali, ele não larga não... Não! E esses tambores? Ui! que ventania... É guerra... ele vai se espalhar... Por que estão malhando em sua cabeça?... Na bigorna do Engenho de Dentro é assim... Se afastem que ele está lutando por ela... Ele é bamba... Não se massacra um operário dessa maneira... Estão atrapalhando o seu caminho para Rosinha... Se apitam assim, acordam ela... Ela já não está mais presente... Deslizando no éter... Deixem ele passar... Os outros fiquem no chão... Fiquem por aí... Ele vai tirar Rosinha da cama... Ele está dormindo, Rosinha... Fugir com ela, para o fundo do país... Abraçá-la no alto de uma colina...

OLHOS DE AZEVICHE
Nei Lopes

Sim, uma mistura adequada, ou melhor, harmônica para a nossa antologia, me parece: ele é compositor e escritor. Nei Lopes (1942) publicou vários ensaios sobre nossa cultura negra (ou afro-brasileira, à maneira da expressão afro-americana), como O samba, na realidade..., Dicionário banto do Brasil, Enciclopédia da diáspora africana *e outros títulos. O lado contista desse carioca de Irajá — que é o que mais nos interessa aqui — começou em 1987, com* Casos crioulos; *teve continuidade com* 20 contos e uns trocados *(2006, mesmo ano da primeira edição de* Aquarelas do Brasil, *e de onde extraímos o conto aqui apresentado) e, em 2017,* Nas águas desta baía há muito tempo. *"Olhos de azeviche" é um conto que consegue ser ao mesmo tempo um "retrato" de um sambista popular e suas derrotas com metáforas cansadas — e... sobre o alcoolismo, com pinceladas de terror (Poe, também ele um dependente químico — claro que sem a "alegria" do samba) — e de cores humanas de vidas anônimas dos subúrbios cariocas, como se a "derrota" do sambista desse conto fosse o lado B, ou o outro lado, da "exaltação" de tantos outros sambas. Nei Lopes compositor? Como compositor e cantor, não sofreu o mesmo descompasso do seu personagem, sem "atravessar" samba algum, como mostra sua discografia:* Tem gente bamba na roda de samba *(1973)*, A arte negra de Wilson Moreira & Nei Lopes *(1980);* Negro mesmo *(1983),* O partido muito alto de Wilson Moreira & Nei Lopes *(1985);* Zumbi, 300 Anos-Canto banto *(1996);* Sincopando o breque *(1999);* De letra & música *(2000);* Celebração *(2003);* Partido ao cubo *(2004); e participações em discos de outros artistas.*

"Ainda sinto saudade/ daquela cabocla/
e a viola no terreiro a soluçar/
Não sei o quanto daria/ para ver os olhos
negros de Maria..."

(de um samba do G.R.E.S. Império Serrano,
na década de 1950)

É sábado e o velho Djalma Graúna — hoje "Djalma Cachaça" — acordou contente. Céu azulzinho, pipas no alto, cidade lá embaixo já fervilha colorida. É dia de escolha de samba, dia de festa e tudo promete. Mal sabe o mulato velho que, amanhã de manhã, seus olhos já terão sido arrancados, só lhe restando nas órbitas aquelas duas crateras, nojentas e sinistras.

Fosse há uns trinta, vinte anos, ele certamente estaria na disputa. Compositor inspirado, Djalma pertencia àquela antiga elite das escolas, a dos grandes poetas, intelectuais orgânicos, heróis fundadores, alguns deles legendários. Por oito vezes, com um ou dois parceiros, viu sua alma cantada na avenida. Em cinco dessas vezes, os Unidos chegaram em primeiro, principalmente graças aos sambas, melodiosos, cheios de poesia, ilustrando e conduzindo com precisão o tema contado pela escola.

Eram tempos em que os enredos tinham uma lógica, até cartesiana. E os sambas cantavam, mesmo, a história, com aqueles belos solfejos levando a melodia de volta ao início, à primeira parte. E Djalma Graúna, homem de visão — mal sabendo que, um dia, em vez de olhos, ia ter no rosto apenas aqueles dois buracos horripilantes —, era um mestre entre os mestres.

Os Unidos nasceram praticamente dentro de sua casa — quem diria! O terreiro da escola era o seu quintal, que o velho Braz tinha enorme prazer em varrer bem varridinho, iluminar com gambiarras e enfeitar com bandeirinhas, para "alegria da mocidade", como costumava dizer. Os instrumentos eram feitos lá mesmo: um galão de óleo, na mão do Manuel Funileiro, dava um surdo de primeira e uma caixa de guerra. De outro mais, saía um surdo de segunda e dois taróis. Uma lata de azeite e um pedaço de mola já viravam um reco-reco. Na mesma proporção em que latas de leite condensado transformavam-se em sonoros chocalhos e ganzás; barricas de vinho já nasciam para se transmutarem em cuícas; quatro pedaços de ripa viravam um tamborim; e seis faziam um pandeiro... Couros, o matadouro era logo ali; e a vizinhança era pródiga em cabritos e gatos vagabundos.

Djalma viu os Unidos nascerem e crescerem ali, diante de seus olhos — olhos fadados a esse trágico e inimaginável destino. E foi ali, vendo, respeitando e admirando os mais velhos (Edgar, Laurindo, Claudionor...), que ele se fez poeta. E dos maiores.

O primeiro samba explodiu como um soluço. Ou como aquele tiro de canhão do circo, que espalhava confetes e flores de papel crepom. Ou uma hemoptise.

Foi quando Djalma viu Iracema pela primeira vez.

Era a indiazinha do enredo sobre José de Alencar. Morava longe, no estado do Rio, mas Dona Antenora, quando soube do tema, foi logo se antecipando:

— Vou trazer minha sobrinha para ser a Iracema. É uma caboclinha linda, uma índia escritinha, uma Diacuí. Vocês vão ver só!

A flecha penetrou fundo no peito do Djalma, coitado! Que aí mergulhou nuns livros que conseguiu emprestado e, rabisca daqui, risca dali; escreve de cá, rasga de lá, cantarola a obra, que já veio embrulhada em fino papel de música:

"*Teus olhos/ são dois lagos tão profundos/ que por nada neste mundo/ posso neles me banhar...*"

Desse dia em diante, os sambas brotaram como água de cascata. E, neles, a "saudade da cabocla", os " sapotis e cambucás", os "olhos de azeviche", os cabelos "como as asas da graúna" eram temas recorrentes, desenvolvidos com sensibilidade e maestria cada vez maiores. Além disso, o fosso entre as idades (podia ser sua filha!), a distância e a impossibilidade daquele amor, embora torturantes e geradores de uma real obsessão, trabalhava a favor da Poesia. Assim, mesmo sem nunca mais ter visto a indiazinha depois daquele carnaval, Djalma nunca mais a esqueceu. E nunca mais seus sambas viveram sem aquela imagem: "olhos de azeviche", "asas de graúna".

Daí veio o epíteto e depois o apelido; o obscuro Djalma da Luz foi saindo de cena para dar passagem ao iluminado Djalma, "o da graúna", finalmente "Djalma Graúna" — "Graúna" para os mais próximos —, mulato bamba, emérito compositor, poeta maior do panteão de glórias dos Unidos da Amendoeira.

Mas as coisas foram mudando. E o triunfo que precedeu o fim veio no enredo "Luzes, Cores, Fantasia: o mundo encantado do teatro de revista", já no final dos 60.

Djalma não gostou do tema. Romântico até a raiz da carapinha já grisalha — embora ninguém lhe concedesse um caso de amor —, seu forte eram os temas históricos, épicos, recheado de passagens heroicas, como a epopeia dos bandeirantes, a retirada da Laguna, as insurreições pernambucanas, os movimentos nativistas, os quilombos de Palmares, Castro Alves, Tiradentes... Mas fez letra e música, convidou Jorginho Gogó para cantar e pôs na parceria, fazendo o mesmo com o Mário Vieira, que era gráfico, conhecia gente de rádio, tinha facilidade de imprimir as "cópias" e divulgar bem o samba.

Djalma Graúna não gostou do tema. Nem dos refrões que foi obrigado a incluir, para dar mais "empolgação" ao samba, como lhe foi recomendado pelo carnavalesco. Mas ele sabia fazer; e o samba foi para avenida.

"Luzes, Cores e Fantasia". O inverso do breu, da treva, da horripilante realidade que lhe arrancou os dois olhos naquela sinistra madrugada, quase trinta anos depois.

"Luzes, Cores e Fantasia". E a sugestão de outros brilhos ilusórios:

— Vai nessa, campeão! Não tem mistura, não!
— Meu negócio é uma purinha, meu garoto.
— Mas esta é purinha. Sente só!
— Tô falando branquinha, rapaz!

— Mas é branquinha também, tio! Vai ou fica?

— Tô velho, Dezinho! E sou duro. Isso aí é coisa pra garotão, com grana: isso é luxo, isso é caro...

— Qualé, tio? É por minha conta! É uma presença minha! O senhor merece...

***

Quem vê o Djalma hoje não faz nem ideia do que ele já foi. Andava sempre arrumado, limpo, cheiroso. Nunca foi de se abrir muito. Mas sempre foi educado, prestativo, elegante.

Esse que agora anda por aí bêbado, caindo pelas tabelas, é certamente outro, vítima de uma obsessão. Não é aquele menino estudioso, caprichado, católico, filho de Dona Luzia. Nem é aquele, menor ainda, cuja voz sobressaía, afinadinha, na roda das crianças: *Meu pai amarrou meus olhos/ para São Pedro desamarrar/ A menina que tem dó de mim/ venha meus olhos desamarrar...*

É outro, sim. Que apareceu aqui, saído não se sabe de que pesadelo, depois daquele carnaval em que os Unidos protagonizaram o maior fiasco da história da avenida.

O samba tinha dois refrões muito marcantes. E as três estrofes entre os quais eles se intercalavam possuíam a mesma estrutura métrica, sendo cantadas com a mesma melodia. O público das arquibancadas cantava junto o refrão. Mas, de repente, a escola, muito grande, confundiu-se, uma parte cantando a primeira estrofe, outra cantando a terceira... e o caos foi-se instalando.

Perplexidade. Desespero. O pessoal da harmonia corria para cima e para baixo, gritava, se esgoelava, mas ninguém entendia direito o que estava acontecendo. Um componente olhava para a cara do outro, bestificado; o mestre-sala xingava a porta-bandeira, que começava a chorar. E aí, tudo misturado, triturado, em rubro, dourado e azul-pavão, as lâminas do liquidificador foram parando, parando, parando... e o mundo acabou, na vaia estrondosa que desabou sobre a avenida.

A culpa foi do samba, é óbvio! E aí, o Djalma Graúna, o dos "olhos de azeviche", morreu, nascendo em seu lugar o Djalma Cachaça, esse bêbado aí que, apesar de ainda zonzo dos três porres que ontem emendou, hoje, o céu azulzinho, acordou contente.

Porque hoje é a escolha do samba, dia de festa. Claro que não é mais como antigamente, quando a disputa era ferrenha mas cordial, os concorrentes renunciando e unindo-se em torno daquele samba acima da média, muito superior, o melhor para a escola. Quando chegou dinheiro, de direitos autorais, da venda de discos, da execução nas rádios e nos bailes, o olho de todo mundo cresceu. Inclusive dos generosos patronos, que começaram a ver ali a galinha dos ovos de ouro e se organizaram, também como empresários do ramo fonográfico, para explorar mais esse filão. Aí, mermão, o bicho pegou, a disputa virou briga de foice, com todo tipo de cambalacho, pressão, sacanagem e até estratégias de marketing.

Mas festa é sempre festa. E Djalma Cachaça já está lá, confuso diante de tanto espelho, tantas cores, tanto artista, tanta gente loura. Completamente diferente de antes, quando o terreiro era pobrezinho e ele é que chegava bonito, perfumado, elegante e todo mundo o vinha abraçar. Hoje, como de costume agora, já chega embrasado, inconveniente. E só não é barrado, com aquela carteirinha velha, amassada e vencida, por pena de um ou outro diretor mais antigo.

Chega mal o Djalma. Falando alto, cuspindo em todo mundo, querendo contar que já fez e aconteceu, agarrando as pessoas, dizendo besteira, filando cigarro — o protótipo do bêbado pegajoso e chato. E aí, mesmo duro, na aba, vai tomando uma, mais uma, mais outra, outra ainda, a penúltima, a saideira, caindo, caindo, caindo — sem nem imaginar a surpresa que o espera lá fora.

***

Uma das hipóteses da investigação era a de que os olhos do cidadão Djalma da Luz, brasileiro, solteiro, 62 anos, sem profissão conhecida, tivessem sido bicados, arrancados e comidos por urubus. Mas, mesmo em estado de coma etílico profundo, caído naquele matagal, ele movimentaria instintivamente o rosto; e as bicadas teriam deixado marcas nas regiões periorbitais — como argumentou o legista Mattos Peixoto. Os olhos da vítima foram retirados, sem traumatismo ou violência, com grande perícia cirúrgica, por alguém especializado na extração de globos oculares:

— Ah! Não me lembro de nada, não, doutor! Só sei é que eu vi a Cabocla, a índia, no meio da quadra, rindo pra mim, balançando os cabelos, brilhando aqueles olhos. Aí, tomei coragem e fui lá cantar o samba pra ela...

CHICA-CHICA-BUM
Flávio Moreira da Costa

Machado de Assis e Carmen Miranda, dois Lados do Brasil? Questão de tema, ritmo ou harmonia? Para a inclusão de "Chica-chica-bum" na segunda edição desta antologia, depois de consultar amigos do ramo, a opção final foi do organizador (vide introdução ao próximo conto) — a opção e o risco —, seguro de que o tempo de criação (do relato) é diferente do tempo de feitura e crítica (da antologia) — o tempo, a ideia, os objetivos e as concepções, enfim. Se Carmen Miranda chegou a ser criticada pelos "especialistas", é inegável que ela ajudou a registrar, divulgar (gravando Assis Valente e Dorival Caymmi, por exemplo) e exportar o samba... (Em tempo, "Taí", escrita para o Carnaval de 1930, e sucesso de sua vida toda, foi composta por Joubert de Carvalho. Veja seu perfil nesta antologia.) Boa carnavalização — ou melhor, boa leitura, com ou sem balangandãs.

Para Carmen Maria Serralta, lá de Livramento.

Segunda-feira — Só há um "porém": acho, acho, sim (mas por que tenho eu de achar?) que vou intitular este doce raconto de "The good old Copacabana South American affair". Assim mesmo: solene e globalizantemente.

Mas no entanto, todavia, porém, não sei por quê. Por enquanto. Tampouco sei o que Carmen Miranda e Machado de Assis têm a ver com a presente história. Nem têm. Nem vem que não tem, graças a Deus. Nem me chamo Manuel.

Terça-feira — Dormi, não sei como; sonhei, sei lá; acordei pensando: como poderia haver uma boa história, boa de ler e de se escrever, quando ela própria vai logo se classificando de "doce raconto"? (Deveria eu "delctar"?) Abrindo a guarda, falando a verdade, nada mais do que a verdade, apenas tento passar o tempo que me deixam ele passar por mim, o que quase não passa aqui nesta (Argh!) clínica, Enfermaria nº 5.

Minha consolação é a mulatona enfermeira da noite, que é uma tentação de me fazer escalar as paredes mas que, por injustiças dos céus ou dos regulamentos, até agora não quis nada comigo.

O dr. Merengue é um vacilão de bochechas vermelhas e olhos amarelos detonando eternas e ingênuas surpresas em relação ao mundo, ou pelo menos a tudo aquilo que eu lhe digo — e não serei eu o mundo? Semana passada, ela me avisou que ia passar uns dias nos Estados Unidos, participar de um congresso, estas cositas más — e caso eu precisasse de alguma coisa, se me sentisse fora de controle, poderia chamar o médico-assistente.

— Teria condições de chamar alguém se estiver fora de controle? — Argumentei, com o meu peculiar rigor lógico. — Além do mais, doutor, o dia que eu perder o controle, podes crer que estarei curado.

Hoje, de volta da viagem e à clínica, dr. Baby Face comentou:

— Pensei muito naquela sua resposta, de que se você perdesse o controle era sinal de que estava curado... Muito inteligente...

Eu tenho só duas caras: uma de louco, outra de bobo.

Caprichei na cara de bobo pra ele. Porque eu não pensara em coisa alguma: soltei as frases que me saíram na hora.

Sexta-feira — Socorro, Machado de Assis!
Socorro, Carmen Miranda!
Me enfiaram goela abaixo um cacho de bananas de pílulas!
Dormi, morri dois dias seguintes.
Acordei e fiquei sete horas observando um relógio: as horas não mudam de lugar.

"Coisa mais estranha!" — observou Gregor Samsa.

— Será que estão querendo me enlouquecer de verdade? — perguntei eu.

Para que isso não acabasse acontecendo, resolvi assumir uma estratégia, que evitasse morrer num hospício como Maupassant, em situação escatológica. Era melhor eu começar logo a escrever meu livro sobre Carmen e Machado.

Terça-feira — Maria do Carmo Miranda da Cunha nasceu em 9 de fevereiro (aquariana como eu), num ano que não me lembro, em Marco de Canaveses, aldeia no interiorão do norte de Portugal, e só não me lembro que muitos anos depois ela cruzaria com Joaquim Maria Machado de Assis, no bairro da Saúde, Rio de Janeiro, em..., e igualmente só muito mais tarde ela poderia encher a boca e dizer:
"Meu corpo tem as curvas do Brasil."
"Minha cabeça tem os labirintos do ser humano" — reagiria Machado de Assis.
Com medo da labirintite, escolho as curvas do Brasil.
Que incluem, entre outras coisas, cachos de banana, turbantes, roupas de baianas e balangandãs, mas nesta, ou naquela época — poderia ser em 1911, para dar uma data arbitrária — nossa cachopa morava na rua da Candelária, filha (aliás, desde o nascimento) de um barbeiro chamado José Maria. E como os cabelos e as barbas — alheias — andavam mui escassas, muito cedo Maria do Carmo — a dita, mais tarde, Carmen — precisou ir à luta e tornara-se vendedora de gravatas e chapeleira, entendendo-se por isso... bem, qualquer coisa relativa a chapéus.
A vida para ela ainda não era chica-chica-bum.
Pronto!
Dr. Merengue, o médico baby face, cortou meu barato: foi só ele abrir a porta e eu fechei meu caderno espiralado. Escrever é como "fazer nossas necessidades" — com ou sem prisão de ventre. Exige concentração e privacidade.
Foi logo perguntando como é que eu ia.
Senti a pressão sobre mim quando ele empunhou o aparelho.
De tirar a pressão, claro.

Quarta-feira — A bem da verdade, se a verdade a alguém bem interessa, Joaquim Maria Machado de Assis nasceu alguns anos, ou décadas, antes da futura Carmen Miranda, mas isso não tem a menor importância. O tempo, como se sabe ou não se sabe, é móvel, auto-móvel, moldável, volátil, variante e variável, e que pode ser apagado como uma mensagem escrita a giz, ou espichado e ampliado como um elástico. Neste elástico da vida, Machado de Assis, na sua mocidade, descobriu e cultuou a mulher e a poesia:

> *A mulher é um cata-vento*
> *Vai ao vento,*
> *Vai ao vento que soprar;*
> *Como vai também ao vento*
> *Turbulento*
> *Turbulento e incerto o mar.*

As mulheres, cata-ventos ao vento, eram sempre passageiras coristas francesas ou italianas ou portuguesas pelos palcos do Rio de Janeiro, traduzidas ou captadas na lira dos seus vinte anos, e os tempos — oh, mores! — eram de românticos amores...

Sem ser chamada, a enfermeira entrou no quarto e me deu um coquetel de pílulas...

Quinta-feira — A dor da gente não sai nos jornais e a dor do outro é sempre não visitada por nós, por mais que os médicos e demais sábios falem e digam e aconteçam. Ninguém pode sentir a dor de dente do vizinho nem a dor de barriga do deputado federal.

A dor, exclusiva de cada um, é intransferível.

Da minha dor, sei eu; reclamo mas tenho que aguentá-la e, bem ou mal, aprendi a administrá-la e contá-la como um contador.

Da dor de Carmen Miranda e Machado de Assis ninguém sabe, ninguém viu — apenas e somente imaginamos. Imaginamos, digo, a dor de viver, de ter vivido, atravessando as horas, viajando nas nossas próprias narrativas ou canções e os discursos dos outros e de nós mesmos. Não são traduzíveis: tudo um monte, uma montanha de palavras presentes e a posteriori, manuseáveis, apropriadas ou desapropriadas: é a roupa que as pessoas vestem, o que é que a baiana tem?, e nela até os silêncios tem algo a dizer.

Balangandãs.

Faço, portanto, um minuto de silêncios — por eles e por mim.

Sexta-feira — Carmen — ah, Carmenzita, lusa *jeunesse* de vez e voz nos trópicos tristes e alegres, que já naquela época cantava-se na cidade do Porto:

> *Se o mar tivesse varanda*
> *e janelas pelo meio*
> *como uma antiga fragata*
> *podia-se andar até o Rio de Janeiro...*

Pois, pois, Carmen Miranda, como ameaçávamos dizer, tinha apenas 19 anos quando gravou seu primeiro disco, pela RCA Victor. Vocês devem se lembrar:

> *Taí,*
> *eu fiz tudo*
> *pra você*
> *gostar de mim...*

E todo mundo gostou: o disco de 78 rotações foi um foguete de vendagem, recorde na época: 35 mil cópias.

E ela deu adeus às gravatas e aos chapéus.

Sábado — Machado e Carmen não se conheciam nem de vista nem de chapéu.

Naquela época, não havia ainda bananas e abacaxis no turbante da nossa (deles?) *bombshell* cantante e dançante; talvez por isso, Machado de Assis não a tenha incluído em seu conto "Capítulo dos chapéus".

E Capitu não tinha balangandãs, balangandãs...

Domingo ou terça — A enfermeira entrou para tirar a temperatura, e antes que eu ficasse sem ela, temperatura, perguntei se ela, a enfermeira, estava sem calcinha.

Parece que não gostou muito: fez cara feia. Eu disse:

— Qual é o problema? Quando Carmen Miranda, que era Carmen Miranda, vivia seu sucesso norte-americano, tiraram uma foto dela com a saia levantada e mostrando os países baixos, os belos pentelhos da...

Ela não me deixou terminar a frase e se retirou, levando com ela, dentro do termômetro, minha própria e fundamental temperatura.

O próximo passo seria o eletrochoque?

Quarta-feira — Carmenzita tinha um sorriso rasgado, vermelho, claro, inequívoco, um sorriso sem roupas e alfândegas, sem remorsos, culpas ou vergonhas. Combinava com ela. Combinava com a voz, com as músicas, com as roupas — o que é que a baiana tem? Tudo demais: Carmenzita era um excesso de vidas, amores, sonhos, dores — sempre um exagero.

Nunca mais parou: depois de "Taí", gravou 140 discos no Brasil, 16 nos Estados Unidos e atuou em vinte filmes, cá e lá, afinal ela fez tudo pra gente gostar dela.

Sexta-feira — Vocês ficam todos à roda e atrás de mim, mas não adianta nada que eu sou a minha própria perseguição. Se não me agarro no meu livro *As aventuras de Carmen Miranda e Machado de Assis*, minha cuca vai para o liquidificador psi e vira uma espécie de mingau, geleia.

No fim da vida Carmenzita fazia dois shows por noite — um às 21 horas e outro à meia-noite —, o que significava que ela só dormia com *sleeping pills* e, para acordar, tinha que engolir pílulas outras para se levantar.

Resultado: teve um colapso monumental e, como se fazia então, foi submetida a eletrochoques.

Curioso: bem na época em que Machado de Assis escrevia *O alienista*.

Ideias, mesmo que ideias de maluco, costumam ter duas faces, senão ninguém conseguiria jogar cara ou coroa. Pois confesso que na minha algibeira não havia moeda alguma, pois a ideia que eu tive, ou uma das minhas vozes internas teve por mim, mais se assemelhava a ideia de jerico, que foi essa de escrever sei lá o que sobre sei lá quem, Carmen de Assis e Machado Miranda, com o único intuito de me distrair e de me abstrair do tempo que passa como um supersônico ou passo de cágado, tempo que nada, voa, que mal me deixa acompanhá-lo — pelo menos do lado de fora.

_____,,,_____,,_____

Do lado de dentro, não consegui saber por quem os sinos e os pandeiros dobram, se é que elas dobram nas dobras do tempo que não me é consentido visitar — e ficam os poetas a dizer que os sinos dobram por vocês...

Por mim, não, violão.

Domingo — Depois que o dr. Baby Face, ou dr. Merengue, fez sua visita burocrática — ele é um médico-funcionário público — anotei o seguinte para o meu insensato livro:

* Carmem casou-se com um cafajeste, um rufião, como então se dizia, que além de bater nela queria seu dinheiro.

* Participava de um show no então famoso programa de Jimmy Durante, mas não aguentou-se em cima das pernas e caiu — o show saiu do ar.

Morreu naquele mesmo dia, aos 46 anos.

E eu, que não morri ainda, vou acabar morrendo também aos 46 anos.

(PS: Por que Machado, ou Simão Bacamarte, não interna logo este dr. Merengue?)

Segunda-feira — Já imaginaram um *Machado de Assis* escrito por D. Casmurro ou por Brás Cubas?

Aos vencedores, as batatas!

Aos perdedores, o eletrochoque!

Aos vencedores, os balangandãs!

Pois Machadinho, já com aqueles grãos de sandice e tédio às controvérsias, era um observador privilegiado do *music-hall* da vida. Dos teatros, o Teatro Lírico, na rua da Guarda Velha (hoje Treze de Maio), o Teatro São Pedro (reinaugurado em 1831 como Teatro São João) e o suntuoso Teatro Phoenix, na antiga rua d'Ajuda, que ia da São José à Santa Luzia.

Foram ali seus amores passageiros — amores de espectador, amores de palco e proscênio —, o lado anti-Casmurro do jovem Machado, sua paixão maior foi a portuguesa Gabriela da Cunha, que deveria ter o dobro da idade dele, Édipo de Assis.

Ela, Gabriela, morreu na Bahia, de turberculose.

Terça-feira — Pois hoje, de surpresa, entrou o Baby Face dr. Merengue, a enfermeira boazuda e dois auxiliares fortes e me carregaram para outra sala.

Amarrado, chupetão de borracha na boca e cargas de descargas pelo corpo.

Eletrochoque: chica-chica-bum.

Meu Deus, o que foi que eu fiz!?

Me lembrei de Carmen Miranda.

Balangandãs, o que é que eu fiz?

Sábado — Acho (olha eu aí "achando" de novo) que meu livro não vai seguir adiante. A única possibilidade é quando eu sair dessa sensação de cuca-mingau que tomou conta de mim, qualquer um pode o começar e comer ela, a cuca-mingau.

É uma pena. Minha tese era de que, taí, ela fez tudo pra gente gostar dela; que, não, ela não voltou americanizada, embora nunca tenha ido à Bahia; que Machadinho, por mais grave e sério que parecia — e que era —, tinha uma alma salteadora; era, enfim, um grande gozador, o que foi mal interpretado ao exercer um frio e racional humor inglês. Ele também nunca foi à Bahia, nem pra ver a Gabriela da Cunha.

Tanto assim é que no fim da vida — da vida da minha narrativa —, excelentes dançarinos que eram, fizeram os dois um show único e inesquecível nos palcos do Cassino da Urca.

Uma dupla assim digna de Fred Astaire e Ginger Rogers.

Pena que não havia video-tape na época pra registrar a história.

(in *Malvadeza Durão e outros contos*, Agir, 2006)

É brasileiro o chica chica boom chic
Com um pandeiro fazendo o chica chica boom chic (...)
You don't make sense the chica chica boom chic
That's all you've got to say chica-chica-boon chic
(de Warren e Gordon, no filme *Uma noite no Rio*, 1941)

SAMBISTA EM MESA DE BOTEQUIM BEBENDO CERVEJA COM CHORO
Flávio Moreira da Costa

Não é fácil, como antologista, escolher um conto próprio (além de polêmico, com a nossa proverbial ideologia de "falsa modéstia"; na Europa e nos Estados Unidos, o antologista, sendo também contista, tem a autoinclusão autorizada e mesmo esperada). Seria mais fácil deixar a escolha em mãos de terceiros: "Malvadeza Durão" (Prêmio Fundepar e publicado em diversas antologias no Brasil e no exterior), "Cachorrão" (traduzido para o italiano) e "Sambista em mesa de botequim bebendo cerveja com choro" são contos da edição original de Malvadeza Durão *(1978) que têm o samba como tema/ pano de fundo. Da mesma forma que "Chica-chica-bum" e "O evangelho segundo Nelson Cavaquinho", publicados na edição recente (2005) da Agir:* Malvadeza Durão e outros contos. *Todos já incluídos ou em outras antologias ou em publicações especializadas. Acabei optando por "Sambista em mesa de botequim..." por sua ligação indiscutível com o espírito da antologia. O crítico musical Roberto M. Moura identificou, incorporada à narrativa, não como citação explícita, as seguintes músicas: "Hoje quem paga sou eu", de Herivelto Martins e David Nasser, 1955; "Vingança", de Lupicínio Rodrigues, 1951; e "Degraus da vida", de Nelson Cavaquinho (e possivelmente só dele), César Brasil e Antonio Braga, 1958.*

Não há de ser nada, melhores dias virão. Como? Hem? Tá querendo falar? Deixa eu... Peraí, hoje quem fala sou eu. Guenta a mão. Não me aporrinhe. Vamos devagar. Perrengue, meu chapa, perrengue, não me venha com histórias que eu tou com a cuca-mingau — cuca-mingau, tudo misturado, sacou, cuca-gelatina, cuca-lama. Naquele estado que não dá pra conferir porque não dá pra entender. As coisas se barafundam, minha vida melou, nem dois mais dois faz sentido, que se for quatro ou 22, tanto fez como tanto faz, tou pouco ligando, não muda nada. Se bobear, cago, mijo e piso em cima. Tá querendo tirar um sarro comigo, ou o quê? Então por causa de quê fica rindo aí? Tá legal, só que a tua história é tua só, meu chapa, não dá preu curtir. E a minha hoje é mingau — miau-miau que o gato comeu. Ou a gata. Já notou que tudo começa e tudo termina por causa delas? A mulher é o demônio do homem. Gosto muito, gosto que me enrosco, depois acabo ligado, ligadão, e termino chorando em mesa de botequim. Destino de sambista? Sei não. Fiz uns sambinhas aí, mas só um aconteceu. Tou na batalha, pelo menos tava. Por enquanto, de resguardo. Mingau, miau, melou — que adianta ser cantado pela boca dos outros se o samba já saiu de mim, não é mais meu? Tou sem música por dentro. Mulher é o demônio do homem, a gente sai lá de dentro dela e quer voltar lá pra dentro dela. Gosto muito — que me enrosco. Mulher é mulher. Tá vendo aquela gazela passando ali? Fazia tudo com ela. Só por sacanagem ou atraso, sei lá, porque queria mesmo é fazer com a outra, a que foi o meu demônio. Ainda arranco ela de dentro de mim, ah, se arranco. Não quero minha cuca-mingau pra sempre. É só uma fase que tou passando, fase DDC — dor de cotovelo, entendeu? Coisas da vida, coisa comum. Mas experimenta. Vai, quebra a cara, entra nessa pra ver o que é bom pra tosse, que xarope nenhum resolve. Tou rindo, tou chorando. Rio e choro, não tenho vergonha não. Rio de bobeira, nos intervalos, pra não chorar. Aí bebo e o choro se mistura com a cerveja — tu já bebeu cerveja com choro? Dá um amarguinho. Besteira não. Ou tu acha que é babaquice? Tou sabendo, mas não adianta saber das coisas, o negócio é sacar em cima do lance. Marcou touca, o lance já era, jacaré abraça; a gente perde o bonde e a direção. Hoje eu vou pra onde me levam minhas pernas. Pernas bambas. Tristeza minha? Tá brincando! É uma tristura só, até o vento me carrega. Se é pra sair do inferno, estamos aí. A minha pessoa é fraca, não é que eu goste de comer merda, mas também não sou hiena pra ficar comendo bosta e rindo adoidado. Estou desocupado, mas tenho carteira assinada, não sou malandro não. Se bem que a essas alturas já devo ter perdido o batente: faz cinco dias que não dou as caras. É que eu desapareci, desapareci pra mim mesmo, entendeu? Me procuro e não me acho. Olha, quer saber de uma coisa, nunca — nunquinha — entrei numa dessas. Li hoje num caminhão: "A VIDA É DURA PRA QUEM É MOLE". Qué que eu vou fazer? Sou mole, pronto. Ela me largou na pior. Eu dei o que ela queria, mas deve ter faltado alguma coisa. O chamego era bom, bom demais, dava pro santo desconfiar. De repente, tua vontade vai prum lado, tua vida vai prum outro. Aí, se tu não te segura, cai e cai feio. Foi o que aconteceu comigo. Caí de quatro, tou pastando. Minha preta arrumou outro? Nem isso eu sei. Mas tá legal, como é que ela me tirou da vida dela com tanta facilidade, se ela não tem jeito de sair da minha? Sente só como é complicado. Sentiu? Minha cuca dá voltas e mais voltas. Quando um não quer, dois não brigam; mas também quando um quer, dois acabam brigando, podes crer. Tou te chateando, falando da minha pessoa? Leva a mal não, tou precisando descarregar. Se o amigo aí não se importa, falo; se quiser tirar o time de campo, tudo bem. Fico jogando sozinho, dando chute na trave. Tu deve ter escutado "Consolação", meu samba de sucesso, não já? Escutou não? É um que diz assim:

>*Olhe pro lado*
>*e diga sim.*
>*Olhe pro lado*
>*e diga não*
>*a essas coisas*
>*que acontecem*
>*bem na frente*
>*de você.*
>*A essa vida*
>*de leva e traz,*
>*e essa vida*
>*que já te trouxe*
>*e que te leva*
>*sabe Deus pra onde,*
>*meu amor —*
>*lá-ra-ra-ra-rá...*

Viu? Tou dizendo, já tinha escutado no rádio, não já? Não, eu só fiz o samba, quem gravou foi outro. Cheguei a ganhar uma nota, deu pra comprar uma casinha, lá em Nilópolis — casa pequena, de pobre. Onde morava com minha preta até a semana passada. Agora tenho medo de voltar, encontrar tudo sozinho. É o que eu digo, letra de samba é uma coisa, letra da vida é outra. A escrita é diferente. Como se alguém tivesse inventado as palavras, botado elas lá no dicionário e depois jogado o dicionário fora. Dá pra entender? Jogado fora, só pra confundir. Samba é samba, vida é vida. E o samba é mole pra quem é duro. Tamos aqui meio durango-kid, mas ainda dá pra beber mais. Outra cerveja pra gente, companheiro. A vida é dura para quem é mole. Mas não é mole; a escrita é outra, é outro departamento. Aprendi a fazer samba mas não aprendi a fazer a vida. Acho que por causa de que não fiz minha cabeça sozinho, deixei outros fazerem. Mulher, ainda por cima. Quando mulher faz a cabeça da gente, a gente acaba perdendo ela, a cabeça. E a mulher também. Pode acreditar. Ai, que dor! Se dor de cotovelo matasse, a gente já tava aqui em missa de sétimo dia. Também te digo uma coisa: se encontro a preta dou um tiro nela. É mais fácil dar um tiro nela do que em mim. Se bem que se eu dou um tiro nela, dou um tiro em mim também. Rimou. Como é complicado, não é, companheiro? Faz de conta que tu é meu amigo de infância, eu tou precisando de um amigo de infância, tem dias que a gente precisa de um amigo de infância. Guenta a barra que hoje quem paga sou eu. Como naquele samba: "hoje quem paga sou eu". E o Lupicínio, tu manja? Sempre me amarrei, com ele não tinha nhenhenhém, quando tava doendo lá por dentro, ele ia logo gritando por "vingança, meu amigo, eu só quero vingança" — peraí, esse acho que é do Nelson Cavaquinho, não é? Peito aberto, coração do lado de fora: "você há de rolar como as pedras que rolam na estrada." Cacete, a gente sabe que não adianta nada, mas de alguma maneira alivia. Senão o samba nem nascia, não é? Minha casa é pequena, mas agora ficou vazia sem ela, me perco lá dentro, enorme. Minha irmã é cavalo, mãe de santo em Nova Iguaçu;

meu irmão tá preso, negócio aí de política, sindicato, essas coisas. Tou sozinho, sozinho no mundo. Não há de ser nada. Não tenho pra onde ir, qualquer lugar é qualquer lugar, qualquer coisa. Melhores dias virão. Tou pouco ligando, perdi a mulher, o emprego, o leme, a tramontana. Beber, bebo sim, sempre bebi — só que desta vez tá passando da conta, não consigo parar. Cinco dias, dormindo por aí, pelas praças, até na calçada já me ajeitei. "O último degrau... da vida... meu amor" — o Nelson tem razão. Sabe que ele é um santo? Foi ele quem me deu uma mãozinha pra gravar meu samba. Gravei sete, mas só um fez sucesso: "Consolação". Não deixa de ser um consolo. Tou te chateando? Bebe mais aí que é pra mágoa morrer afogada. Quem é que não sofre nesse mundinho de Deus, hem? Não há de ser nada. Melhores dias virão. A vida é um jogo e eu perdi a parada. Um jogo de porrinha ou carteado, tanto faz. No baralho da vida só encontrei uma dama. Epa, olhaí, isso dá samba:

No baralho da vida
Só encontrei uma dama...

Pode ser um puta sucesso. Vai estourar nas paradas, vou repetir "Consolação". Mas — porra!, de que adianta, se a pretinha não volta lá pro meu barraco. É uma merda: samba é samba, vida é vida. Tá querendo ir embora? Espera, vai não. Fica aí que eu pago. Chama o garçom. Garçom, mais uma amarelinha aqui, e uma branquinha pra calibrar. Vai mesmo? Fica, cara, tu não é meu amigo de infância? Tá legal, quer ir, vai, cada um sabe o que faz. A gente se encontra aí pelas esquinas. Aparecendo em Nilópolis, é só perguntar pelo Dentinho, que todo mundo conhece. Vai em paz, vai com Deus. Eu fico aqui com Deus. Com Deus? Pode deixar que eu traço sozinho o que vier. Ainda tou precisando de combustível. Tchau, cara. O negócio é não confundir as coisas. Pode deixar:
NÃO HÁ DE SERENATA, MELHORES DIAS VIOLÃO.

APANHEI-TE CAVAQUINHO E OUTRAS BOSSAS

JOUBERT-MARINGÁ
João Antônio

O paulistano João Antônio (1937-1996) sempre tratou de personagens marginais e de temas populares, desde sua estreia com Malagueta, perus e bacanaço *e em livros sucessivos como* Leão de chácara, Dedo-duro *e outros. Foi um contista consagrado pela crítica. Mas foi também no jornalismo cultural (com um nível literário de escrita, já que era um escritor-jornalista e não um jornalista-escritor) que ele deixou textos marcantes, sobre o Zicartola, o restaurante dos sambistas, Nelson Cavaquinho, Aracy de Almeida (a "Dama do Encantado") e este "Joubert-Maringá" que vamos ler. "Maringá", sucesso de várias gerações, tem frases musicais inesquecíveis mesmo para quem costumava ouvi-la há décadas: "Maringá, Maringá/ depois que tu partiste/ tudo aqui ficou tão triste/ que eu garrei a imaginá..." Roberto M. Moura informa que Joubert de Carvalho (1900-1977) já fazia sucesso desde 1922, e a famosíssima marcha "Pra você gostar de mim" ("Taí/ eu fiz tudo/ pra você gostar de mim..."), primeira gravação e primeiro sucesso de Carmen Miranda — no Carnaval de 1930 e até hoje cantada — era também de sua autoria. Do colóquio João Antônio-Joubert resultou o seguinte perfil:*

Deu-se. E vem uma frase e desanda a dançar, rápida mas encorpada, pra baixo, pra cima, indo, vindo, varando quilômetros e mais, se repetindo em desdobramentos desde o dia em que surgiu; um relógio emperra, uma máquina engripa, podem se caquear de vez, mas a aventura do homem não para: "isto aqui muda depressa demais" e, feito magia, cinco-seis casas construídas todo dia, de enfiada, deslancha uma cidade derepentemente crescendo que dobra tanto a área prevista no traçado original, pulam orçamentos loucos onde dinheiro é o que não falta, problemas também, inchaço, favelas, especulação a dar com pau, supervalorização... supera, é pressa, o montante de alguns estados como Sergipe, Piauí e Acre, cidades abertas há bem pouco dentro do mato com machados e não versos e nos trazem visitantes ilustres chegados do

Rio de Janeiro, alinhados, elegantes nos distinguem com declarações bem caídas que mais parecem cortesia e não são, cada vez que venho aqui me renovo, e transita no centro das rodas de nossas casas da noite um poeta nacional, querido, raro, desses que dão nome às coisas pela primeira vez, badalação forte, que dizem, dito devagar, seu nome já é um verso, de pronúncia cadenciada, aberta e cheia de categoria, alegre, um patrimônio da música, virou rua e busto de bronze na praça defronte à rodoviária de Maringá, deu seu nome a um bando de coisas e até animais, posto de gasolina, bar, joalheria, ô simpatia de carioquice nas roupas bem-talhadas e na elegância ao falar, quando em quando visita a região para receber alguma homenagem com autoridades ao seu redor e tudo por onde ele passa vai tomando uma aura vital, um toque de sua história diferente, eletriza mito e lenda, auréola da realidade fadosa, um quê bem-fadado no seu gostoso cantar — é Joubert de Carvalho; tudo porque em 1930, Getúlio no poder no Distrito Federal, ele compôs uma gostosura dolente, acaboclada, uma canção de um jeito e outro nos catou a alma e foi daí, então, extrapolou de tão cantada pela boca do povo, ganhou as ruas largas e os barracos dos morros e percorreu o mundo dos sabidos; 12 anos mais tarde, no tempo da guerra, diretores da Companhia de Terras Norte do Paraná não achavam um nome de batismo para a cidade em construção, a mulher de um deles, uma Elisabeth Thomas, uma branquela dessas brancuças feito lagartixa mas perdida de admiração pelo borogodó e chinfra picarda da melodia das nossas palavras, mel, mamãe, coração, querer, sugeriu o nome de uma canção, os trabalhadores suados meio que merencórios naquele pó vermelho costumavam cantar e com que se distraíam na luta braba da construção, suor, e, de assim, Joubert de Carvalho que nada tinha a ver entrou para a história toda no imponderável do acaso, como por acaso a mão do mestre trabalha, uma ciência de força estranha galopa embutida, tinha feito a música só para agradecer um favor, a sua nomeação para o instituto dos marítimos lá no Rio de Janeiro e, nas rodas, largando boquiabertos os que o ouviam, a história saiu mesma inteira de sua boca, bem. Começa num ônibus, como quem não quer nada, prosaica, no Rio, pois, em 1930, ele encontra um amigo, Jaime Távora, secretário de um ministro tão poderoso e capaz, escritor de talento, havia quem dissesse que o paraibano tinha piso e peso para se sentar na cadeira presidencial, supinamente, José Américo de Almeida, da *Bagaceira*, sim, no ônibus, Joubert foi convidado para ir a uma festa à noite, o ministro ia gostar, apreciava suas músicas que corriam já mundo e me bateu uma timidez orgulhosa, qu'eu disse, brincando: "ele que vá à minha casa" e no dia seguinte, eram outros tempos, o ministro telefonou querendo saber se podia ir à sua casa com seus oficiais de gabinete e foi. Outro Rio... Ficaram cantando até a madrugada e o poeta ganhou coragem e lhe iluminou a ideia, pedir com jeito, pra ser nomeado médico do instituto dos marítimos e no outro dia, o ministro era homem de bem, honrava as falas e disse que era obrigação do governo recente amparar os valores das artes e apresentou o compositor a Alencastro Guimarães, presidente do instituto, e fez-se a nomeação; ninguém pensava na tal música e foi quando veio Rui Carneiro, depois senador, sugeriu que Joubert fizesse uma composição sobre o nordeste calcinado e penando miséria, pois ele era oficial de gabinete do ministro que gramava com um problema grave dos graves, a seca, e naquele momento, de estalo, Joubert viu o invisível ou viu o que a ele só era visível. A música latejou à sua frente, clara e pronta, dançando na cabeça, embalando, criada, e perguntou a Rui Carneiro de onde era José Américo, era de Areias, já nas serras da Paraíba. Não gostou. Areias não era musical, achou o poeta, e quis saber onde Rui tinha nascido — Pombal — e, daí, ô Rio antigo, os versos escorreram pelos dedos, vieram crescidos, dolentes, sem cautela, cheios, lavor fino. Nasceram feitos:

> *Antigamente*
> *Uma alegria sem igual*
> *Dominava aquela gente*
> *Da cidade de Pombal.*
> *Mas veio a seca*

Toda a chuva foi-se embora
Só restando então as águas
Dos meus olhos quando chora

Êpa, jorrou! Mas não tudo. Tinha mais mágica no fundo do baú e mais carne debaixo do angu, que em toda história sempre entra uma mulher e, na sequência, pensei, tenho que botar uma Maria aqui, porque a vida sem Maria... mas ela vai embora, deixando um caboclo apaixonado, e de onde seria Maria? Joubert perguntou a Rui onde a seca castigava mais tirana e ele disse vários municípios, o de Ingá, inclusive. Aí, baixa a iluminação de estalo e o poeta pensa em Maria do Ingá e cortei, deu Maringá. Mal sabia. Criara um nome internacional, iria correr mundo, passar as fronteiras, andar de avião, varar oceanos, vagamundear e fazer cantar, fazer sentir e outro dia mesmo receber direitos da Finlândia e do Japão e estamos no território do imponderável, a bossa sortuda bate onde e quando quer, só ali bate, a mão do mestre lida mas sem explicação, conduz ou é conduzida e não se sabe, Joubert, pausado, não sabe dizer às rodas aparvalhadas de basbaques e bocas-abertas, de ouvido em pé em suas palavras, entretidos com o desenho tropical do seu falar, quanto ganhou em espécie, e canção lhe deu tudo na vida, tudo isso e o céu também, que lhe deu a parte "mais menos", a parte "mais menos" é o dinheiro, pororó, o algum, e a canção nomeou, caudelosa, praças, ruas, vinho, requeijão, boi claro quando salpicado de pintas pretas, manteiga, cimento, proliferou e rendeu em penca e deu, claro e sem comparações, nome a uma cidade que supera em grana alguns estados... Lenda e legenda correm como o rastilho da pólvora e assim é. Dizem que seu repertório vai a mais de mil composições. Vamos ficar com umas duzentas, excelentes. Mais os clássicos. Começou a brilhar faz tempo, bem antes de Ismael Silva, Noel Rosa, Geraldo Pereira, Benedito Lacerda, Ary Barroso, sua aura remonta aos tempos primeiros ali por João da Baiana, Pixinguinha ou Donga, pois antigo dos antigos. Muitas composições suas tocadas primeiro pelo violão legendário de Américo Jacomino, o Canhoto;

depois, teve intérpretes famosos, João Pernambuco, Catulo, Eduardo Souto, Cândido das Neves e ainda outros. Agora, pôde estudar e, nisso, excedeu à maioria, recebeu uma formação culta, educação musical, ouviu os mestres grandes e sabe falar com propriedade e fundamento de Mozart, Beethoven, Chopin, Bach, Debussy. Ele é dos tempos dos saraus em família, animados por valsas, tangos, canções, quase tudo ao piano, que marcou o estilo principal de suas composições, depois tocadas, durante anos, ao violão... mas veio marcado para acontecer. Lembre-se "Taí — Pra você gostar de mim" ou o cateretê "De papo pro ar" ou canções como "Zíngara, Pierrô"... ou o acalanto "Tutu Marambá" ou a cantiga junina "Cai, cai balão" que toda criança conhece e alguns julgam seja folclore. É. Mas não é. Só em 1930 vendeu 35 mil discos com *Taí*, um número alto naquele tempo. Carmen Miranda foi só uma das intérpretes de Joubert ao lado de vozes famosas como Gastão Formenti, Carlos Galhardo, Sílvio Caldas, Paulo Tapajós... Joubert não conhecia Carmen até que a ouviu em "Triste Jandaia" e catou-a. Ela vivia na sua casa da Travessa do Paço, plena praça 15 de Novembro, no Rio. E gostou da música. Provavelmente não entendesse a fundo o riscado, que não percebia algumas recomendações de Joubert. Era despachada e foi tranquilizando, espevitada, cheia de vida, a seu jeito: "Não se preocupe, na hora da bossa, eu sempre entro com a boçalidade." Joubert conta isso gargalhando; depois para, sério: mas ela tinha talento. E na hora da bossa sabia entrar; afinal, cultura não é talento. E nem talento é juízo. E ela fazia presença, esbanjava personalidade, apesar de desafinar... e então, pra que falar de idade, se vão logo dizendo, coitado, está tão velho; coitado é filho de rato que nasceu pelado no meio do mato, afinal, a velhice com a elegância e o porte enxuto de Joubert; vai exercendo a medicina e compondo, frequentando os jornais, as rádios, as emissoras de televisão, gostando de viajar, acariocando por onde passa com filosofia, um macio rebolado, como é simples; a sabedoria de quem, por ser sério, não se leva a sério, vir ao norte do Paraná e tocar para Maringá a receber homenagens nas comemorações de mais um comércio que ganha o seu nome e o poeta se sente renovado com o carinho desta gente, a ele parece que da cidade vem uma emanação de energia e paz, progresso e vai, setentão, nos dizendo que vale a pena viver muito, a seu jeito ainda frajola, "digam que eu estou bem e não contem a ninguém qu'eu tenho setenta e alguns trocados, hem, hem?".

Foi numa leva
Que a cabocla Maringá
Ficou sendo a retirante
Que mais dava o que falá
E junto dela
Veio alguém que suplicou
Pra que nunca se esquecesse
De um caboclo que ficou.

Maringá, Maringá,
Depois que tu partiste
Tudo aqui ficou tão triste
Que eu 'garrei a imaginá
Maringá, Maringá,
Pra haver felicidade
É preciso que a saudade
Vá bater noutro lugar.

Maringá, Maringá,
Volta aqui pro meu sertão,
Pra de novo o coração
De um caboclo assussegá.

O PIANO TOCA ERNESTO NAZARETH
João Gilberto Noll

João Gilberto Noll (1946-2017) estreou em grande estilo: O cego e a bailarina *foi saudado como "uma obra-prima sem tirar nem pôr", como não hesitou em afirmar Guilhermino César. A Associação Paulista de Críticos de Arte escolheu o livro como a "revelação do ano de 1980". Que é o ano da primeira edição, pela Civilização Brasileira. De lá pra cá, o gaúcho Noll ganhou outros prêmios e publicou vários livros, como o romance* A fúria do corpo, *novelas como* Bandoleiros *e as histórias curtíssimas e poéticas de* Mínimos, múltiplos, comuns. *O conto que abre o livro de estreia, "Alguma coisa urgentemente", virou filme de Murilo Salles; a novela* Harmada, *filme de Maurice Capovilla. Noll, que tinha a música na sua formação — ele cantou em corais religiosos —, homenageou já no título do conto que se vai ler (de* O cego e a bailarina*) um dos maiores compositores populares brasileiros. O mesmo Ernesto Nazareth (1863-1934) que, pobre e autodidata, foi considerado em vida "apenas" um músico popular, autor de cerca de duzentas polcas, valsas e tangos brasileiros — músicas que até hoje são executadas, como "Odeon", "Brejeiro" e "Apanhei-te, cavaquinho". Mas, já nos anos 1940, ele passou a ser reconhecido por Francisco Mignone, Radamés Gnatalli e mesmo Villa-Lobos como um músico fundamental, que soube fazer a fusão da melhor tradição europeia (Nazareth adorava Chopin) com a rica musicalidade popular do Rio de Janeiro do começo do século XX. Darius Milhaud, que reconheceu sua "riqueza rítmica, invenção melódica e imaginação prodigiosa", chegou a aproveitar trechos musicais de Nazareth, quando compôs sua famosíssima "Le Bœuf sur le toit". Mas voltemos ao conto de Noll: as notas de Nazareth, suaves ou "brejeiras", ressoam levemente por trás da ação dramática.*

Um piano toca na sala, e a tarde é quente. Furtiva brisa sopra nas cortinas. Um piano toca o que parece ser uma Valsa de Ernesto Nazareth. Eu estou na varanda e custo a entrar. Talvez pressinta que eu deva temer. Eu sou aquele que escuta o piano e adivinha os dedos. Mas seria melhor que eu não fosse o invasor desta casa e esquecesse as mãos que tocam o piano por absoluta falta de outra ocupação. A tarde é quente e o horizonte vem carregado de sombras. Ela dizia que um calor assim não se mantém impune. O cavalo relincha e prevê. Ela não sabe que eu escuto suas mãos e que elas, sonâmbulas, tocam alguma coisa que pode ser uma certa Valsa de Ernesto Nazareth. Eu estou coberto com um terno que desconheço. Agora a vejo entre as fímbrias das cortinas e ela é ela. Sim, é ela. Não é jovem nem velha. Tem a mesma idade da que lhe apetece. Eu escuto. Bem possível que ela me espere. Por enquanto toca no piano aquela Valsa de Ernesto Nazareth. E toca bem: tão bem que sua saia como não há mais derrama-se do banco e quase encosta no tapete. O primeiro relâmpago. A trovoada chega pouco depois. Ela não tem a menor reação. E toca no piano a Valsa de Ernesto Nazareth. Temo a minha respiração. Ela quer e não deve. Já alcancei a soleira da porta. Magro que estou. Febril, doente. E ela toca no piano a Valsa de Ernesto Nazareth. Uma pena não saber reproduzir na voz a melodia para que vocês a ouçam. Nunca consegui. Só ela: assim como os dedos rendilhados e autônomos. O vestido é branco e ela é toda ela. Eu suspiro e avanço. O segundo relâmpago. E a trovoada. Ernesto Nazareth. Mais um relâmpago. E atrás a terceira trovoada.

    E ela me vê.

    Ela não toca no piano a Valsa de Ernesto Nazareth. Ela não toca nada e me olha. Eu digo olá. Eu digo vamos sentar aqui. Ela diz vamos sentar aqui. Eu digo voltei. Ela diz voltei. Eu digo pois é. Ela diz pois é. Eu digo não há nada a temer. Ela diz não há nada a temer. Eu digo custou. Ela diz custou. Eu digo o quê? Ela diz o quê? Eu digo os criados se foram. Ela diz os criados se foram. Eu digo isso é o que os romances europeus chamam de decadência da classe dominante. Ela diz isso é o que os romances europeus chamam de decadência da classe dominante. Eu digo tanto faz. Ela diz tanto faz. Eu digo nós não somos reais. Ela diz mas já fomos quando não sabíamos — desculpa, ela pede. Eu peço desculpa. Ela pede desculpa. Desculpa em uníssono. Desculpas sim, desculpas. Ela diz faz calor. Eu digo faz calor. Ela diz vai chover. Eu digo vai chover. Ela diz pois é. Ela diz então. Eu digo então. E pois é. Eu digo. Ela diz. Nada se diz.

    Mas precisamos continuar. Porque é preciso que os dois prossigam até o fim no drama que encenam. É o fim do espetáculo. Mas ainda faltam algumas coisas. Vejamos: o mordomo que interrompe. Mas não, os criados se foram e não há mais nenhum mordomo. Ah, sim, eu lembro: a mucama pariu quatro filhos! E ela, já quase completamente bêbada de um sonho, responde que a mucama é dos tempos dos avós, que hoje a aristocracia rural está enterrada sob o peso da industrialização do país e que eles, os dois sentados ali, encenam um drama repetitivo e grosseiro sobre a decadência da aristocracia rural e que nem nada são mais, nem ao menos este palacete em que se encontram sobreviveu, você não está ouvindo o barulho das estacas que a construtora planta no nosso querido jardim? Eu pergunto então o que nos sobra para representar e se o que ainda nos sobra para representar pode dar ainda alguma informação e algum eventual espectador. Não, ela responde, a obviedade nos tomou, perdemos inapelavelmente para os boias-frias que hoje são mais discutidos, deu hoje no jornal que quatro deles "morreram asfixiados num camburão na cidade gaúcha de Tenente Portela". Mas se fôssemos personagens de Visconti, eu sussurro. Visconti morreu e é italiano — e uma bolha de saliva estoura no canto esquerdo do lábio dela. E Gilberto Freyre não produz mais, eu digo rápido. Nem *A moratória* de Jorge Andrade anda mais em voga, eu insisto nervoso. Então para quem pode ter ainda alguma importância nós dois? — ela pergunta dizendo-se envergonhada de tamanha xaropada. Nesse momento eu penso que seria oportuno confessar a vocês, que precisam pelo menos de uma certa verossimilhança porque o falso é antiestético, que ela estudou sociologia na USP e que eu ciências políticas em Yale. Isso acontece, nos exalamos ao mesmo tempo um pouco humilhados. Mas vão nos chamar de maniqueístas, de masoquistas e, fim de carreira e de não sei o quê mais. Seria real esta consciência para dois personagens como nós? Parece que não, ela afirma prontamente. E eu retruco; mas a minha observação é desprovida de qualquer espírito científico porque eu digo que a gente está apenas representando pois a nossa origem é na classe média urbana. Não minta — ela grita. Você sabe que não, ela continua, você sabe que tudo isso é absolutamente verdadeiro. E como a gente vai voltar pra casa com essa chuva? — eu pergunto baixinho. É chuva de verão — ela anuncia categórica.

A NOITE DO GAFANHOTO
Carlos Jurandir

Nos anos 1950 havia no Rio de Janeiro um Clube de Jazz, com Jorginho Guinle à frente, e jovens músicos — um Sérgio Mendes iniciante era um deles — tocavam domingo à tarde no antigo Beco das Garrafas, na rua Duvivier, em Copacabana. Historicamente era uma geração americanizada, como se dizia, que fazia o trânsito da música tradicional brasileira para a bossa nova — e por música tradicional entenda-se aqui não só o samba que se ouvia quase que só no morro e em botequins e rodas de samba do subúrbio, mas a música que se vinculava às rádios, aos night-clubs *(que substituía a palavra francesa* boîte*) e a "pré-históricos"* long-plays: *samba-canções, boleros e outros ritmos latinos, época de orquestras de auditório,* crooners *ou cantoras da noite, como Dolores Duran e Helena de Lima, do rádio, como Dalva de Oliveira e Nora Ney, e de discos, como Elizeth Cardoso e Maysa, todas elas trazendo já a marca da transição que se consolidaria no toque do violão de João Gilberto. Foi em cima desse clima — e captando-o como poucas músicas — que Carlos Lyra compôs o emblemático "Influência do jazz". Este conto de Carlos Jurandir — jornalista, romancista (*Morto Moreno*, 1974, Civilização Brasileira;* Rapazes de família*, 1979, Codecri) e trompetista amador — marca de certa forma essa passagem hoje histórica, embora a ação dramática do conto aconteça em época um pouco posterior. Um grupo de músicos cariocas disputa entre si quem iria acompanhar um* jazzman *americano em visita à cidade. Como pano de fundo, a morte de John Coltrane.*

1

Quando o Boeing 607 pousou no Galeão, o contrabaixista Sebastião Silva, o Tião, e o pianista Mariano Tardelli correram para encontrar o saxofonista norte-americano Bobby "Sweets" Jackson, que vinha se apresentar no Rio. Além do estojo do saxofone, trazia apenas uma pequena maleta, da qual Mariano logo se apoderou. Acordara cedo e estava ali para ser o primeiro a receber o gringo. Tentava impressionar com seu inglês de cursinho de Ipanema, mas o outro, sorrindo, respondia em portunhol. Um passo atrás, Tião ria: gostava de Mariano, seu parceiro na noite, e tinha todos os discos do saxofonista.

Acordado por Mariano naquela manhã, não tivera tempo de tomar café e estava sem um níquel. Enquanto esperavam no saguão do aeroporto, pensou que seu amigo bem poderia pagar um sanduíche de queijo. Mas era difícil fazer Mariano meter a mão no bolso. Assumia logo aquela cara de menino abandonado: "Porra, Tião, estou duro!" Um conhecido sovina. Parecia até ter esquecido da existência do outro, mesmo com ele ali, nos calcanhares. Quando se via diante de um problema — "medindo forças com a vida", dizia —, era capaz de esquecer a própria mãe.

Desde o abandono do piano clássico e o início das aulas com o grande pianista carioca Luizinho Eça, só falava no plano de fazer carreira em Nova York. E seis meses depois de começar as aulas, já se achava em condições de cavar um lugar nos Estados Unidos. Tião tomaria parte da empreitada, pois Mariano não fazia nada sem "o crioulo". Mas discordava. Em silêncio: discutir qualquer coisa com ele era ainda mais difícil do que fazê-lo abrir a mão.

Como ninguém pensara em esperar Bobby Jackson, Mariano reinava absoluto. Ombro a ombro com o saxofonista, fazia os assuntos brotarem: notícias do jazz, novas técnicas de improvisação, a adesão de Miles Davis ao rock, a morte recente do ídolo de todos os saxofonistas, John Coltrane. Às vezes se lembrava de traduzir as respostas para o parceiro. Alto e magro, o americano uma vez ou outra se empolgava, sublinhava uma frase brandindo o estojo do sax. Mariano, que não largava a alça da maleta, passinhos miúdos, escutava cada sílaba com os olhos pestanudos muito abertos, os cabelos pretos juvenilmente caídos na testa. Já Tião, negro e forte, andar cadenciado, trazia um pouco da noite para a manhã ensolarada.

2

O músico, que sabia extrair do saxofone aqueles sons doces e delicados a justificar o apelido de "Sweets", dado por um crítico da revista *Down Beat*, a bíblia dos jazzistas, agora espremia uma espinha no queixo. Os fotógrafos riam, satisfeitos com a pose que no dia seguinte sairia na primeira página de todos os jornais. Retratistas ofereciam aos músicos a chance de um instantâneo ao lado do gringo "para a posteridade". O americano, um sorriso fixo, não se fazia de rogado. Em volta da piscina do Copacabana Palace, esmerava-se em todas as poses e trejeitos. Pegou até o sax, um Selmer dourado, novo em folha, para "dar mais realismo, non?". Fios de microfones, gravadores e refletores de televisão se enroscavam naquelas longas pernas de gafanhoto, mas ele jamais se perturbava: falava pouco e pausadamente, sempre em portunhol, um ou outro gesto das mãos também compridas, onde brilhavam alguns anéis. Fazia caretas para o sol, que lhe batia em cheio no rosto cor-de-rosa, de queixo proeminente e nariz adunco.

Tião achara-o no geral simpático, com jeito de quem podia dizer mais do que dizia. Mas a cara sorridente parecia estática demais. Havia qualquer coisa de dúbio, além da frieza daqueles límpidos olhos azuis, sempre brilhantes. Via de perto alguém que antes conhecia apenas através dos sulcos dos discos, e concluía que não estava sendo fácil reconhecer ali a pessoa a quem creditava seu amor pela música.

— Está assim de gavião — veio avisar Mariano, pedindo que não se afastasse.

Nem precisava. Tião sabia como as coisas aconteciam. Iam levar o americano para tocar numa *jam-session* e todo mundo disputava um lugar no palco. Jackson viera um dia antes, sem o trio com que se apresentava; estava, portanto, à mercê das feras locais.

Pianistas e dois ou três guitarristas empenhavam-se naquela guerra surda em que Mariano se mexia como peixe na água. Já os raros músicos de sopro só olhavam de longe. Não iam arriscar comparações com o americano, que tocava desde os seis anos de idade, enquanto eles tinham que trabalhar de caixa de banco ou funcionário público para se manter. Ficavam ali, parados, em silêncio, como se diante de um espécime raro. Os figurões mesmo não apareceriam; não queriam ser confundidos com bajuladores. Para Tião, a maioria não gostava de estudar a sério. Comentavam que Coltrane ou Davis só chegaram ao topo por serem americanos; brasileiros, estariam como eles, condenados a acompanhar cantores pelo resto da vida. Quando Sweets estivesse solando, analisariam os defeitos. De preferência os cacoetes e o jeito de tocar. Que poderiam dizer da música?

Entre o pessoal do acompanhamento, aquilo podia render um contrato em Nova York. Havia gente com aparelhagem completa, esperando o momento de atacar. Mariano não estava só no sonho de tocar nos EUA... Não desgrudava do gringo e tratava de consolidar a posição conquistada. Nem pensava em almoçar, reparou Tião. Comer, para ele, não era problema. Morava com os pais numa mansão na rua São Clemente, em Botafogo, com jardim e chafariz, onde o baixista ficava às vezes. Há pouco mais de um ano, Tião ainda trabalhava no botequim do pai, em Nilópolis, e tomava aulas de música com um sargento amigo da família. Hoje, não tinha pouso fixo: tanto podia dormir na casa de Mariano, enfrentando o cenho franzido do comendador Tardelli, quanto se espremer na cama com Tia Zoé, doméstica, que dormia no trabalho, até pernoitar numa praça. Certas ocasiões, qualquer coisa era melhor que escutar a conversa de Mariano ou ter de pagar "a taxa" da Tia Zoé, que não deixava passar em branco pelo fato de ser seu sobrinho. Outras vezes, por pouco tempo conseguia um quarto alugado arranjando alguns trocados como ajudante no bar em que os outros tocavam. Passava dias e dias comendo apenas sanduíches, o estômago roncando mais que o contrabaixo — comprado, aliás, por Mariano.

O maior desgosto do comendador, que tinha também uma filha, casada com um fazendeiro, eram aqueles empregos nas boates. Perdoou o bambino largar o ginásio para se dedicar à música. O rapaz afinal não ia nunca morrer de fome. Chegou a tolerar que fosse músico clássico. Mas não admitia aquele "trabalho servil". "É o mesmo que ser garçom", vociferava. Cortou a mesada. "Não sustento vagabundo", sentenciou.

Quando decidiu deixar o boteco do pai para tocar na noite, Tião teve que fugir para não apanhar de cinturão. Saiu de casa sem intenção de voltar, ouvindo atrás de si os mesmos gritos de "vagabundo". Ele, Mariano e um garoto do Leblon formaram um trio e começaram a dar o que falar. Estavam entre os pioneiros do samba-jazz estilo Beco das Garrafas e agradavam. Disco, nem pensar, as gravadoras só se interessavam por cantores, mas Mariano inovava com seu estilo ora percussivo ora lírico, bem à Luiz Eça, e Marquinho não comprometia. Tião não sentia a menor dificuldade em tocar com o coração.

Mariano levava-o para acompanhar alguns dos maiores solistas do Rio, em shows comentados no Caderno B do *Jornal do Brasil*. Chegavam a ter dois, três numa semana, mas nem Marquinho nem Tião viam a cor do dinheiro. As coisas estavam ruins, garantia Mariano. Mesmo quando tocavam para plateias lotadas, no Teatro Opinião, ou acompanhavam festivais de figurões, Tião voltava com alguns trocados ou o bolso vazio.

Não ligava. Tornava-se aos poucos um nome. Músicos experientes davam-lhe tapinhas nas costas, e ele sabia o quanto custava-lhes isso. Estudava quando podia, aqui e ali, ouvindo discos, copiando solos, e em geral nem tinha onde deixar o contrabaixo. Em certas rodas, calavam-se quando ele chegava. Ex-alunos da Escola Nacional de Música ou de conservatórios. Sabia que, por trás, falavam mal do seu estilo — um autodidata, um moleque da Baixada! Muitos dos que não o assimilavam, vinham, porém, de Belford Roxo, São Gonçalo, subúrbios da Central e da Leopoldina, autodidatas como ele. Quem tinha dinheiro para pagar professor? A grande maioria não reunia, como ele, os pré-requisitos para cursar a ENM. O jeito, para conseguir o que comer, era tocar na noite — e a bossa nova facilitava as coisas.

3

Sentado na cama, Sweets engrolava algumas frases no sax. Ao lado, acompanhando ao violão, Mariano ganhara afinal a parada. O próprio gringo parecia fazer o jogo dele. Mas resistia quando o outro tentava puxá-lo para o samba, não parecia entusiasmado: "Esto non es samba", dizia. "És ácua con azúcar." Acabava tirando um som à Stan Getz, o saxofonista norte-americano que espalhava a bossa nova pelo mundo.

Havia umas 15 pessoas: só um grupo selecionado conseguiu subir até o quarto. Conversava-se em voz baixa. Mariano comandava tudo, mas havia uma trégua quando a música soava. Em certos momentos, a fala sussurrada e a melodia leve davam ao ambiente um tom de capela.

Junto à janela, Tião pensava em filar o almoço da Tia Zoé, trabalhando ali perto. Mas só pensava, ia ficando. Por fim, resolveu acender um cigarro — seu expediente para esquecer a fome. Tudo começou a rodar após a terceira tragada. Já estava acostumado, até gostava de flutuar nas alturas, era quase como tocar. De repente percebeu que todos olhavam para ele. Mariano o apontava cochichando com o americano.

Uma garrafa de *scotch* pedida na conta do visitante circulava de boca em boca. Tião, enjoado, recusou. A fome a essa altura parecia já ter aberto um buraco no estômago. Mariano sabia disso muito bem. Acabava pagando o sanduíche salvador. Mesmo sem a mesada, estava sempre com dinheiro, proveniente, ele dizia, de alguma daquelas fãs solitárias que lhe davam cama e comida. Tião conhecia muito bem os olhares de esguelha que agora lhe enviava. Significavam: "Aguenta firme, falta pouco."

Agora, abria um largo sorriso, sempre ao lado do americano:

— Estou dizendo que samba no Rio é contigo mesmo.

O outro sabia de que tipo de samba ele falava. Mariano dizia que não gostava de bossa nova. Apesar de morar na Zona Sul, preferia aquele gênero mais de subúrbio, o samba-jazz, inventado pelo pessoal das bandas militares que tocava nas gafieiras. Um suingue passando longe dos conservatórios e dos ambientes ditos "de bem". Gostava da música "do povo", garantia. Mas não escondia de Tião que, na verdade, pensava que o samba-jazz tinha condições de "estourar" tanto quanto a bossa nova. Chegada a vez da música de gafieira, eles, como pioneiros, estariam na frente. "É como uma corrida no Jockey", explicava. Se tivessem que ficar no Brasil...

O contrabaixista suava frio. Alguns dos gaviões acabaram por perceber seu drama. Mas ninguém ia se oferecer para ajudar. Jamais com Mariano presente. Eis por que aplaudiam de má vontade, com falso entusiasmo, havia certo tom de vingança. Se o americano jogava o jogo de cartas marcadas bancado por Mariano, todo mundo já sabia quem tocaria na *jam*. Os frutos da ida ao aeroporto.

Os louros iam ser agora divididos com seu parceiro, "a maravilha de Nilópolis". O gringo examinava-o da cabeça aos pés. Tião conhecia bem aquele tipo de olhar, e sentia a mesma coisa toda vez que ficava frente a frente com um branco. Será que não havia mesmo racismo entre músicos nos Estados Unidos? No Rio, onde não podia existir a mesma distinção nítida entre brancos e pretos, já fora discriminado tanto por donos de casas noturnas quanto por colegas.

Jackson continuava olhando, o rosto franzido, narinas dilatadas como se quisesse sentir-lhe o cheiro. Por trás dos óculos de lentes grossas saltavam os olhos azuis, mais escuros agora, algo ameaçadores. A figura comprida, de pernas e braços finos, um tanto desarticulados, fazia mais que nunca pensar num grande gafanhoto.

— Cotton! — exclamou, de repente, quando lhe traduziram o apelido de infância de Tião: Algodão, que só Mariano conhecia. Aprovou, balançando a cabeça. Sem maldade ou ironia, observou o baixista.

Mais uma espécie de compreensão, aquela tentativa de tomar pé de uma vez na situação que vira tantas vezes no rosto de sua mãe quando o examinava na volta da escola — ainda de calças curtas e quase sempre com um joelho ralado. O provável sucessor de Coltrane agora franzia a boca, como se quisesse entender sem fazer perguntas, talvez por acreditar que não obteria as respostas apropriadas. No quarto, pesava agora um grande silêncio.

    Sweets pediu o violão e passou-o a Tião, que no mesmo instante esqueceu a fome. O silêncio se ampliou quando o gringo levou o sax à boca. Uma eletricidade pareceu se incorporar ao ar entre as quatro paredes. Começaram "Night and Day", Tião ferino nas cordas de aço. O outro fazia força para não sufocar o som do violão. Ao contrário, parava às vezes para escutá-lo...

4

    A *jam* foi num *pub* da rua Gustavo Sampaio, no Leme, com cerca de dez mesas, ponto de encontro de músicos. Às dez da noite, estava lotado. Havia muita gente em pé ou acomodada de qualquer jeito pelo chão. Mariano foi buscar Tião lá nos fundos, onde ele se estirara sobre os engradados do bar. "Vamos lá, é a nossa chance." Arrastou-o para o palco, com a bateria já montada e a luz de um *spot* projetando a sombra do contrabaixo sobre as teclas do piano e as primeiras mesas. Fora de kombi apanhar Marquinho em casa e o baixo de Tião, na boate onde eles tocavam. Agora brincava com o teclado. O americano já estava de pé no meio do palco, a calça e a blusa verdes que lhe reforçavam o apelido. As pernas abertas feito Kirk Douglas em *OK Corral*, o saxofone pendurado no pescoço.

    Começaram com uma conhecida balada, e o som áspero do saxofone, como se Jackson equilibrasse as notas na ponta do queixo, surpreendeu Tião. No quarto, tudo fora diferente, mais íntimo, em tom de conversa, algo que fizera o baixista aderir afinal ao uísque e cair numa espécie de torpor, com pouco espaço para a realidade em geral e sua fome em particular. Agora, quando Jackson começava com uma espécie de dureza meio rouca esmagando seu conhecido timbre, essa mistura heterogênea demais, aparentemente desconexa, soava como mais uma página da luta que os músicos de jazz travavam com a própria natureza em busca da expressão autêntica, livre de regras e condicionamentos. A saturação da melodia e as primeiras frases do improviso carregadas de ironia resumiam a história de todos eles, pensava Tião.

Sweets já não era o mesmo dos velhos discos. Nota após nota, o improviso falava dos anos e anos em que a busca por aquela espécie de perfeição haviam-no levado a desistir dela. Não como derrotado: acabava por escutar a própria voz, como Coltrane, em certa época, como Charlie Parker, como qualquer um. Quando alguém aprendia a tocar um instrumento, na verdade reaprendia a falar. E um dia vinha a fase em que já não podia dizer o que todos queriam ouvir. O tipo de solidão que esperava a todos no meio do caminho.

Mariano não se ligava nessas coisas. No ar estufado de música, caprichava no fraseado, preparava-se para uma exibição de gala. Esperava pela velha centelha entre ele e o baixista. Queria mostrá-la ao americano. Tião fechava os olhos e deixava-se levar pela ondulação, pelo flutuar dos sons. Voava para o desconhecido, surpreso de flagrar-se daí a pouco no mesmo lugar, um suor frio que nada tinha a ver com a fome escorria-lhe pelos dedos. Mariano, mais afeito aos momentos culminantes, fornecia, com certo humor, a moldura adequada para cada frase, qual um artesão familiarizado com os metais nobres.

Na segunda música, levada com andamento mais rápido, ficou de repente evidente que a questão já não era ir para Nova York ou não. Até Marquinho, que conduzia a pulsação com a descontração de sempre, sabia disso. Cada um dos presentes também — os músicos e os meio músicos, o único garçom, o barman e o porteiro, que, segundo o artigo de um jornalista da noite, mesmo sem querer transportavam para cá e para lá sustenidos e bemóis nas dobras da roupa, levavam para casa justamente aquelas notas mais tortas, mais cheias de malícia, que faziam vergar o pescoço, bater o pé. Talvez até pensassem nelas mais tarde, no ônibus ou no trem, sonhassem com elas, acordassem no meio da noite, com pesadelos. A conversa de cada um com os instrumentos era principalmente dos músicos, mas não apenas deles. Ninguém incapaz de travar um diálogo desse tipo podia ouvir mais que dois minutos daquela música.

Mariano improvisou primeiro, fazendo citações de vários gigantes do piano, a começar por Luizinho Eça. Gostava de todos sinceramente, mas também queria mostrar que era capaz de tocar como eles. E não ia perder a chance de exibir sua sonoridade alegre, plena de trinados e malabarismos. Mais importante que a busca da perfeição era dar mais uma lição nos seus desafetos, quase todos ali na plateia. Não tinha a mesma opinião de Tião a respeito do destino dos músicos. Na verdade, não estava em sua natureza sentir-se sozinho. Adorava os aplausos, garantia que gostava de ser cultuado pelas pessoas comuns, menos exigentes, e dizia-se disposto a fazer qualquer tipo de concessão para conquistá-las. Frase a frase, com o arrebatamento daquelas óperas que ecoavam aos domingos no salão patriarcal dos Tardelli, deslizava sobre o piano as brincalhonas mãos de veludo e era como se falasse para a plateia assim de gavião que não havia no Brasil pianista como ele.

As cordas de aço do contrabaixo alemão, que vibrava de corpo inteiro pelos dedos do sobrinho de Tia Zoé, também não soaram mais como antes. Havia nelas certa sabedoria nova que talvez só ele percebesse. O antigo fraseado pertencia a uma época que estava passando. Passara para Sweets, agora também para ele. O peito estufado, os dedos agora secos e ariscos entre velhas e novas frases, antigas e novas sabedorias enredando o corpo e a alma, Tião mostrava como fora sua batalha contra o silêncio. Por vezes escapava um tom de mágoa, algum desencanto, mas era sempre a alegria da descoberta que predominava. Após aquele improviso, seria outro músico. E mais uma vez ele e o contrabaixo formavam uma peça única. Num momento, surpreendeu-se colocando entre grupos de notas a voz cálida da mãe, a luta inglória da família, as tardes ensolaradas no balcão do bar, a primeira vez que pegara num contrabaixo, vagas lembranças cuja nitidez o assustavam.

Ocorreu então que ele, Mariano e Marquinho tocaram de repente a mesma frase. Cronistas que depois se debruçaram sobre aquela noite memorável disseram que nesse instante ouviu-se um "oh!" na plateia. O copo que se espatifou no chão foi deixado cair por um garçom estupefato, desses que andavam transportando sustenidos e bemóis de um lado para outro. A única verdade incontestável, à qual, entretanto, pouca gente se referiu depois, é que aquela música delicada e elaborada, era visceral demais e imprópria para grandes multidões. Talvez só pudesse existir assim, no abafado de um bar de dez mesas, toalhas com manchas antológicas — espécie de estufa, como as que faziam respirar as orquídeas.

Acabou sendo a Noite do Gafanhoto, como ficou conhecida e depois cantada em prosa e verso. A resistência contra a "maravilha de Nilópolis" impediu que a plateia desse a ela o nome certo: a noite do contrabaixo. Dois ou três porém, músicos ou não, experts ou longe disso, saíram com o sorriso da sabedoria nos lábios. Mas não acharam necessário dizer a Tião que a síntese de tudo o que ocorrera naquele palco foi feita pelo contrabaixo, num solo que, se fosse possível definir em poucas palavras, dir-se-ia que fez o céu vir abaixo. A cerveja, o uísque e a empolgação a essa altura tinham feito desaparecer as diferenças e a plateia assim de gavião irrompeu numa ovação no final da noite, quando já era dia. Mariano derretia-se atrás das teclas e Jackson esqueceu o sax para abraçar "el amigo Cotton". Mal as palmas acabaram, os quatro atacaram furiosamente um tema de Charlie Parker, inspirados, invencíveis, indivisíveis, insubstituíveis — o quarteto que daí a alguns meses estrearia no Village Vanguard, em Nova York.

Já havia sol quando Tião foi carregado nos ombros até a esquina. Enciumado, Mariano correu para arrancá-lo dos braços da multidão. Puxou-o para si, repetindo que ele era "o maior, o maior!".

Tião não podia ouvir: desmaiara.

OH, BERNARDINE
Jaime Prado Gouvêa

Era uma época de transição — da nossa música popular, do nosso comportamento e também do Brasil. Vamos supor que o ano citado no conto — 1959 — marque bem esta passagem. Havia lojas e mais lojas de long-plays (penso na rua da Praia de Porto Alegre, mas era o mesmo em outras cidades grandes), e as rádios tinham um papel fundamental na difusão dos sucessos. Por outro lado, os velhos sambas e sambas-canções, boleros etc., em algum ponto da nossa escuta e/ou costumes, misturavam-se com o jazz da West Coast *— na voz e no violão de João Gilberto —, e aí nascendo a bossa nova. Na voz do mercado (locutores de rádios e seus programas: os futuros programas de televisão e os futuros* disc-jóqueis*), ouvia-se a invasão de baladas (como "Oh, Bernardine", com Pat Boone) e os primeiros e definidores* rock-and-rolls *(Elvis Presley, Little Richard, filmes como* No balanço das horas *e filmes comerciais com... Pat Boone ou Elvis Presley...). O conto do mineiro Jaime Prado Gouvêa, em surdina ou em alto e bom som, registra esse ponto de mudança. Sim, os jovens, o comportamento, os ritmos mudavam — alguém duvida? (E o Brasil com seu ritmo subterrâneo: pouco depois, Jânio Quadros era eleito presidente e... renunciaria, gerando crises políticas que se sucederam ou se sucedem até hoje...)*

O tênis branco, a blusa de lã vermelha com uma letra H bordada no lado esquerdo, a flâmula da escola na parede e a pilha de discos num canto desse meu quarto de pensão. Penso em tudo isso aqui na cama, apesar do cheiro amarfanhado do lençol insistir em me lembrar como foi que eu vim parar neste lugar depois de tantos anos. Pregada na porta do guarda-roupa, uma folhinha de 1959, que nunca tive coragem de trocar. E, lentamente, me levanto para preparar o corpo que vou ter de carregar até a rádio onde me sentarei no estúdio para atender os pedidos que outras pessoas, com motivos parecidos, fazem para agradar ou comover as pessoas que amam.

Óleo Palmolive nos cabelos, ajeito os fios arrepiados nas partes ainda não de todo opacas do espelho, inclinando-me num ritmo compassado de rock lento e no cuidado dançarino de não derramar o refrigerante que peguei no freezer esticado pelo cinemascope, compondo assim a cena do coro que acompanha Pat Boone cantando para o cartaz que simboliza Bernardine, a impossível namorada. A moça do sorriso manso, de olhos fincantes, em que ele vê Bernardine, e suspira. São oito horas da manhã de uma terça-feira.

Hoje me pediram músicas de Natal a manhã toda. São canções novas e antigas, para todas as idades, como diz meu slogan de radialista, o que realmente atrai todos os tipos de ouvintes. É claro que tenho minhas preferências, mas com o tempo aprendi a respeitar o gosto dos outros, ou a dor de cada um deles, pois não me lembro de ninguém pedindo uma música para alegrar-se. As cartas que recebo mostram isso, assim como o tom de voz das pessoas ao telefone. Muita gente anda triste por aí, essa é a verdade.

Mas a recompensa sempre vem através de agradecimentos que me chegam todos os dias por casamentos, noivados ou namoros reatados, as lágrimas da mãe solitária que pede constantemente "Saudades da Bahia" na esperança de que seu filho volte para casa, ou a sentida confissão de um rapaz de letra caprichada que, depois de me fazer tocar durante semanas a fio, faixa por faixa, alguns long-plays de Nat "King" Cole, resolveu desistir definitivamente de reconquistar seu antigo colega de internato. Mesmo assim, dizia ele, a chama da esperança não pode se apagar, e conto com o senhor que, atendendo-me os pedidos, impede que eu desembrulhe aquela gilete enferrujada e acabe de uma vez com meu suplício.

Foi meu chefe e mestre Camargo quem me ensinou as regras elementares da profissão. Dizia ele que o bom disc-jóquei precisa, em primeiro lugar, ser uma extensão do desejo de seu ouvinte, atendendo-

-o com educação e de forma tal que demonstre apoio e cumplicidade, dando toda razão ao pedido feito, não como uma vitrola, mas como um conselheiro íntimo que estivesse de acordo com a receita sugerida pelo próprio cliente, sim, é essa a música que deve ser tocada. Então, o ouvinte se sentirá ao lado de um velho companheiro de bar, pois esse breve diálogo tem o sentido de um reencontro, e tomamos uma cerveja juntos no embalo da voz romântica que está cantando.

Meu chefe e mestre Camargo falava também que a permanência de um disc-jóquei à frente de um programa por muito tempo era vista com entusiasmo por diversas autoridades de suas relações, que lhe segredaram a importância da ligação sentimental a músicas e fatos do passado como fator de controle emocional da população. Camargo dizia umas coisas estranhas, de vez em quando. Era um homem muito culto. As pessoas, dizia ele, em geral não têm objetivo nenhum na vida a não ser invocar o passado, o que houve de triste ou feliz no passado. Por isso elas telefonam ou escrevem tanto, chorosas, atrás de suas dores antigas. O nosso povo só se importa com o passado, dizia ele, e sorria: o futuro a nós pertence.

Disse essa frase poucas horas antes de sofrer seu primeiro enfarte, e eu nunca mais a esqueci. E desde então começou a sugerir, um tanto sem graça, que eu tocasse às vezes algumas valsas austríacas, suas preferidas, aquilo sim era música, aquelas cortes repletas de nobres rodando pelos imensos salões de mármore. Fica ao meu lado solfejando suas valsas, distraído, e, depois de tentar dar um rodopio em torno da própria barriga e se lembrar de que não pode fazer muito esforço, sai lentamente em direção ao gabinete onde trabalha, metodicamente, duas horas pela manhã, duas horas à tarde.

Eu só volto à noite, para o programa de encerramento. Neste eu não tenho de atender pedido algum, e posso escolher as músicas de que realmente gosto. O estúdio fica praticamente vazio, só o contrarregra e o porteiro além de mim. Coloco as fitas escolhidas e deixo que as músicas saiam livremente, só parando de dez em dez minutos para os comerciais. Tenho, portanto, intervalos de dez minutos, vários intervalos de dez minutos para ficar descansando, pensando, lembrando, olhando a folhinha na parede que a cada mês troca a moça que bebe um refrigerante e olha para mim com um sorriso branquíssimo. Todas têm lábios muito vermelhos, olhos cintilantes, cinturas finas e shorts bem-talhados, camisas entreabertas com as pontas amarradas, como se não tivessem botões. Todo mundo tem um passado, dizia Camargo, e Camargo sabe das coisas. Com as mãos entrelaçadas na nuca, os pés estirados na cadeira em frente, Pat Boone relembra o tempo em que passava o tempo à toa, num dia como hoje, escrevendo cartas de amor na areia. A moça deste mês me olha da folhinha e eu estiro os pés por debaixo da mesa, e assovio.

A folhinha que, na hora do comercial, me faz lembrar o quarto da pensão e o que sinto quando acordo. O cheiro dos lençóis e as manchas bolorentas do espelho. A folhinha parada em 1959 vem me lembrar velhos filmes românticos, tardes chuvosas, a quadra de basquete molhada, a gangorra úmida do clube rangendo enquanto o filme voltava a rodar em torno do fícus e da arquibancada de madeira, esperando que Bernardine cruzasse a portaria e viesse para cá, onde ficaríamos sozinhos.
Que a minha vida agora é essa. Ficar esperando que Bernardine entre pela porta do estúdio e venha ficar comigo. Mas, mesmo à noite, o telefone costuma tocar com pedidos de músicas que preciso explicar só tocarão no programa da manhã. E até de gente que não pretende ouvir nada, mas pedir ajuda para localizar parentes desaparecidos, ou apenas conversar, ou, e isso acontece muito, alguma mulher solitária que quer me conhecer. Digo sempre que não é possível, essas coisas não acontecem assim. Não que um encontro não pudesse se tornar uma aventura interessante. É que me acostumei a esse tipo de vida, de ficar recriando, pela música, meus filmes, meus momentos, minhas épocas, tentando fazer minha vida à parte das pessoas que conheço.

Pois eu assumi meu passado. E, a cada dia, quando ele volta, é como se tudo fosse acontecer novamente, sem os enganos de antes. Como ainda quero que seja.

Passo, então, um óleo nos cabelos para evitar que o vento desmanche o penteado, e vejo, pelo espelho, a camisa branca e o terno bem passado. Depois da barba, a loção Lancaster e o cheiro frio que enche o quarto, vou vestir a camisa, dar um laço fino e justo na gravata e colocar nela o prendedor de madrepérola, um botão acima do cinto. Os amigos esperam no bar para mais uma rodada de rum antes de sairmos nós quatro para a festa. Vamos em silêncio, cada qual imaginando os primeiros passos na sala ainda vazia com três garotas sentadas no sofá, um casal conversando na varanda, talvez até garçom servindo uísque que, logicamente, beberemos on the rocks. Vindo lá de dentro, ela vem com os lábios muito vermelhos e seus olhos afinam uma luz que poderia estar me procurando. O conjunto de Ray Conniff está acabando de executar "Besame mucho", parece que ela vem na minha direção.

A próxima música na fita rodando dentro do estúdio talvez me lembre o carnaval de 63. Talvez não.

Lembra apenas uma outra festa — ou teria sido num desses barzinhos da cidade, há alguns anos. Pode ser. Agora é apenas uma fita tocando, agora que vai chegando a hora de dar boa-noite aos meus queridos ouvintes. Mas ainda falta um pouco, uns 15 minutos.

Outro dia mesmo, pela manhã, depois de uns três pedidos normais ao telefone, Bernardine me chamou:

— Alô, sabe quem é?

— Não.

— Sabe sim, você não se lembra de minha voz?

Pensei um pouco. Talvez lembrasse.

— Leda? Vitória?

— Não.

— Maria Ângela? Dorinha?

— Você não se lembra mesmo? Quem são essas que você está falando?

— Umas pessoas que eu conheci.

— Não tem importância. Eu só queria pedir uma música, seu bobo. Você não vai se lembrar mesmo de mim.

Olho para a folhinha, suspeito que sim, só pode ser ela.

— Bernardine?

— Que Bernardine?

— Nada. Que música você quer ouvir?

— "Meu primeiro amor", com a Nara. Tem?

— Tem sim. Vou anotar.

— É só isso. Obrigada.

— Não tem de quê.

Procuro o disco na prateleira, onde ficam os que ainda não passei para as fitas. "Meu primeiro amor" é a penúltima música do programa. E não me diz absolutamente nada.

Agora vem o momento em que deixo o estúdio, dizendo até-amanhã ao contrarregra e ao porteiro, que vão ter de esperar o acalanto de Caymmi terminar para que a estação saia do ar. Amanhã estaremos de volta. Saio e vou ter de caminhar até o ponto do ônibus que me levará de volta ao quarto da pensão. Mas estou sem sono ainda, meio agitado pelo telefonema do outro dia. E, como sempre, o último ônibus já se foi. Tenho então de continuar andando, passar por entre os bares que ficam abertos até o sol nascer, que é quando as últimas prostitutas tentam arrastar os últimos bêbados para seus quartos.

Entro num deles — por que não entraria? — e vou direto à vitrola automática, onde fico algum tempo escolhendo a música que quero ouvir. Leio o mostruário de um lado a outro, volto, fico em dúvida. Nada.

— Por que você não põe essa, meu bem?

A mulher tem bafo de cerveja, olhos amarrotados.

— Põe você. Toma a ficha.

Ela põe a ficha, os discos se movimentam e cai uma música qualquer. Ela pede que eu lhe pague uma cerveja. Digo que pode pedir. Ela diz que eu sou um amor. Não respondo. Quer me dar um beijo. Não reajo. Encho o copo dela e o meu. Bebemos em silêncio. Vários cartazes nas paredes, anúncios de refrigerantes, cigarros, bebidas alcoólicas. Ela me pergunta se eu sou sempre triste assim. Digo que não, só às vezes. Ela se chateia, mas pede outra ficha. Dou todas as fichas que tenho no bolso e um dinheiro para a conta. A rua lá fora me espera, andar até meu quarto, respirar o ar dessa noite, chegar, abrir a porta e reencontrar Bernardine sorrindo para mim.

O CONCERTO DE JOÃO GILBERTO NO RIO DE JANEIRO
Sérgio Sant'Anna

Um cantinho e um violão, esse amor, uma canção? Nem tanto. Nem tão pouco. O que ressoa aqui é a batida de violão e a voz inconfundíveis de João Gilberto, além da expectativa de um concerto do "gênio" da bossa nova no Rio de Janeiro, depois de anos morando em Nova York. Mas só um detalhe, ponto de partida, pois não se trata, claro, de um conto anedótico. Sérgio Sant'Anna (1941-) faz literatura experimental, colada às vanguardas versão anos 1970. Ou seja, mais (ou menos, se quiserem) do que o minimalismo joãogilbertiano, ou paralelamente a ele, o silêncio da música ou a música do silêncio. Em outras palavras, João Gilberto e John Cage. Ou John Cage e João Gilberto. Quem sabe um conto que, com o chamariz do nome de João Gilberto, se realiza como... pós-bossa nova? De qualquer forma é de música que se trata — ou não, como diria Caetano. Ouçam e vejam. Escutem.

JOHN KENNEDY AIRPORT:
John Cage ofereceu a gaiola vazia a João Gilberto e disse que era um presente de despedida. — This cage — disse John Cage — contains the *Bird of Perfection*. Guarde-a com você, João. É como um amuleto que o socorrerá nas intempéries e preservará a sua voz e o seu caráter límpidos de imperfeições.

João tomou mais um gole de água mineral, deu uma piscadela para o *Pássaro da Perfeição* e pensou na Bahia. "Ogum, saravá, Exu", cantarolou suavemente João, acompanhando-se com batidas de uma colherzinha de café na garrafa de água mineral.

— What a marvellous day — comentou John Cage, observando o pátio de estacionamento de aviões pela janela envidraçada do restaurante do aeroporto, ao som das batidinhas de colher de João Gilberto. — Nice trip to you — concluiu Cage, levantando-se de supetão.

Acabava de ver, num reflexo da vidraça, que se ensombrecera com a decolagem de um Tupolev, o diretor de teatro Bob Wilson, que subia pela escada rolante a ler o *New York Times*.

— Hei, Bob — cumprimentou John Cage, quando Bob Wilson chegou ao topo da escada. Bob não respondeu ao cumprimento; tinha um olhar fixo de autômato e virou-se imediatamente para descer a escada. "Bob não está no aeroporto para viajar ou despedir-se de alguém", Cage pensou lá de cima: "Bob está apenas compondo um figurante anônimo na movimentação de atores-personagens no Kennedy Airport. Bob Wilson é um artista em tempo integral", concluiu John Cage, a descer ele próprio a escada rolante, cruzando com Bob que novamente subia, o exemplar do *New York Times* tapando agora seu rosto.

John Cage, com sua presença, acionou a porta automática da estação de passageiros, saiu para a rua e olhou o céu. Era uma tarde de outono em New York City e John achou bonito o rastro branco no céu azul que um jato deixava à sua passagem. "João Gilberto vai deixar um rastro assim, de New York ao Rio de Janeiro", meditou John Cage. "Primeiro passa o avião e só depois é que a gente escuta o ruído."

John Cage entrou em seu carro refletindo sobre o ruído ensurdecedor dos aviões que passavam rasante sobre as casas próximas ao aeroporto. "Isto é também um momento espiritual, um espaço *Zen*", pensou Cage. "O ruído total equivale ao silêncio total. Quantos decibéis serão necessários para transportar o homem a um novo tipo de percepção?"

TAKE-OFF:
João Gilberto já começou a sentir nostalgia de New York quando o homem do *Check* de bagagens, ao perceber a gaiola, disse que, a rigor, os animais só podiam viajar no compartimento a eles destinado. Mas como este era um pássaro muito sensível, ele ia abrir uma exceção.

"Esta cidade é o templo do Mundo Ocidental, onde todos os anos as pessoas deviam vir em peregrinação", pensou João, atando o cinto de segurança. "E todas as tardes, ao acenderem-se os luminosos do Times Square, em todos os países do Ocidente as pessoas deviam ajoelhar-se nesta direção."

Neste momento passou a aeromoça oferecendo chicletes. João começou a mascar chicletes, compondo mentalmente o "Bubble Gun Samba". Uma estrutura tríplice baseada na oposição dos sons da saliva, dos dentes e do maxilar. João pensou em micromicrofones instalados dentro da boca do cantor no momento da gravação.

Pingue-pongue:

João perguntou à aeromoça se na aeronave havia mesa de pingue-pongue? A aeromoça disse que não, mas se João quisesse podia escutar música em três canais à escolha.

— No, thanks — disse João. Ele não queria uma música qualquer. Ele queria aquele "poc-poc" das bolinhas de pingue-pongue. João pensava agora na sonoridade simples daquelas duas palavras: "pingue" e "pongue".

"Poc-poc, pingue-pongue; poc-poc, pingue-pongue", João foi repetindo, como quem conta carneirinhos, até adormecer com a gaiola em seu colo.

Boas-vindas:

João acordou ao amanhecer com leves batidinhas em sua janela. Olhou para fora e viu um urubu pousado na asa do avião. "Já estamos em terras do meu país", pensou emocionado João. E acenou para o urubu.

O urubu insistiu, batendo com o bico na janela. João prestou mais atenção e percebeu que o urubu transmitia uma mensagem em código Morse:

"*Cotonetes. Minha casa está cheia de cotonetes. Comprei cotonetes pra limpar bem os ouvidos e te escutar no Canecão. Abraços, Antônio Carlos Jobim.*"

João pediu emprestado à aeromoça uma caneta Bic: "*Entendido, câmbio*", ele transmitiu, batendo com a canetinha na janela.

"*Alguma mensagem ou pergunta?*", ofereceu o urubu. "*Como é que está a barra lá embaixo?*", perguntou João. "*Boa. Muito boa*", respondeu o urubu. "*A gente fica flutuando sobre a Baixada, esperando a desova do Esquadrão. Depois é só fixar o rumo no presunto e mergulhar de cabeça.*"

Neste momento João reparou que o urubu estava repulsivamente gordo. E João fez "*pschit, pschit*", em código Morse, igual aos frequentadores de cinema espantando da tela o urubu da Condor Filmes. O urubu bateu asas assustado e se mandou. João ficou pensando num samba que explorasse as possibilidades da letra *u*. Talvez com o título de "Um Urubu em Umuarama".

O urubu da Condor:
Uma tarde João estava sozinho num cinema do Rio de Janeiro. João achava que os cinemas vazios e os filmes ruins eram muito bons para um sujeito pensar em paz. "O filme não interfere com a cabeça da gente."

Era um filme da Condor Filmes e, como sempre, apareceu na tela aquele urubu. João olhou para os lados e viu que era o único espectador. "Vou quebrar uma tradição", João pensou: "Se eu não espantar o urubu não vai haver ninguém mais pra fazer isso. Será a primeira vez que ninguém espanta o urubu da Condor. Quero ver se com isso o urubu continua pousado naquele rochedo. Talvez o filme nem comece."

Os pensamentos de João foram interrompidos pelo lanterninha que passou correndo entre as fileiras de poltronas vazias. O lanterninha agitava os braços, fazendo "*pschit, pschit*", e o urubu bateu asas e saiu voando, deixando atrás de si aquele rastro de letras que formava o nome da Condor. E o filme pôde começar.

Aeroporto Internacional do Galeão:
A sacada do aeroporto estava cheia de gente agitando faixas e cartazes. "É o Prestes", informou um mecânico a JG: "O Prestes voltou."

Desembarcando de outro avião, vinha Luís Carlos Prestes de volta do exílio, carregando uma maletinha James Bond.

João aproximou-se de Prestes na Alfândega e sussurrou:

— Qual seria a Estética do Partido no poder?

— Uma Estética para as massas, uma estética para as massas — respondeu prontamente o Cavaleiro da Esperança.

— Boa resposta — sorriu João. E saiu cantando pelas dependências da Alfândega: "Só danço o samba, só danço o samba, vai, vai, vai, vai, vai..." Prestes o acompanhava batucando na maletinha James Bond cheia de documentos do Partido.

Alfândega:

— Este pássaro tem de ficar de quarentena — disse o inspetor, coçando o saco.

— Para não contaminar os pássaros do país — acrescentou um cidadão de terno escuro, apontando o dedo para João Gilberto, como se também ele, João, devesse submeter-se à quarentena.

Era o crítico José Ramos Tinhorão, que também estava por ali espiando a chegada de Prestes. Prestes, neste momento, era carregado em triunfo nos ombros dos correligionários.

João Gilberto dirigiu-se aflitamente ao bolo de pessoas e gritou para o líder:

— E a anistia, a abertura? Não dá para o senhor interceder pelo meu pássaro? Não tem ninguém do Partido trabalhando na Alfândega?

— Calma, rapaz; a gente mal está chegando — disse Prestes nos ombros da massa. — E isso só se resolve com...

— Legalidade para o PC, legalidade para o PC — entoava em uníssono a multidão.

O Autor:

O Autor, embora fosse favorável à legalidade do PC, não estava ali para receber Luís Carlos Prestes. O Autor viera ali receber João Gilberto. Queria fazer umas perguntinhas a João, pedir um autógrafo, mas respeitou a dor do ídolo. João se deixara ficar deprimido, num canto, enquanto levavam seu pássaro para algum obscuro recinto do aeroporto.

    O Autor achava que a gritaria da turba do PC devia incomodar os ouvidos de João. O pessoal cantava mal demais o Hino Nacional. E que oportunidade perdida, meu Deus! Já pensaram João Gilberto cantando o "Ouviram do Ipiranga", acompanhado de suas batidinhas características ao violão? Talvez até as palavras "fúlgido" e "lábaro" adquirissem uma nova conotação. O Autor tinha certeza de que, pela primeira vez, as sílabas das proparoxítonas seriam entoadas em sua plenitude. Uma entonação ao mesmo tempo "plácida" e "retumbante", sorriu o Autor, contente do seu achado. Que lucidez crítica se as pessoas tomassem plena consciência de cada partícula do Hino Nacional. Talvez a partir daí se chegasse à decisão de adotar um novo hino, escolhido por todo o povo através de um Festival.

    — Siga aquele carro — disse o Autor ao chofer de táxi, apontando o carro de João.

    Gasolina cara demais, dia quente demais, trânsito ruim, o motorista estava de mau humor:

    — Está achando que isso aqui é seriado de TV? Como é que eu vou seguir um carro nessa zorra da avenida Brasil?

    De fato, entre o carro de João Gilberto e o táxi do Autor já se interpusera um monte de veículos e a multidão de simpatizantes do PC. Longe do aeroporto, dos provocadores e possíveis radicais da Aeronáutica, a multidão cantava sem medo a "Internacional".

    O Autor pensou em João lá dentro do outro carro. As primeiras impressões de João em seu retorno: a favela da Maré, o cheiro de lama fétida na avenida Brasil, os engarrafamentos, talvez algum desastre, um tiroteio, depois o Gasômetro, a Leopoldina. Até chegar ao Rebouças e depois à Lagoa e depois à praia. Seria bonito o reencontro de João com a praia. De certo modo João também era um exilado. Um exilado musical.

Mas antes de chegar à praia João tinha de enfrentar aquela barra da entrada do Rio de Janeiro. Subitamente político, talvez João cantasse dentro do carro alguns acordes da "Internacional". Assim: "badabadá, baiadá, badabadá, baiadá." Até Stalin haveria de gostar.

Devaneios de um autor:

Por onde andará João? Tocando violão e jogando futebol num sítio com os Novos Baianos? Cantando com as irmãs Buarque de Holanda numa feijoada lá em casa do Chico? Bebendo com o Tom num botequim escondido? Não, JG não tem jeito de quem bebe ou vai nas coisas. Em compensação, o Tom...

Uma vez o Autor (um espião) viu o Tom de porre lá no Garota de Ipanema. Quando o Tom atravessou em zigue-zague a Prudente de Morais o Autor ficou com medo de que ele morresse atropelado. Que piada mais negra, o Tom estendido entre velas em frente ao bar onde compôs a famosa canção. Curioso esse apelido tirado do nome do Antônio Carlos Jobim: *Tom*. Consequência da música ou, desde o princípio, uma predestinação? Do mesmo modo que as iniciais dos nomes do Milton Nascimento: Minas. É isso.

E Caetano que não veio ao aeroporto? Antigamente Caetano sempre aparecia. Caetano anda meio desligado, *odara, qualquer coisa*. Fica sentado na praia lá na Montenegro, com sua corte em volta. De vez em quando acena displicentemente para algum conhecido, quase como se não o visse. O Autor pensa em Caetano sentado num trono, com cetro e manto reais, concedendo audiência aos cortesãos. Caetano é um ídolo. Deus também é um ídolo.

Caetano parece mais é entediado. Como quem já viveu tudo, todos os prazeres, e quisesse tornar-se um monge. De vez em quando faz uma canção bonita, falando no *tempo* e coisas e tais.

O Autor pensa em Caetano se convertendo ao Islã. "Caetano muçulmano", uma rima digna de Jorge Ben.

A revista *Amiga*:

"João Gilberto no Rio quase não sai. Gosta de passear na Barra da Tijuca, ver os túneis, ele mesmo dirigindo."

João sempre vem com uma diferente, pensa o Autor, que toda a vida teve paranoia de túnel: poxa, ser engolido por aquele troço quente e escuro, cheio de barulho e fumaça. João, não. Vai lá, curte o túnel e pronto.

O respeito pelo artista (ou dois momentos históricos):

Há vinte e tantos anos, ali naquele estádio entre a avenida Venceslau Brás e a rua General Severiano, um moleque descalço assistia, com o rosto colado à grade, a um treino do Botafogo de Futebol e Regatas. Estupefato, vê entrar na ponta-direita do time reserva um garoto de pernas tortas que, na primeira jogada, com uma série de dribles improváveis, deixa sentado o lateral-esquerdo Nilton Santos, o maior estilista de todos os tempos na posição. O moleque aprendia intuitivamente com Garrincha, naquele instante, que a linha reta nem sempre é o caminho mais hábil entre dois pontos.

Agora, muitos anos depois, o estádio do Botafogo não existe mais. No gramado se deposita material de construção e vão construir ali um supermercado. Do outro lado da Venceslau Brás, na esquina, ergue-se o Canecão, cervejaria onde costumam se apresentar os ídolos da música popular brasileira que dispõem de um vasto público.

João Gilberto desce neste momento de um carro, em frente ao Canecão, para o primeiro ensaio. JG olha o céu azul, os edifícios, as montanhas da cidade de São Sebastião do Rio de Janeiro — e abre os braços, imitando o Cristo Redentor.

Um inspetor de trânsito, reconhecendo o ídolo pelas fotografias nos jornais, também abre os braços e para o tráfego em todas as direções, em homenagem a JG.

O inspetor é como um maestro regendo o trânsito e sorri para João Gilberto. João sorri de volta para o Inspetor e entra bem-humorado para o primeiro ensaio no Canecão.

Logo depois, a um sinal do inspetor, o fluxo de tráfego se realimenta, com seus ruídos infernais. O inspetor de trânsito é o mesmo moleque que assistira ao primeiro treino de Garrincha no Botafogo.

Os jornais:
"Aos 48 anos, os cabelos rareando, vestido com simplicidade, João Gilberto está mais calmo e maduro. Ensaia todos os dias sob um forte calor, procura contornar com paciência os problemas de som do Canecão. João está até dando entrevista. Diz que está muito feliz, emocionado por cantar outra vez no Brasil. Pode ser até que volte em definitivo, embora continue gostando muito de Nova York. '*Uma cidade onde você só vê as pessoas uma vez.*'"

O Autor:
O Autor imagina que aos 48 anos um homem deve chegar àquele encontro consigo mesmo no presente, porque não há futuro. Vendo aproximar-se o fundo do funil, percebe que a vida não é ilimitada e então é preciso se dar ao máximo a cada coisa, dentro dos limites de cada um. Criar no limite mesmo o ilimitado.
— Só as músicas que gosto — declara João.

O terrorista venezuelano Carlos, o Chacal:
"Sei que a qualquer momento uma arma será apontada em minha direção. Por isso vivo intensamente."
No fundo, somos todos como Carlos. Câncer, enfarte, atropelamento, assalto, a qualquer momento a arma da morte poderá ser apontada em nossa direção.

Bochechos:
Que o problema do som está difícil de resolver. Mas João garante que até o dia da estreia...
Que, à medida que o tempo passa, João fica mais triste, fica falando num tal Pássaro. Que João está triste porque o Pássaro deve estar triste lá na *quarentena*.

Que as pessoas estão com medo de que João venha de novo com alguma aprontação. "Lembram-se daquela vez em que ele...?" Que o problema principal é o retorno do som, os músicos não se escutam uns aos outros. Mas os melhores técnicos estão sendo consultados, etcétera e tal.

João Gilberto:
— Quem sabe se a gente pusesse aqui num canto do palco o Pássaro de John Cage? Talvez o Pássaro funcionasse como catalisador do som.

João toma uma decisão e vai ver o Pássaro lá na *quarentena*. Levado até a gaiola, percebe que o pássaro sumiu. O funcionário argumenta que a gaiola sempre esteve vazia. — É preciso saber ver esse pássaro — diz João. — Na hora de apreender vocês viram. Só na hora de apreender.

JG à revista *Amiga*, depois que tudo se passou:
"Eu não me ouvia porque não havia retorno de som para mim. O maestro regia olhando para minha mão porque também ele não me ouvia. Aliás, ninguém se ouvia."

Som:
"Sensação produzida pelo estímulo dos órgãos auditivos por vibrações transmitidas através do ar e outros meios." (*Random House Dictionary*)

O som é, portanto, uma relação. Não existe som sem que exista também quem o escute. Do mesmo modo que a *cor* existe em relação com o olho. John Lennon disse uma vez que os Beatles pararam de fazer *shows* porque apenas arremedavam a si próprios em meio à gritaria do público. Os Beatles estavam piorando porque não ouviam a si mesmos.

Onde foi parar o som de João Gilberto?

O diretor da Clínica Pinel, localizada à avenida Venceslau Brás, próxima ao Canecão, comentou com o corpo médico que se achava diante de um fenômeno inexplicável: "Que durante várias horas da tarde ou da noite, ultimamente, os internos se mostravam estranhamente calmos, parados e atentos, como se captassem no ar certas vibrações. E que ele, o diretor, investigando por conta própria o que poderia estar acontecendo, verificou que tal estado, nos pacientes, coincidia com os ensaios de João Gilberto no Canecão."

Terá o retorno do som de João Gilberto ido parar na Pinel?

Corte cinematográfico para um balcão de botequim na praça Tiradentes, onde se encontram o Autor e sua amiga Léo:

O Autor diz para Léo, assistente do diretor Antunes Filho no espetáculo *Macunaíma*, que é linda aquela cena da peça em que passa o bloco fantasiado cantando baixinho a marchinha de Carnaval.

"Isso pega um lado do Carnaval", pensa o Autor, "que é a melancolia das máscaras, das fantasias e às vezes da própria música. A tristeza da alegria. Edgar Allan Poe, em sua *Filosofia da composição*, escreveu que o poema 'O corvo' obedecera a um planejamento rigoroso". Antes ele se perguntara qual o sentimento humano mais bonito? "A tristeza", ele concluíra. E o poema fora matematicamente construído, visando um conteúdo-sonoridade correspondente a este sentimento.

O Autor acha que isso não passa de uma blague de Poe. Que Poe construiu seu poema na base da sensibilidade intuitiva e que só depois racionalizou em cima.

Raven-Never-More-Lenor: permutações sonoro-conteudísticas em cima do grasnar de um corvo.

Edgar Allan Poe (t): um nome trazendo em si a predestinação não só para a poesia, mas para um tipo de poesia? O ritmo contido no próprio nome do poeta. *Raven-Allan-Edgar*.

O Autor guarda no meio de seus escritos o esboço de uma teoria de predestinação dos poetas germinada em seu próprio nome.

"As quatro máscaras de Fernando-Persona." "Cummings e a musicalidade silábica."

"Stéphane Mallarmé: a armação-urdidura de uma nova poética do espaço."

Uma amiga do Autor:
É a Sílvia. Toca flauta, bebe etc. Quando estão ambos disponíveis, namoram ela e o Autor. Às vezes se encontram por acaso num botequim qualquer de uma cidade qualquer. E é só ficarem *bebidos* que começam a exclamar um para o outro numa voz aterrorizante: "*Never more, never more.*"

Aniversário do Autor:
À meia-noite de 29 para 30 de outubro o Autor é chamado ao telefone pela Léo, lá do tradicional Bar e Café Lamas. Chega no bar e senta-se à mesa com a Léo, o Antunes e a Salma. Cumprimentam-se pelo aniversário e dizem que vão cantar o "Parabéns pra você".
O Autor diz que fica encabulado com essas coisas. Eles falam que vão cantar então bem baixinho.
E cantam naquele tom *sussurrante* do bloco do Macunaíma.
— Garçom, um Stanheigen, a bebida dos profissionais — diz o Autor, disfarçando a emoção.

Doutor Silvana:
Apelido colocado no garçom do Lamas pelo Antunes Filho, por causa da incrível semelhança daquele com o vilão das histórias em quadrinhos.
O Antunes dirige a organização das mesas do Lamas para os seus amigos como se dirigisse uma peça de teatro.

Nosferatu, o vampiro:
O Autor e a Léo encontram-se em frente ao teatro para irem ao cinema.
— O *Nosferatu* do Herzog é um vampiro tão angustiado que a gente fica com vontade de dar o pescoço para ele — diz a Léo.
O Autor segura a mão da Léo e começam a namorar.

O Autor:

"De uns tempos para cá ando meio desligado, apático, quase não tenho saído de casa. Deixo que as pessoas, as mulheres, apareçam por aqui ao acaso. Também estou escrevendo pouco. Fico mais é pensando, deixando as ideias entrarem e saírem da cabeça. Mas vou fazendo, muito devagar, um livro de contos. Textos que discutem o *dizer e o não dizer*. Um livro que busca algo assim como o silêncio.

"Mas o que eu mais tenho preguiça é de sair para ver algum espetáculo. E detesto escolher. Voltei a ver teatro por causa do Antunes, que me telefona para ver esta ou aquela peça. É um modo de as coisas virem a mim em vez de eu ir até as coisas.

"Também quase não ia mais aos bares. Ficava aqui em casa vendo televisão com meu filho, ou lendo ou rabiscando alguma coisa. o melhor dos livros é que a gente pode trazer eles para casa.

"Voltei aos bares por causa da Léo e do Antunes. A gente costuma ir depois da meia-noite, quando acaba o *Macunaíma*."

No táxi:
O Antunes vira-se para trás e diz à Léo:
— O Sérgio também conhece as coisas do Bob Wilson. O Bob Wilson estava na mesma cidade em que ele estava nos Estados Unidos.

Iowa City (1971):
O olhar do surdo, de Bob Wilson, era um espetáculo de quatro horas de duração, inteiramente silencioso, em que os atores-personagens, com gestos em câmera lenta, numa espécie de presépio animado expressionista, iam abrindo caminho muito aos poucos para uma apoteose, quando entrava no palco, também com extrema lentidão, uma orquestra com músicos travestidos de imensos gorilas que passava a executar o "Danúbio Azul".

Macunaíma:

Com seu livro *Macunaíma*, Mário de Andrade conseguiu não só abrir caminho para uma linguagem nacional, como também refletir sobre o jogo dialético das culturas brasileira e universal. No espetáculo do Antunes, a movimentação dos atores-personagens marcada pela valsa de Strauss é extremamente eficaz como um contraponto de incrível beleza dentro da rapsódia brasileira de Mário de Andrade.

Levantemo-nos, agora, para aplaudir.

Bar e Café Lamas:

O Antunes diz que também curte o Edward Hopper. Que viu uma retrospectiva do Hopper em São Paulo.

— Doutor Silvana, mais uma vodca.

O Autor escrevera um texto — *Cenários* — que terminava com uma evocação de um quadro de E. Hopper: *Nighthawks*. Com este texto ganhou um prêmio de cem mil cruzeiros, com o qual comprou um telefone, aparelho que permite a seus amigos chamá-lo para vir a esta hora da madrugada ao Lamas, onde se passa a seguinte cena:

"O Antunes briga com a Salma e, de sacanagem, vai sentar-se sozinho numa outra mesa, olhando fixamente adiante. A solidão do Antunes parece um quadro de Edward Hopper, diz o Autor."

Bebem todos até o amanhecer. Depois a Léo e o Autor, boêmios, *nighthawks*, subindo a pé a rua das Laranjeiras, comprando o jornal, tomando o café da manhã numa padaria. Depois, casa e cama.

The Author Rides Again:

Show de música, principalmente, eu tenho o maior desânimo de ir. Há filas demais, todos aqueles fãs uniformizados de classe média contente. E a maior parte dos *shows* é apenas um disco cantado ao vivo.

O caso do João Gilberto é diferente. JG é um cara que se valoriza pelo silêncio, as pouquíssimas apresentações e os discos, muito selecionados. Quer dizer, ele se valoriza também pelo que não faz, os *shows* que não dá. E quando se dispõe a cantar em público, é um acontecimento que vem com muito peso. O mesmo peso que ele dá a cada nota musical.

— Eu nunca entrei no Canecão, mas no *show* do João Gilberto a gente podia ir, não é, Léo?

— É.

"The talk of the town":
— Olha, não sei não, estou sentindo que esse cara não vai dar o *show*. Com aquele som do Canecão, não sei não...

— O cara é maluco: quando veio fazer aquele especial com o Caetano na televisão exigiu até mesa de pingue-pongue no estúdio.

— Dizem que lá em Nova York ele se tranca no banheiro por horas e fica testando uma nova batida no violão.

— É a acústica. Banheiro tem uma acústica boa pra cacete.

— Dizem que o homem testa o som do Canecão, não está legal, ele vem cá fora e fica olhando o céu, como se consultasse algum oráculo.

— Tão falando aí num *Pássaro da Perfeição* que fugiu.

— Eu ia comprar pro show, mas acho melhor esperar pra conferir.

Os jornais:
"João ensaiou até a manhã do dia da estreia. Aí viu mesmo que não ia dar. Estavam lá o Tom Jobim, a Miúcha, o Chico Buarque. Os músicos foram saindo devagar, desanimados. João Gilberto pegou seu violão, entrou num carro e sumiu."

O Autor e a Léo:
Léo: — Você viu o negócio do João Gilberto? *O Autor*: — Que que foi, não deu o *show*? *Léo*: — É.

O Autor (sorridente): — Eu já esperava. No Canecão, com aquele som do Canecão, eu já esperava.

Léo: — Mas e o espírito profissional?

O Autor (categórico): — Se fosse outro qualquer, ainda vá lá. Podia dar um *show* mais ou menos, só pras pessoas verem o espetáculo, o ídolo. Mas João Gilberto, não. João Gilberto é a nota musical, o som. Ele só existe nesta medida. Uma medida que amplia a consciência do público para o som exato, a *sílaba*. Seu modo de cantar é um manifesto musical. O "Desafinado", por exemplo. É um manifesto. Como o "Muito romântico", que o Caetano Veloso fez para o Roberto Carlos cantar.

Rua Laranjal, 50, Belo Horizonte (1979):
O Autor e suas amigas Sílvia e Isabel ficam a noite inteira ouvindo o disco do Roberto Carlos. Principalmente a canção "Muito romântico".

Laranjal, 50 (2):
Caetano Veloso vai lá almoçar com a Sílvia e a Bel. Depois canta a "Trilogia do Roberto". — Três retratos do Roberto vistos por ele. Ou três retratos dele vendo o Roberto — diz Caetano.

De volta ao Rio com o Autor:
— Adorei o concerto do João Gilberto no Rio de Janeiro. O concerto foi dado, é isso que as pessoas precisam entender. A recusa de João Gilberto em cantar naquelas condições e suas palavras posteriores foram o concerto que ele ofereceu à cidade do Rio de Janeiro. Sua contribuição à cultura musical da cidade. Deviam dar a ele o título de Cidadão Honorário, se ainda não o fizeram.

O concerto de João Gilberto no Rio de Janeiro (1):
— Música não é barulho! E a minha música é feita de detalhes, sutilezas, filigranas! Aí, pensei que não era justo fazer aquilo comigo nem com os outros. Sabe, não posso mentir. Tudo parecia uma enorme brincadeira... Será que o povo aceita isso?

Reportagem de Lúcia Leme na revista *Amiga*:
"Dono de uma voz e um ritmo considerados privilegiados, inovador da música popular, pioneiro da bossa nova — que ele faz questão de chamar de samba — 'tudo é samba e samba é a estrutura musical primária', João Gilberto não faz concessões. Nem ao sistema nem à música."

O concerto de João Gilberto no Rio de Janeiro (2):
— Sou apenas uma pessoa que procura a coisa mais bonita, o som mais integrado, a divisão correta. Ainda acredito que a música que tem interesse é a música bem-feita. E é por esta que eu luto!

O concerto de João Gilberto no Rio de Janeiro (bis):
— Tudo é samba e samba é a estrutura musical primária.

O Autor e uma nova namorada:
O Autor tem uma capa preta, comprada em Paris. Numa noite chuvosa o Autor recebe a visita de Maria Luiza, atriz, que veio buscar um texto para uma possível leitura com seu grupo teatral. Ela e o Autor esvaziam uma garrafa inteira de Old Eight. Lá fora chove muito e o Autor pergunta à Maria Luiza se não quer passar a noite em sua casa. Ela diz que "sim, tá legal". Depois caem na cama, cada um para o seu lado.
Acordam na maior ressaca, o Autor diz que a venda do Old Eight devia ser proibida. É um crime contra o consumidor. O Autor liga o rádio. Estão meio dormindo, meio acordados:

Já conheço os passos
dessa estrada
sei que não
vai dar em nada...

É João Gilberto cantando "Retrato em branco e preto", de Tom Jobim e Chico Buarque. Um momento fulgurante da música popular brasileira, esta interpretação de João.

Um texto inteiro sobre o "Concerto de João Gilberto no Rio de Janeiro" vem à cabeça do Autor, como se ele recebesse um ditado do *além*. Ou do rádio, via JG. Ou do *Pássaro da Perfeição*, que, neste momento, executa um planeio sobre a cidade, procurando, talvez, no céu nublado, o rumo de Nova York. Pairando errante sobre a cidade, o *Pássaro* tem trocado influências com urubus malandros.

"*Você precisa ver isso aqui em junho*", diz um urubu, "*fica cheio de balões*".

É isso que o Autor está imaginando ali na cama, ao lado da Maria Luiza, nessa manhã chuvosa. Mas a indolência do Autor impede que ele se levante para anotar suas ideias. Vão passar o dia inteiro na cama, uma parte do cérebro do Autor fixando-se naquele projeto de texto, para não esquecê-lo. Quando o Autor está com muita ressaca, seu cérebro entra em pane.

Maria Luiza levanta-se para ir ao banheiro e pede ao Autor alguma coisa para se cobrir. O Autor vai ao armário e pega a capa preta. Maria Luiza vai ao banheiro, volta e deita na cama com a capa preta sobre o corpo. O Autor abre a capa preta no corpo branco de Maria Luiza e vê ela toda nua.

Vou colecionar mais um soneto
outro retrato, em branco e preto
a maltratar, meu coração.

Teatro João Caetano, noite deste mesmo dia:
O Autor foi encontrar com a Léo. Está esperando ali nas coxias e vê, de relance, Carlos Augusto Carvalho rodopiando ao som do "Danúbio Azul". É um ensaio.

"Ah, *Pauliceia Desvairada*, o Grupo Pau-Brasil."

A voz do Antunes Filho lá na plateia chama o Autor: — Ô Sérgio Sant'Anna, vem cá. — O Autor tem de atravessar o palco para chegar até lá. O Antunes grita para o Autor que quer ver como ele entra em cena. Ele atravessa o palco, encabulado. Mas entrar no espaço branco da página é também como entrar em cena. Então entrando aqui, neste espaço branco da página, como um ator que houvesse deixado as coxias para pisar o palco. Ou como João Gilberto entrando no espaço cênico do Canecão, com um sorriso e o violão debaixo do braço, para o seu *Concerto do Rio de Janeiro*.

ANDRÉ, O FILHO DO AUTOR, DE BOINA NA CABEÇA:

O André, que estava assistindo ao ensaio, disse que o Antunes Filho ensaiando a mulher negra a andar na *cena da Boiuna* era mais bonito do que a própria cena durante o espetáculo.

AUTOANÁLISE:

A propósito do que disse o André sobre o ensaio como um espetáculo em si: este Autor, como vocês devem estar observando, também escreve como se ensaiasse (ou rascunhasse) o ato de escrever. Escreve sobre ele escrevendo. O Vladimir Diniz disse um dia que um amigo dele criticou o Autor por ser isto narcisismo ou algo semelhante. Mas há o seguinte: se um cara é escritor e quer escrever sobre sua realidade, esta realidade estará impregnada do fato dele ser escritor. Do mesmo modo que alguns cineastas se viciam em olhar as coisas enquadrando-as numa câmera imaginária. E um escritor autobiográfico acabará escrevendo sobre ele escrevendo.

De certa forma parei de viver espontaneamente. Porque encaro as minhas vivências de uma forma utilitária, ou seja: material para escrever. Às vezes até seleciono aquilo que vou viver em função do que desejo escrever.

O Silviano Santiago diz que eu não deixo viver meus personagens. De fato, meus personagens quase sempre são antes atores do que personagens. E sempre gostei de escrever minhas histórias como se elas se passassem num palco. Ou mesmo um teatro de marionetes.

Mas aqui, neste texto, há palcos de verdade e uma parte de "não ficção". Estaremos, agora, diante de um novo realismo na literatura brasileira? Um novo realismo que assume uma forma fragmentária? Pois está difícil, hoje em dia, não escrever em fragmentos. Porque a realidade, cada vez mais complexa, também se estilhaçou. Principalmente para um cara que se desenraizou como eu. Não existe uma cidade que seja *a minha cidade*. Não existe uma família que seja *a minha família*. E as minhas vivências, agora aqui no Rio de Janeiro, são cada vez mais diversificadas e fragmentárias em termos de pessoas, lugares etc. Mas João Gilberto rege as muitas partes, contrapontos, deste concerto.

A Léo:
— As pessoas de Escorpião são muito filhas da mãe; elas usam os outros.
— Uso mesmo, sou um profissional. Gostaria muito, por exemplo, que você, Léo, tivesse perguntado ao Luís Carlos Prestes, quando viu ele lá no *Macunaíma*, o que ele achou do espetáculo? Sei que ele assistiu calado, ao contrário do Glauber Rocha, que resmungava alto o tempo todo. Mas seria interessante saber o pensamento de Prestes. Se ele não faria restrições, por exemplo, à pretensa fatalidade macunaímica do povo brasileiro? Por outro lado, o rigor estético do espetáculo já não seria, por si só, um imenso tijolo na edificação de uma cultura nacional?
Com a palavra Luís Carlos Prestes. E é preciso que o Partido tenha o seu jornal para que nós possamos saber o que o Partido pensa de todas as coisas. O que todos os partidos pensam sobre todas as coisas.

O Partido Comunista:
Com a atual desagregação social e econômica do país e a indefinição (ou enganação) dos políticos *oficiais* a este respeito, um dia a maior parte do povo brasileiro poderá se voltar para o Partido Comunista

como tábua de salvação. Por maiores que sejam os problemas, o Partido sempre tem ideias, sempre tem um programa de ação. A própria classe média, se continuar acuada, com medo até de sair na rua, poderá ver um dia no Partido uma espécie de UDN que vai pôr as coisas no lugar.

Ou pode voltar-se também para a Direita, a repressão da Direita. Como na Alemanha de Hitler. E Hitler, com sua absoluta ausência de escrúpulos, levou vantagem contra os comunistas.

"O nosso Hitler":
O cineasta germânico Syberberg se indaga:
"Foi Hitler que projetou sua vontade sobre o povo alemão ou vice-versa?"

No filme de Syberberg há uma cena em que aparece Hitler como um ator representando Chaplin enquanto este representa Hitler.

É este o entrelaçamento, jogo de espelhos, da arte *fin de siècle*, onde entram os artistas e a própria arte como integrantes da História.

Aqui, também, neste conto, o copular da estória com a História. Syberberg: "O que restou de Hitler foram fitas em celuloide."

O jornal do Partido:
O jornal do Partido Comunista teria de ter também seu crítico musical. De preferência alguém que pudesse, por exemplo, entender e analisar sem preconceitos o papel de um João Gilberto dentro de uma *Civilização Brasileira*.

Tristes trópicos:
Lévy-Strauss escreveu que certas regiões brasileiras poderiam passar da barbárie à decadência sem conhecer a civilização.

Chico Buarque na TV Bandeirantes:
"O trabalho de João Gilberto é uma reciclagem do que emana do povo."

DEVER DE CASA:

Naquele tal ensaio do *Macunaíma* que o André assistiu, o Antunes passou às atrizes no final um dever de casa. Estudar a diferença entre o neoclássico e o barroco. Para elas se situarem melhor nas cenas das estátuas. Um momento antológico, aliás, do teatro brasileiro e universal.

Este Autor, entre outras coisas, dá aulas numa Escola de Comunicação (leia-se Escola de Linguagens). E às vezes fala aos alunos que o conteúdo em João Gilberto não pode ser procurado nas letras das canções, quase sempre irrelevantes, do tipo "Lobo Bobo" ou "blim, blom, o trenzinho saindo da estação". O conteúdo em João Gilberto é a própria forma de cantar, a forma musical. Este conteúdo não pode ser procurado semanticamente nas palavras *lobo* ou *bobo*, mas em sua pronúncia musical, esse jogo com as letras *b* e *o*. O "blim-blom" das coisas.

SAMBA DE UMA NOTA SÓ:

"Eis aqui este sambinha feito de uma nota só, outras notas vão entrar mas a base é uma só."

REFLEXÃO:

É este aqui um texto *desafinado*?

PRIMEIRO AMOR:

O primeiro presente que o Autor ganhou da sua primeira namorada foi um disco do João Gilberto. Antes ele já escutara o João no rádio e soube desde logo que alguma coisa nova tinha acontecido.

STEPHEN DEDALUS:

"O que é audível apresenta-se no tempo, o que é visível apresenta-se no espaço."

E aqui estou eu, o Autor, caminhando no espaço branco da página, manchando-o com tipos negros. E vamos em frente. Acabei de ler na novela *Achado*, do Ivan Ângelo, que, cansado de uma exagerada personalização, o narrador deixaria a primeira pessoa do singular (o *eu*) para tratar a si próprio simplesmente de "o Autor". Coincidência ou caminhos convergentes? Mas vou percorrer aqui, em geral, o caminho inverso. Aliás, já comecei.

Curso do MAM:

Em 1978 dei no Museu de Arte Moderna do Rio de Janeiro um curso sobre a ficção brasileira a partir dos anos 60. Durante este curso foram valorizados principalmente os livros que não só discutiam a sociedade brasileira nas décadas de sessenta e setenta, incluindo os traumas políticos, como também colocavam em questão o próprio narrar disso tudo. Livros passíveis de mais de uma leitura, como se diz por aí. E nessa lista foram incluídos *A festa*, do Ivan Ângelo; o *Galvez*, do Márcio; o *Zero*, do Loyola; o conto "Intestino grosso", do Rubem Fonseca etc. Não porque fossem livros melhor escritos do que outros, mas porque traziam esta postura que me parecia adequada à época. Uma época que questionou a narrativa. Não incluí a mim próprio, por falsa modéstia. Mas mandei mimeografar e distribuí aos alunos o meu conto "Uma visita domingo à tarde ao museu", porque estávamos ali no museu e isso me parecia uma coincidência preciosa. De certa forma o conto só se realizou na medida em que foi impresso ali, nas folhas com o timbre do museu.

O lugar onde um texto é publicado é às vezes muito importante, em termos de ficção. Publicado que foi "O submarino alemão" no *Boletim do Círculo Psicanalítico de Minas Gerais*, adquiriu o texto um cunho mais marcado de *ficção psicanalítica*. Também gostei do "Lusco-fusco" ter saído na revista *Dados e Ideias*, do Serpro, que é lida por gente ligada a computadores, creio. E achei que seria estimulante para tal tipo de profissional um conto com uma concepção não ortodoxa do espaço literário.

Eu e a Léo:

— Pra escrever este texto do João Gilberto eu gostaria de um pouco mais de informação musical. Pra traduzir com exatidão em palavras esta busca mítica de um som íntegro por parte de João. Quem sabe se eu procurasse a Miúcha, hein, Léo? A Miúcha foi mulher dele muitos anos e li no jornal que ela estava lá no Canecão no último ensaio, quando ele desistiu. É, talvez se eu telefonasse para o Nelsinho. O Nelsinho é muito amigo dela. Estivemos até juntos uma vez no apartamento dela. É ali na Prudente de Morais e tem uma varanda de onde se vê um pedacinho do mar. De noite dá até pra ouvir o barulho do mar. O único problema é que eu não tenho o menor saco pra pesquisa, essa batalha toda.

— Pó, mas você é preguiçoso, hein? O Rubem Fonseca eu te garanto que iria.

De fato, dizem que o Rubem Fonseca até se disfarça de pobre pra subir o morro. Pra saber das coisas e depois escrever.

Eu também subi o morro uma vez lá no Leme com a Léo. Só que tínhamos bebido e seguimos atrás de uma batucada que começou no botequim onde a gente foi com o Luiz Gonzaga Vieira e a Ivonne. Quando eu bebo, só tenho medo no dia seguinte. A Ivonne encontrou com a Léo outro dia na rua e falou:

— Puxa, vocês são loucos. Aquele morro está cheio de bandido.

Mas um cara tinha até convidado a gente pra voltar lá num aniversário. O cara marcou hora e dia pra pegar a gente no mesmo botequim. Só que a gente não foi.

O Rio de Janeiro:

São dois países, um de frente para o outro, a cidade e a favela. E estes dois países estão em guerra. As batucadas na favela são o fundo musical deste filme. Tambores guerreiros batendo um ritmo de taquicardia.

Carta do Autor a Rubem Fonseca:

"Agradeço o livro que você me mandou. Na verdade, invejo-o por sua capacidade de apreensão e elaboração em cima da realidade".

Telefonema:

Numa decisão súbita o Autor levanta-se do sofá em seu apartamento, onde está sentado com a Léo, e resolve telefonar para seu amigo e parceiro Nelson Ângelo:

— Alô, Nelsinho? Aqui é o Sant'Anna.

— Opa, como é que tá?

— Tudo bem. O negócio é o seguinte. Tô escrevendo um conto sobre o concerto que João Gilberto não deu no Canecão. Um troço a favor do João. Mostrando que a recusa dele cantar foi, em si, um importante fato musical.

— Legal. Tem uns caras pichando, acho bom alguém escrever isso. Assim a favor.

— Pois é, mas não manjo picas de música. Você podia me ajudar. Ou então ir comigo lá na casa da Miúcha.

— Tá bom, a gente podia encontrar.

— Amanhã?

— Amanhã.

— Lá mesmo no Nicteroy?

— É, eu chego lá pelas cinco.

— Eu vou um pouco depois.

— Então tá.

— Tchau. Um abraço na Rita.

— Tchau.

Tarde da noite:

O Autor e a Léo vão para o Lamas, onde combinaram encontrar com o Antunes e a Salma. Vão comemorar o aniversário da Salma. Engraçado, as letras do nome da Salma são as mesmas do nome do Lamas.

Chegando na porta, oh, surpresa, o Lamas está fechado "por motivo de força maior". Algum engraçadinho escreveu embaixo: "Assassinaram o camarão".

O Autor e a Léo pegam um táxi e vão para o teatro. O espetáculo já acabou, mas o Antunes está fazendo testes para substituições no elenco. E agora manda uma candidata andar pra lá e pra cá no palco. E depois manda ela passar uma parte do texto com a Ilona e a Léo. Enquanto o teste prossegue ele grita para o Autor sentado lá na frente:

— Quer dizer que o Lamas está fechado, não é, ô Sant'Anna?

— Pois é, incrível, o Lamas fechado. Um bar que não fecha nunca. Alguma coisa grave deve ter acontecido.

O teste termina, a Salma aparece na beira do palco e o Autor dá a ela de presente de aniversário *A hora da estrela*, de Clarice Lispector.

— É um livro que emociona a gente. No princípio é um pouco pesado, meio chato, mas depois pega a gente pelo pé.

Beijos, final desta seção.

Praça Tiradentes (à espera de um táxi):
O Autor para Carlos Augusto Carvalho (Macunaíma):
— É esse o casaco que você usa na peça?
— Não, mas é parecido, por quê?
— Nada, é que ele é bonito.

Também na vida real Carlos Augusto é a personificação de Macunaíma. Nascido no Pará, Brasil bravo, e descendo o mundo como ator. São Paulo, Rio, Nova York, Oropa. Como se Macunaíma, adormecido por muitos anos nas páginas de um livro, de repente pulasse para a vida. O espetáculo montado por Antunes Filho & Cia. supera, no meu entender, o livro de Mário de Andrade. E Carlos Augusto dá ao personagem um rosto e um *paletó de linho branco*.

Mário de Andrade:
"Nome começado por MÁ tem má sina."

Restaurante La Mole, Baixo Leblon:

Mais uma vez o "Parabéns pra você" é cantado baixinho, agora para a Salma.

Sob as luzes de um poste, o Autor julga ver um rosto conhecido. Ajeita os óculos e tenta distinguir melhor no meio da névoa alcoólica da madrugada. Levanta-se, vai lá e não tem mais dúvida. É mesmo a Sílvia, que retorna a esta história. Abraçam-se, exclamando:

— *Never more, never more*.

Sílvia vem sentar-se à mesa com o pessoal. Neste final de madrugada, são os únicos fregueses do restaurante. Pedem mais uma rodada de vodca. Antunes vai sentar-se numa outra mesa, afastada:

— Um quadro de Edward Hopper — ele diz de lá.

— Câmera enquadrando os primeiros raios da claridade ferindo os olhos do grupo de vampiros. Assustados, começam a dispersar-se. Cacá e Júlia para um lado. Antunes e Salma tomando a transversal.

Sílvia, extraviada dos amigos com quem estava, diz que não tem onde dormir.

— Vai lá pra casa — o Autor diz. E vão.

Fundo musical: "É de manhã, vem o sol etc. etc..." De Tom Jobim e Dolores Duran, na voz do saudoso Agostinho dos Santos.

Telefonema (1):

Despertado pelo tocar do telefone, às onze horas da manhã. É o Tavinho Moura, diretamente de São Paulo:

— Sant'Anna, a Sílvia tá aí?

— Porra, como é que você descobriu?

— Intuição, bicho. Intuição.

— Ela tá dormindo, quer que eu chame?

— Chama, cara, que é um troço importante. Ela tem que vir a São Paulo regravar a flauta no meu disco que deu problema.

Nota tipo rodapé:
Tais acontecimentos, à primeira vista irrelevantes, que vêm se detalhando aqui, se justificam na medida em que são as peças de um mosaico, pleno de mágicas e necessárias coincidências de caráter literário, teatral e musical a executarem em seu conjunto, como os instrumentistas de uma orquestra, "O concerto de João Gilberto no Rio de Janeiro".

Telefone (2):
À mesa do café o Autor percebe que não tem a menor condição física de ir trabalhar. As mãos trêmulas, a cabeça imprestável. E depois, com aquele bafo...

O Autor pede à Sílvia e à Léo que fiquem em silêncio absoluto enquanto ele telefona. Pode pegar mal em seu trabalho, aquelas duas mulheres cascateando tão alegremente ao seu lado enquanto ele se justifica:

— Alô, aqui é o Sérgio. Avisa aí que eu estou batalhando na matrícula do meu filho no colégio. Se não demorar muito eu ainda vou aí.

Quase um desastre:
Ao sair da Princesa Isabel para entrar na Barata Ribeiro, o táxi perde o freio. O motorista consegue uma passagem milimétrica entre os carros estacionados e um ônibus do exército cheio de soldados. Alguns ligeiros amassadinhos no táxi. O ônibus do exército nem sentiu.

Desceram ali mesmo e o Autor diz à Sílvia que é um crime ir a São Paulo numa tarde dessas de sol. Sílvia, desanimada, fala que tem de ir.

Beijos na rua, despedidas, Sílvia vai pegar suas coisas na casa de uma amiga. Léo e o Autor vão para a praia até a hora de encontrar o Nelsinho.

— Aquele quase desastre era um presságio, Sílvia. Pra você não ir a São Paulo. Como mais tarde, nesta história, iremos ver.

"Paraísos artificiais" (1):

Praia do Leme, à tarde, num dia útil. Uma ou outra pessoa fazendo ginástica na barra, garis limpando a areia, eu e a Léo com todo o espaço à nossa disposição.

Há um tipo de euforia, às vezes, na ressaca, enquanto a curva do álcool ainda não entrou em declínio acentuado. Deitar então na água e olhar o céu. A cidade inteira se movimenta, no inferno de um dia útil. Mas você pensa é no movimento do Planeta. O Planeta rolando vertiginosamente no Cosmos e você ali boiando nas ondas do mar, como um passageiro de primeira classe.

Bar Nicteroy:

Tomou este nome por causa daquela piada antiga de que a única coisa que presta em Niterói é a vista para o Rio. E como o bar fica bem em frente, tem a vista do Garota de Ipanema, ex-Veloso, onde Tom Jobim e Vinicius de Moraes etc. etc...

Eu e a Léo pedimos rápido chopes e caipirinhas para entrar no ritmo da mesa.

Nelsinho cantarola a "Quase branca", de sua autoria, com letra deste Autor que vos fala. O autor queria que a canção se chamasse "Mórbida", mas o Nelsinho achou o título mórbido demais. O Autor pensa que cantando o mórbido a gente dá a volta por cima da morbidez. O dizer uma coisa redime esta coisa.

O Nelsinho queria também a palavra "mistérios", mas convenço a ele que deve ficar "cemitérios" mesmo.

Nesta troca de mútuas concessões, subsiste um impasse: o músico quer a palavra "verso", o letrista quer "nervo". O músico acha que no *verso* está contido o *nervo*. E *nervo* não é legal de cantar. Já o Autor acredita que no *nervo* é que cabe o *verso*:

> *Uma canção quase branca*
> *na garganta essa vontade de silêncio*
> *cemitérios que trazemos em segredo.*

Uma canção uma chama
um castiçal dentro da igreja
jogando um claro no rosto de cera.

Uma canção quase um réquiem
para um coro vestido de negro
uma canção quase um nervo.

Autocrítica a favor:
Além desta canção ter a ver com minha caminhada verbal rumo ao silêncio, ela tem um lado muito mineiro, como eu tenho um lado muito mineiro. Ficaria muito bonita cantada pelo Milton numa igreja de Diamantina sob o clarão de velas e sem qualquer acompanhamento. Despojar-se, despir-se: o rumo?

Buscará o Ocidente, pressionado pela crise, uma nova castidade?

Miúcha:
— A Miúcha já vem vindo por aí — diz o Nelsinho. — Assim você conversa logo com ela.

Se aqui fosse um filme, a câmera poderia mostrar a Miúcha saindo da praia e subindo a Montenegro, até chegar ao Nicteroy, distribuindo beijos gerais e sentando-se entre o Autor e o Nelsinho.

Mas como aqui é um livro, são as palavras que pegam a Miúcha saindo da praia e subindo a Montenegro, até chegar ao Nicteroy, distribuindo beijos gerais e sentando-se entre o Autor e o Nelsinho.

Infelizmente as palavras não podem mostrar a tarde azul transformando-se em tarde cinza.

Lugares-comuns:
Daqui a pouco vai chover e grossas gotas farão os pneus chiarem no asfalto enquanto as poças d'água refletirão as luzes da cidade.

Oh, literatura, coisa chã e vã.

"Conversando no bar":

O Autor: — O negócio é o seguinte, eu sou escritor...

Miúcha: — Tô sabendo.

O Autor: — E estou escrevendo um texto em cima do *show* do João Gilberto. Começa com John Cage dando a ele de presente uma gaiola (*cage*) lá em Nova York. Depois aparece um urubu na asa do avião, batendo com o bico na janela e conversando com João em código Morse. E por aí vai.

Miúcha (*sorrindo*): — Legal.

O Autor: — Pois é, mas eu preciso de ajuda. Bom, você foi mulher do João muito tempo. E também tava lá no Canecão no último ensaio. Na hora que ele desistiu. Eu queria saber o que houve exatamente?

Miúcha: — Foi aquele negócio do som mesmo. O retorno do som.

O Autor: — Eu sei, mas eu queria ter uma informação musical mais minuciosa sobre isso tudo. Eu sei que o negócio do João é o som puro, a nota exata, as sutilezas. Mas o que seria exatamente isso?

Miúcha: — Olha, o melhor é você falar com ele mesmo.

Miúcha dá o endereço e telefone de JG. Hotel Rio Palace, quarto 824. Telefone 287-99-22:

— Manda chamar o Otávio terceiro. É uma espécie de secretário dele.

O Autor (*cochichando com a Léo*): — Otávio terceiro, porra. Tá parecendo personagem de Shakespeare.

Nelsinho: — O foda é esse Otávio terceiro. Passar pela triagem desse Otávio terceiro.

Miúcha: — O negócio do João é ficar em casa tocando o violãozinho dele.

O Autor acaba de anotar num cartão da loteria esportiva: "Otávio terceiro". Mas fica pensando que é tímido demais pra encarar essa, o ídolo, o mito. O Autor já está sabendo que não irá procurar o JG.

Miúcha: — Falaram com ele assim: João, você tem que cantar, você é um mito. Ele respondeu que não queria ser *mito de circo*.

O concerto de João Gilberto no Rio de Janeiro (4)
— Eu não quero ser mito de circo.

O Autor:
O Autor anota esta última frase no seu cartão da loteria esportiva, mas queria saber mais. Até detalhes do casamento de Miúcha e João. Mas não tem coragem de perguntar. Então bebe mais pra ter coragem. Só que depois a bebida vai atrapalhá-lo a se lembrar do que ouviu ali na mesa, onde Miúcha deixa escapar uma ou outra coisinha ao acaso. Que, por exemplo, eles mudavam tanto de casa em Nova York que não chegavam a ter uma vida normal. Uma vez moraram numa casa de três andares: num andar ficava ele, JG; noutro a Miúcha e noutro a filha Bebel.

Miúcha começa agora a ver umas fotografias suas que uma moça lhe trouxe para escolher. O bar se agita e passa uma mulata cantando. Nelsinho entra no ritmo dela. Chega Novelli, senta, apenas acena e sorri. Léo conversa com a Cristina, irmã de Miúcha. Diz que o Antunes é doido pra ter ela num espetáculo dele. Léo convida a Miúcha a ir ver o *Macunaíma*, Miúcha diz que vai. Um cara bêbado reclama com o Autor:
— Pó, sua mulher queimou meu pé. — A Léo tinha jogado uma ponta de cigarro no chão, o cara estava de calção e descalço e pisou na brasa. O cara chega muito perto da Léo e o Autor a protege com um abraço.

Dispersão geral, as pessoas indo embora. O Autor e a Léo bebem uma última caipirinha. Amanhã, outra ressaca.

Depressão pós-alcoólica:
Porra, não sei como vou terminar este trabalho. Faltam alguns dados essenciais. Por exemplo, que rumo tomou João Gilberto, o que anda ele fazendo? E algo mais sobre sua música. Quem sabe eu escrevo pra ele, hein, Léo?

"*Prezado João Gilberto. Sou escritor e estou escrevendo um texto sobre teu show no Canecão.*"

Arranco o papel da máquina com raiva e o rasgo em muitos pedacinhos.

Pedro Henrique, médico do autor e de outras personalidades do mundo artístico:

— O álcool vai atingindo as células nervosas. E depois de um uso prolongado, sem tempo suficiente para recuperar-se, a pessoa vai tendo diminuída sua capacidade de concentração.

— Vou parar de beber no dia 31. Fim de ano e de década é bom pra resoluções. Mas o que se pode pôr no lugar?

"Paraísos artificiais" (2):
Maria Luiza tem seios pequenos e bonitos, cabelos negros, longas pernas. Gosta de andar nua pelo quarto e eu a fico observando. Acende-se um cigarro, a fotografia muda de repente e tudo adquire o contorno velado mas suprarreal da poesia.

Je présume que vous avez eu la précaution de bien choisir votre moment pour cette aventureuse expédition. Toute débauche parfaite a besoin d'un parfait loisir... vous n'avez pas de devoirs à accomplir exigeant de la ponctualité, de l'exactitude; point de chagrins de famille; point de douleurs d'amour... (Charles Baudelaire.)

Letra de bolero:
"Perdoa, Leozinha, Índia. Perdoa este volúvel coração."

"Paraísos artificiais" (3):
Il faut y prendre garde. Ce chagrin, cette inquiétude, ce souvenir d'un devoir qui reclame votre volonté et votre attention à une minute déterminée, viendraient sonner comme un glas à travers votre ivresse et empoisonneraient votre plaisir. L'inquiétude deviendrait angoisse; le chagrin, torture. (C.B.)

O grande inferno na divisão sentimental é que não se trata de escolher o melhor entre o amor, os atrativos, as virtudes, de uma ou outra pessoa. E sim porque cada uma dessas pessoas tem um peso próprio que te atrai de uma forma completamente independente.

E no meio da névoa da noite, de repente, dois rostos podem superpor-se à tua visão. Mas não deixar que a culpa penetre por tuas frestas. Jogar-se inteiramente neste corpo e rosto ambíguos, como se importasse apenas este único momento. Depois... Bom, depois...

Atriz:
Maria Luiza costuma chegar a uma da manhã, depois do ensaio. Gesticula pelo quarto, comentando os diálogos e marcações da peça.

De repente me vem à cabeça um novo texto: "Um homem que não sai mais de casa e o que se passa no mundo lá fora chega até ele apenas através desta encenação particular da mulher em seu quarto."

Mas antes é preciso terminar com JG.

Work in progress:
Nelson Rodrigues vai acompanhando os ensaios de *A Serpente*, peça de sua autoria que a Maria Luiza está fazendo. De repente diz para o ator Carlos Gregório acrescentar ao seu personagem uma fala assim: "O sexo da minha mulher é uma orquídea deitada."

Assistente de escritor:
A Léo traz de presente para o Autor uma página da revista *Amiga* com uma entrevista de João Gilberto sobre o show que ele não deu no Canecão.

"Esse conto eu queria muito fazer, Léo, porque encaixa direitinho no espírito do livro. Não quero um livro de histórias, mas um livro que discuta a linguagem, num tom oscilando entre o ruído e o silêncio. Tendendo, talvez, para um silêncio final ou, quem sabe, um ligeiro sussurro? Fora isso, João Gilberto, poxa! Este é um texto, um tema, que tesa. Um texto como João Gilberto experimentando o violãozinho dele dentro de casa, depois de cancelar uma apresentação para milhares de pessoas. Um texto como Garrincha jogando uma pelada em Raiz da Serra, depois de faltar a um jogo importantíssimo do Botafogo. Um texto de prazer."

Um psicanalista me disse um dia: — Por que não escrever sem um propósito definido?

Jules Siegel:

Uma vez o jornalista norte-americano Jules Siegel queria entrevistar Bob Dylan. Mas cansado de se debater contra a debochada e agressiva *entourage* do superastro, resolveu escrever uma reportagem sobre ele mesmo, Siegel, tentando chegar a Dylan. O título da matéria, publicada no jornal *Rolling Stone*, era: "Jules Siegel é megalomaníaco."

Despedida:

Última apresentação do *Macunaíma* no Rio de Janeiro. Na porta do teatro, o maior tumulto. Léo descola uma entrada para a Miúcha. Depois do espetáculo a Miúcha vem cumprimentar. Pergunta à Léo se eu estou mesmo fazendo o tal texto e se procurei o João?

— Não, não procurou não.

Depois a Léo me disse que a Miúcha disse que não estava mais a fim de ser a *ex-mulher de alguém*.

Telefonema:

A Sílvia, de Belo Horizonte:

— Sérgio? Tô mandando pra você, pelo Cristiano, aquela camisa da Cachaça Cantagalo.

— Ótimo, depois eu mando a sua do Bradesco. E São Paulo, como é que foi?

— Tudo bem, só que naquela tarde eu não cheguei. Pô, o avião ficou sobrevoando São Paulo por causa do mau tempo. O maior horror.

— E Campinas, também não dava?

— Tava tudo fechado. Aí a gente voltou pro Rio.

— Quer dizer que você foi só dar um passeio de avião e voltou?

— Pois é. E o avião estava cheio de executivos. Aí eu contei pra eles aquela história do táxi sem freio e você me avisando pra não ir. E os caras disseram que a *pé-frio* no avião era eu. Você precisa ver.

— Mas não quiseram te pôr para fora não, né?

Risos

— Não, isso não.

— A vida é um sonho, Sílvia. É um sonho.

Cabeças cortadas:

"A vida é uma história contada por um idiota, cheia de som e de fúria, significando nada."

No filme "*del gran cineasta brasileño*" Glauber Rocha, o ex--ditador de Eldorado, representado por Francisco Rabal, canta em ritmo de tango o monólogo acima, do *Macbeth*, de Shakespeare.

Um final possível para este texto:

João Gilberto no quarto de hotel, com o *Pássaro da Perfeição* em seu ombro, canta em ritmo de bossa nova, acompanhado pelo não menos shakespeariano Otávio terceiro vestido de imperador romano ou Príncipe de Gales, um monólogo quase idêntico:

A vida é um sonho
sonhado por um fool on the hill
cheio de sons e sussurros
significando nada.

Para os leitores curiosos, o motivo por que o Lamas não abriu aquela noite e subsequentes:

A cozinha explodiu.

Interurbano (1):
A Léo, de Salvador, onde o *Macunaíma* estreou.
— Como é que está aí, Léo, muita loucura?
— Baiano é doido, santo, eu fui à festa da padroeira e os caras puxavam a gente pelos cabelos.
— E o João Gilberto, tá mesmo por aí? Eu ouvi dizer.
— Olha, ninguém sabe, o homem sumiu. Tem gente que diz que ele está aqui; tem gente que diz que ele se mandou pra Juazeiro.
— Mas se encontrar o homem, já sabe — vê se dá um toque.

Interurbano (2):
A Léo, de Maceió, onde o *Macunaíma* estreou.
— Como é que é, e o texto?
— Tá saindo.
— O João Gilberto nem sinal lá em Salvador.
— Não precisa mais não, Léo; eu estou fazendo um final da minha cabeça mesmo. Vê aí o que você acha?

Gran final:
Frank Sinatra sobe as escadinhas de um vestiário-sepultura que o levam diretamente ao centro do Maracanã, onde 140 mil pessoas aguardam o seu tão anunciado *show*.

Uma iluminação feérica concentra-se no cantor, que pega o microfone para entoar os primeiros acordes de "Let Me Try Again", sob o delírio da multidão.

Neste momento, no céu, Deus consulta os seus assentamentos e verifica que o tempo de Sinatra já se esgotou há muito sobre a terra. "Não, não dá pra tentar de novo." E imediatamente ordena à Pomba do Espírito Santo que vá lá embaixo e acabe com aquilo.

A Pomba do Espírito Santo sobrevoa o estádio em formação com o Pássaro de John Cage e silencia Sinatra com um raio. Sinatra é carregado por seus guarda-costas novamente para a sepultura.

Silêncio absoluto no estádio, como se fosse um minuto de silêncio pela morte de algum jogador famoso ou a famosa composição de John Cage 4'33".

Entre os espectadores, em lugares diferentes, João Gilberto e Luís Carlos Prestes, que não vieram ali por causa de Sinatra, mas para ver o público.

Numa corrente psíquica, a Pomba do Espírito Santo e o *Pássaro da Perfeição* iluminam o homem dos alto-falantes do Maracanã, que convoca JG com urgência ao centro do gramado para substituir Sinatra.

João Gilberto decide que não pode faltar neste momento ao povo do seu país. Além disso, o equipamento de som que os americanos trouxeram para o Maracanã é bem melhor que o do Canecão.

Rumo aos elevadores do estádio, JG vai pedindo licença, passando entre os espectadores da arquibancada. De repente ouve uma voz atrás de si que o incentiva: "Uma estética para as massas, uma estética para as massas."

João Gilberto adentra o gramado pelo vestiário central. Ouvem-se alguns aplausos desconfiados.

João Gilberto pega o microfone no palco instalado no centro do campo e todos silenciam.

E João Gilberto começa a cantar baixinho, com as sílabas e as notas muito bem pronunciadas, a "Aquarela do Brasil", de Ary Barroso, regendo o público com os braços, para que o acompanhe no mesmo tom.

E neste tom — o tom *sussurrante* do bloco do *Macunaíma* — a multidão começa a entoar: "Brasil, meu Brasil brasileiro, terra do samba e do pandeiro..."

Lá ao longe, confundindo-se com as estrelas, afastam-se a Pomba do Espírito Santo e o *Pássaro* de John Cage, arrepiados com este *happy-end*.

REFERÊNCIAS BIBLIOGRÁFICAS

"Um homem célebre", Machado de Assis: ASSIS, Machado de. *Contos: uma antologia*. Seleção, introdução e notas de John Gledson. São Paulo: Companhia das Letras, 1998. Vol. 2.

"Cantiga de esponsais", Machado de Assis: ASSIS, Machado de. *Contos: uma antologia*. Seleção, introdução e notas de John Gledson. São Paulo: Companhia das Letras, 1998. Vol. 2.

"O machete", Machado de Assis: ASSIS, Machado de. *Contos: uma antologia*. Seleção, introdução e notas de John Gledson. São Paulo: Companhia das Letras, 1998. Vol. 1.

"Cenas de festas de *Memórias de um sargento de milícias*", Manuel Antônio de Almeida: ALMEIDA, Manuel Antônio de. *Memórias de um sargento de milícias*. Brasília: Editora Universidade de Brasília, 1963.

"Teus olhos", Arthur Azevedo. AZEVEDO, Arthur. *Melhores Contos*. Seleção de Antonio Martins de Araujo. São Paulo: Global Editora, 2001.

"Clara dos Anjos", Lima Barreto: BARRETO, Lima. *A nova Califórnia*. Rio de Janeiro: Revan, 1993.

"Gente de *Music-Hall*", João do Rio: RIO, João do. *Cinematógrafo*. Rio de Janeiro: Garnier, s.d.

"O piano" e "O último entrudo", Raul Pompeia. POMPEIA, Raul. *Obras*, Volume II. Org. Afrânio Coutinho. Rio de Janeiro: Civilização Brasileira/Mec., 1981.

"O tocador de bombo", Eduardo Campos: CAMPOS, Eduardo. *O abutre e outras estórias*. Fortaleza: Imprensa da União da Universidade do Ceará, 1968.

"O baile do judeu", Inglês de Sousa: SOUSA, Inglês de. *Contos amazônicos*. São Paulo: Martins Fontes, 2004.

"Quem cai na dança não se 'alembra' de mais nada", anônimo (folclore popular): GOMES, Lindolfo (org.). *Contos populares brasileiros*. São Paulo: Melhoramentos, 1948.

"Noite de são-joão", Bernardo Élis: ÉLIS, Bernardo. *Ermos e gerais*. São Paulo: Martins Fontes, 2005.

"Cordões", João do Rio: RIO, João do. *A alma encantadora das ruas*. São Paulo, Companhia das Letras, 1997.

"Carnavalescos", Olavo Bilac. BILAC, Olavo. *Ironia e piedade*, 3ª edição. Rio de Janeiro: Livraria Francisco Alves, 1926.

"Como eu me diverti!", Arthur Azevedo: AZEVEDO, Arthur. *Contos fora de moda*. Rio de Janeiro: Alhambra, 1982.

"Cló", Lima Barreto: BARRETO, Lima. *A nova Califórnia*. Rio de Janeiro: Revan, 1993.

"O bebê de tarlatana rosa", João do Rio: RIO, João do. *Os melhores contos de João do Rio*. São Paulo: Global, 2a edição, 2001.

"O mártir Jesus (senhor Crispiniano B. de Jesus)", António de Alcântara Machado: MACHADO, Antônio de Alcântara. *Novelas paulistanas*. São Paulo: Itatiaia e Editora da Universidade de São Paulo, 1988.

"Embaixada da Concórdia", Francisco Inácio Peixoto: LOUZADA, Wilson. *Antologia de contos de Carnaval*. Rio de Janeiro: Edições de Ouro, 1966.

"O Bloco das Mimosas Borboletas", de Ribeiro Couto: COUTO, Ribeiro. *Os melhores contos de Ribeiro Couto*. Seleção e prefácio de Alberto Venâncio Filho. São Paulo: Global, 2002.

"Composição de Carnaval", Marques Rebelo: REBELO, Marques. *Contos reunidos*. Rio de Janeiro: Nova Fronteira, 2002.

"O samba", Magalhães de Azeredo: AZEREDO, Magalhães de. *Balladas & Phantasias*. Rio de Janeiro: Laemmert & C., 1900.

"Olhos de azeviche", Nei Lopes: LOPES, Nei. *20 contos e uns trocados*, Rio de Janeiro: Record: 2006.

"A morte da porta-estandarte", Aníbal Machado: MACHADO, Aníbal. *A morte da porta-estandarte e outros contos*. Rio de Janeiro: José Olympio, 1995.

"Chica-chica-bum", Flávio Moreira da Costa: COSTA, Flávio Moreira da. *Malvadeza Durão e outros contos* (conto revisto para atual edição). Rio de Janeiro: Agir, 2006.

"Sambista em mesa de botequim bebendo cerveja com choro", Flávio Moreira da Costa: COSTA, Flávio Moreira da. *Malvadeza Durão e outros contos*. Rio de Janeiro: Agir, 2006.

"Joubert-Maringá", João Antônio: ANTÔNIO, João. *Dama do Encantado*. São Paulo: Nova Alexandria, 1996.

"O piano toca Ernesto Nazareth", João Gilberto Noll: NOLL, João Gilberto. *O cego e a dançarina*. Rio de Janeiro: Civilização Brasileira, 1980.

"A noite do gafanhoto", Carlos Jurandir: JURANDIR, Carlos. *Aves noturnas*.

"Oh, Bernardine", Jaime Prado Gouvêa. GOUVÊA, Jaime Prado. *Fichas de vitrola & outros contos*. Rio de Janeiro: Record, 2007.

"O concerto de João Gilberto no Rio de Janeiro", Sérgio Sant'Anna: SANT'ANNA, Sérgio. *O concerto de João Gilberto no Rio de Janeiro*. São Paulo: Ática, 1982.

OBRAS DE FLÁVIO MOREIRA DA COSTA

Livros de autoria

A noite de mil olhos. Rio de Janeiro: Nova Fronteira, 2010.
Alma-de-gato. Rio de Janeiro: Agir, 2008.
Livramento. Rio de Janeiro: Agir, 2006. Poesia.
Malvadeza Durão e outros contos. Rio de Janeiro: Agir, 2005.
O país dos ponteiros desencontrados. Rio de Janeiro: Agir, 2004.
Três casos policiais de Mario Livramento. Rio de Janeiro: Ediouro, 2003.
Rio de Janeiro: marcos de uma evolução. Org. Paulo Cohen, fotos de Milan e Carlos Secchin e texto de Flávio Moreira da Costa. Rio de Janeiro: Booklink, 2002.
Nonadas: o livro das bobagens. Rio de Janeiro: Francisco Alves, 2000. Crônicas.
Nelson Cavaquinho: Enxugue os olhos e me dê um abraço. Rio de Janeiro: Relume-Dumará/RioArte, 2000. Biografia.
Modelo para morrer: I.e., Jane April no País das Maravilhas. Rio de Janeiro: Record, 1999.
Nem todo canário é belga. Rio de Janeiro: Record, 1998. Contos (Prêmio Jabuti).
O equilibrista do arame farpado. Rio de Janeiro: Record, 1997. Romance (Prêmio Jabuti, Prêmio Machado de Assis, Melhor Romance da União Brasileira de Escritores e finalista do Prêmio Nestlé — segunda edição, Agir).
Avenida Atlântica. Rio de Janeiro: Rio Fundo, 1992. Romance policial.
Crime, espionagem e poder. Rio de Janeiro: Record, 1987.
O almanaque do dr. Ross. São Paulo: Nacional, 1985. Infantojuvenil.
Vida de artista. Porto Alegre: Sulina, 1985. Jornalismo.
Os mortos estão vivos. Rio de Janeiro: Record, 1984. Romance.
Franz Kafka: O profeta do espanto. São Paulo: Brasiliense, 1983. Ensaio.
Malvadeza Durão. Rio de Janeiro: Record, 1982. Contos (Concurso Nacional de Contos do Paraná).

Os subúrbios da criação. São Paulo: Polis, 1979. Crítica.

Às margens plácidas. São Paulo: Ática, 1978. Romance.

Os espectadores. São Paulo: Símbolo, 1976. Contos.

As armas e os barões. Rio de Janeiro: Imago, 1975. Romance. (Segunda edição: Agir, 2008.)

A perseguição ou Eu vi a máfia de perto. Rio de Janeiro: Francisco Alves, 1973. Romance.

O desastronauta ou Ok, Jack Kerouac, nós estamos te esperando em Copacabana. Rio de Janeiro: Expressão e Cultura, 1971. Romance. (Segunda edição: Agir.)

Cinema moderno cinema novo. Rio de Janeiro: José Álvaro, 1966.

Antologias organizadas:

O melhor do humor brasileiro. São Paulo: Companhia das Letras, 2016.

Os melhores contos brasileiros de todos os tempos. Rio de Janeiro: Nova Fronteira, 2009.

Intimidades célebres/O livro dos diários (Inédito).

Os melhores contos da América Latina. Rio de Janeiro: Agir, 2008.

Os melhores contos de aventura. Rio de Janeiro: Ediouro, 2008.

Os melhores contos que a História escreveu. Rio de Janeiro: Nova Fronteira, 2007.

Os melhores contos de cães e gatos. Rio de Janeiro: Ediouro, 2007.

Os melhores contos de loucura. Rio de Janeiro: Ediouro, 2007.

Os melhores contos bíblicos. Rio de Janeiro: Ediouro, 2006.

Os melhores contos fantásticos. Rio de Janeiro: Nova Fronteira, 2006 (segunda edição, 2017).

22 contistas em campo. Rio de Janeiro: Agir, 2006.

Aquarelas do Brasil — Contos da nossa música popular. Rio de Janeiro: Agir, 2006.

Os melhores contos de medo, horror e morte. Rio de Janeiro: Nova Fronteira, 2005.

Grandes contos populares do mundo todo. Rio de Janeiro: Ediouro, 2005.

Crime feito em casa: Contos policiais brasileiros. Rio de Janeiro: Record, 2005.

As cem melhores histórias eróticas da literatura universal. Rio de Janeiro: Ediouro, 2003.

13 dos melhores contos de vampiros. Rio de Janeiro: Ediouro, 2003.

Os cem melhores contos de crime & mistério da literatura universal. Rio de Janeiro: Ediouro, 2002.

Os cem melhores contos de humor da literatura universal. Rio de Janeiro: Ediouro, 2001.

Onze em campo e um banco de primeira. Rio de Janeiro: Relume--Dumará, 1998.

Viver de rir II: um livro cheio de graça. Rio de Janeiro: Record, 1997.

O mais belo país é teu sonho. Rio de Janeiro: Record, 1995.

Viver de rir: obras-primas do conto de humor. Rio de Janeiro: Record, 1994.

A Nova Califórnia e outros contos de Lima Barreto. Rio de Janeiro: Revan, 1993.

Plebiscito e outros contos de humor de Arthur Azevedo. Rio de Janeiro: Revan, 1993.

Onze em campo. Rio de Janeiro: Francisco Alves, 1986.

Antologia do conto gaúcho. São Paulo: Simões, 1970.

Livro de arte

Rio de Janeiro, marcos de sua evolução. Booklink, 2002. Organização de Paulo Cohen — Fotos de Milan e Carlos Secchin e texto de Flávio Moreira da Costa.

Inclusão em antologias

Corrupção. Organização de Rodrigo Penteado. São Paulo: Ateliê Editorial, 2002.

Os apóstolos: Doze revelações. São Paulo: Nova Alexandria, 2002.

Copacabana cidade eterna. Rio de Janeiro: Relume-Dumará, 1992.

Contos da repressão. Rio de Janeiro: Record, 1987.

Zitronengras: Neue Brasilianische Erzähler. Colônia: Kiepenheuer & Witsch, 1987.

Brazilian Stories, 1956-1977, em *The Literary Review*, v. 27, n. 4. Madison, Nova Jersey, 1984.

Chame o ladrão. São Paulo: Edições Populares, 1978.

O papel do amor. São Paulo: Simões, 1978.

Os vencedores. São Paulo: McGraw-Hill do Brasil, 1978.

Opowiadania Brazylijskie. Cracóvia, 1977.

Assim escrevem os gaúchos. São Paulo, 1976.

Antologia dos novos escritores brasileiros. Rio de Janeiro: Instituto Nacional do Livro, 1969.

Direção editorial
Daniele Cajueiro

Editora responsável
Janaína Senna

Produção editorial
Adriana Torres
Mariana Teixeira
Pedro Staite

Revisão
Eduardo Carneiro
Luisa Suassuna
Luiz Werneck

Diagramação
Futura

Este livro foi impresso em 2018
para a Editora Nova Fronteira.